HENRI TROYAT
de l'Académie française

Zola

FLAMMARION

Henri Troyat est né à Moscou en 1911. Fuyant la Révolution russe, ses parents – à l'issue d'un long exode – l'amènent en France où il fait ses études (lycée, faculté de droit).

Naturalisé français, il accomplit son service militaire et, alors qu'il se trouve encore sous les drapeaux, obtient le Prix du roman populiste pour son premier ouvrage, Faux Jour *(1935). Il publie encore* Le Vivier, Grandeur nature, La Clef de voûte *et* L'Araigne, *qui reçoit le Prix Goncourt en 1938.*

Sa manière change avec les vastes fresques historiques qu'il entreprend par la suite : Tant que la Terre durera *(3 vol.),* Les Semailles et les Moissons *(5 vol.) et* La Lumière des justes *(5 vol.). Son œuvre abondante compte aussi des nouvelles, des biographies (Pouchkine, Dostoïevski, Tolstoï, Gogol, Catherine la Grande, Pierre le Grand, Alexandre Ier, Tchekhov, Tourgueniev, Gorki, Flaubert, Maupassant, Alexandre II, le tsar libérateur, Nicolas II, le dernier tsar), des pièces de théâtre.* Le Front dans les nuages *marque un retour à sa première manière romanesque, tandis que* Le Moscovite *(3 vol.) et* Les Héritiers de l'avenir *(3. vol.) s'apparentent aux grands cycles historiques. Signalons également les derniers romans de Henri Troyat :* Toute ma vie sera mensonge, La Gouvernante française, La Femme de David, Aliocha, Youri. *Henri Troyat a été élu à l'Académie française en 1959.*

Barbiche grisonnante et regard myope derrière ses besicles : tel apparaît, débonnaire et quelque peu compassé, le Zola des manuels de littérature. Pourtant, ce bourgeois frileux se révèle très tôt comme un boute-feu redoutable. Dès qu'une injustice pointe à l'horizon, il clame son indignation à la face du monde. Ainsi se fait-il l'avocat des causes les plus difficiles, défendant la peinture de Manet aveuglément décriée, stigmatisant les mœurs corrompues du Second Empire, bravant, avec un courage inouï, l'opinion, le gouvernement, l'armée lors de l'affaire Dreyfus. La critique et le public bien pensants ne lui pardonnent pas ses prises de position abruptes, ses professions de foi « naturalistes » et le style plébéien de ses livres. Qu'il le veuille ou non, chacun de ses romans est un scandale.

Mais, si l'auteur des *Rougon-Macquart* est un révolté perpétuel, il est aussi un pantouflard studieux, qui rejoint sa table de travail à heure fixe, aime les bons repas et se glorifie de gagner des sous avec sa plume. Tout en peignant, de volume en volume, une fresque hallucinante de la France d'hier, il partage

(Suite au verso.)

consciencieusement ses loisirs entre son épouse, pesante et mûre, et sa jeune et jolie maîtresse, déjeunant chez l'une, goûtant avec l'autre les joies de la bicyclette et de la paternité clandestine.

Ce sont ces contradictions qui ont séduit Henri Troyat. Attentif à la vie privée de Zola comme à son parcours littéraire, il conjugue merveilleusement l'homme multiple qu'il fut avec l'œuvre monumentale qu'il laisse. Au-delà du récit biographique, un dialogue d'écrivain à écrivain.

Dans Le Livre de Poche :

I

ÉMILE

Combien de petits garçons rêvent de pouvoir un jour égaler leur père ! Pour Émile, à l'âge de cinq ans, la chose paraît impossible tant sont grands, à ses yeux, le talent, l'autorité, la générosité et la tendresse de l'ingénieur François Zola. Tout ce qu'il a appris sur lui par des bribes de conversation entre ses parents le renforce dans l'idée qu'il est le fils d'un surhomme. Et, au vrai, la vie de François Zola ressemble à un récit d'aventures écrit pour enfiévrer les jeunes imaginations. Que n'a-t-il connu comme métiers, comme péripéties et comme pays étranges avant de rencontrer la charmante Émilie Aubert qui allait devenir sa femme ? Né le 7 août 1795 à Venise, il a commencé par être un lieutenant « docteur en mathématiques ». À vingt-cinq ans, il a quitté l'armée et l'Italie pour s'installer en Autriche où, nommé ingénieur en chef, il a participé à la construction de la première ligne de chemin de fer européenne, entre Linz et Budweis. Malgré ces brillants débuts, le krach en 1830 d'une banque à laquelle il s'était associé comme concessionnaire l'a incité à s'expatrier. Après avoir tenté sa chance en Hollande, puis en Angleterre, il s'est subitement engagé dans la Légion étrangère, en Algérie. Une affaire d'entôlage par amour dont il a été la naïve victime l'ayant contraint à démissionner pour sauver son honneur, il s'est embarqué en 1833 pour

5

Marseille où il a ouvert aussitôt un bureau d'ingénieur civil, rue de l'Arbre. La tête bouillonnante d'idées, il a fait des expériences d'éclairage au gaz, s'est proposé pour creuser un nouveau port à Marseille, a rêvé d'une ceinture de fortifications autour de Paris, a imaginé un canal d'irrigation pour alimenter en eau la ville d'Aix qui n'était encore qu'une cité assoiffée et somnolente. Afin de réaliser ce dernier projet, le plus important de tous, il s'est rendu à Paris et a osé demander audience à M. Thiers, dont les attaches avec Aix lui étaient connues. Les pourparlers, les marchandages, les luttes d'influence ne l'ont pas découragé pendant son séjour parisien. D'autant qu'un dimanche matin, en sortant de la messe à l'église Saint-Eustache, il a été ébloui par une jeune fille belle, svelte et modeste.

Émilie Aubert était née à Dourdan le 6 février 1819. Fille d'un vitrier-peintre en bâtiments, elle n'avait que quelques pauvres valeurs mobilières comme dot, mais le fougueux Italien ne s'était pas laissé arrêter par ces contingences. Aussi résolu dans ses affaires sentimentales que dans ses entreprises de travaux publics, il n'avait fait ni une ni deux et l'avait épousée le 16 mars 1839. Elle avait vingt ans et lui bientôt quarante-quatre. Le temps d'un bref voyage de noces en Provence et, au retour du couple à Paris, Émilie était enceinte. Pendant qu'elle tricotait, apaisée et radieuse, la layette de l'enfant à naître, François Zola se dépensait comme un beau diable pour convaincre M. Thiers et trente-six autres notables d'appuyer son idée de canal aixois et sa nouvelle conception de la défense de Paris par des fortins avancés. À force d'intrigues, il avait été présenté au roi et au prince de Joinville. Mais, entre-temps, ne recevant aucune commande, il s'était gravement endetté. Peu importe ! Une première victoire lui était réservée. Elle n'était pas d'ordre professionnel mais familial. Au terme de sa grossesse, Émilie avait accouché d'un bébé vigoureux et braillard. Ivre d'orgueil, François Zola avait noté dans son agenda :

« 2 avril 1840. À onze heures, est né le petit Émile-Édouard-Charles-Antoine, notre fils. » Le jeudi 30 avril, nouvelle indication dans le carnet : « À quatre heures, baptême d'Émile. » Enfin, le samedi 16 mai : « Fait vacciner notre enfant. » La naissance d'Émile s'était déroulée sans encombre dans un appartement modeste, loué douze cents francs par an, au numéro 10 *bis* de la rue Saint-Joseph. Cette belle revanche sur l'adversité ne pouvait, dans l'esprit du père, qu'annoncer d'autres réussites. Son optimisme ne parvenait pas à convaincre sa jeune femme. Elle était nerveuse, instable, découragée, la santé de son fils l'inquiétait. À deux ans, Émile était atteint d'une fièvre maligne. L'application de sangsues ne faisant pas baisser la température, le médecin n'osait se prononcer sur l'issue de la maladie. Mais l'enfant guérit de lui-même et retourna à ses jeux.

Il est malingre, pâlot, fluet : un pauvre petit citadin au front lourd. Ce qu'il lui faut, c'est le grand air, la campagne. Or, justement, le projet de canal est en train de prendre corps. La municipalité d'Aix est tellement intéressée que François Zola boucle ses valises et se rend sur les lieux, avec sa femme, son fils, son beau-père et sa belle-mère.

On s'installe d'abord sur le cours Sainte-Anne, puis bientôt dans une maison appartenant à M. Thiers, 6, impasse Sylvacanne [1]. La bâtisse à un étage, avec son toit en tuiles roses, ses murs ensoleillés et son jardin débordant de fleurs, est pour Émile un havre de joie familiale. À quatre ans, son univers est dominé par la silhouette massive de son père, toujours très sérieux et très occupé, et par le visage alarmé de sa mère, qui tremble dès que le gamin se met à courir dans l'allée ou essaie de grimper aux arbres. Elle a constamment l'impression qu'un malheur se prépare. Or, c'est un bonheur qui leur échoit à tous ; le 11 mai 1844, *Le Sémaphore de Marseille* publie dans la rubrique réservée

1. Aujourd'hui traverse Sylvacanne.

aux informations en provenance d'Aix : « Nous sommes heureux de pouvoir annoncer à nos concitoyens que, le 2 de ce mois, le Conseil d'État, sections réunies, a déclaré définitivement l'utilité publique du canal Zola et a adopté en son entier le traité du 19 avril 1843 consenti entre la ville et cet ingénieur. »

François Zola exulte. Après huit ans de démarches, il a gagné la partie. Désormais, l'avenir du petit clan est assuré. Dans la maison, du père à la mère en passant par les grands-parents, les figures rayonnent. Émile participe à cette allégresse dont il ne saisit pas très bien les motifs. Au milieu de l'euphorie générale, la surveillance, autour de lui, se relâche. Il se promène en ville, avec une domestique, et s'émerveille de la noble et sommeillante splendeur de son nouveau pays. D'instinct il aime les « cours » plantés de vieux platanes, les fontaines murmurantes, les façades austères aux lourdes portes sculptées défendant les ténébreux secrets des intérieurs provinciaux. Il a pour ami un petit serviteur algérien de douze ans, Mustapha. Quand ils sont en tête-à-tête, celui-ci le cajole et procède même à des attouchements qui troublent Emile jusqu'à la pâmoison. Un jour, les parents surprennent la complicité des deux enfants, et Mustapha est chassé de la maison. L'affaire est si importante que François Zola en avertit les autorités municipales. Un rapport de police, en date du 3 avril 1845, signale l'événement : « Arrondissement du Cours. M. Poletti, commissaire de police. Nous avons fait conduire au Palais de Justice le nommé Mustapha, âgé de douze ans, natif d'Alger, domestique au service de M. Zola, ingénieur civil, logé rue de l'Arbre, n° 4, prévenu d'attentat à la pudeur sur le jeune Émile Zola, âgé de cinq ans. »

Quelle est la réaction d'Émile devant cette sanction outrageante ? Sans doute est-il stupéfait d'apprendre qu'il a fait le mal en s'abandonnant aux caresses de Mustapha. Peut-être regrette-t-il d'être brusquement privé des attentions de ce garçon expert en frôlements

8

agréables. Mais il est si jeune que, très vite, le plaisir des francs jeux garçonniers efface, dans sa mémoire, la nostalgie des rapports coupables. D'ailleurs, il est de plus en plus rarement livré à lui-même. Son père le prend par la main quand il se rend en tournée d'inspection sur les lieux de ses futurs travaux. On attend toujours l'ordonnance royale qui permettra l'ouverture du chantier. Les discussions avec les riverains s'éternisent. Sans se démonter, François Zola fonde la Société du canal Zola, au capital de six cent mille francs, dont il est le gérant. Puis, prudent, il fait prononcer par le tribunal de première instance de la Seine un jugement de séparation de biens entre époux, afin de protéger sa femme en cas d'échec.

Enfin, le 4 février 1847, tout semble réglé et c'est le premier coup de pioche. Émile est convié à voir, dès le matin, le grouillement des ouvriers dans les trous de terre. Son père est là, debout, le chapeau crânement repoussé sur la nuque, la canne à la main, tel un général commandant à ses troupes. Il clame des ordres que ses subalternes répercutent à la ronde. On fait sauter des roches à la dynamite. Des wagonnets courent sur des rails, dans tous les sens. Un nuage de poussière voile le soleil. Émile est pénétré d'admiration devant ce chef de famille exceptionnel qui est en train de changer la face du monde. Il lui semble que, si son père enjoignait à la pluie de tomber, le ciel n'oserait pas lui désobéir. Ah ! s'il pouvait lui aussi, quand il serait grand, imprimer sa volonté dans la terre, dans la pierre, dans la foule ! Mais il est faible comme une fille et si paresseux qu'il rechigne à apprendre son alphabet. Son élocution est marquée d'un défaut qui afflige ses proches. Il remplace les « s » par des « t ». Dans sa bouche, « saucisson » devient « totitton ». On en plaisante en famille, mais sa mère est soucieuse. Et Émile voudrait tant qu'elle fût fière de lui ! Comme de son père qui déplace les montagnes. Un jour, ce père inégalable lui donne cent sous parce qu'il a réussi à prononcer correctement le mot « cochon ».

Émile ne sait s'il doit se réjouir ou se vexer de cette récompense inattendue.

Depuis le début des travaux du canal, François Zola est encore plus occupé que du temps où il traçait des plans et dressait des colonnes de chiffres. Du matin au soir, il est sur le chantier. Mais, quand il revient, en fin de journée, la face cuite par le soleil et le regard brillant, c'est un vainqueur qui s'assied à table pour dîner entre sa femme et son fils. Quelques semaines après les premières explosions de mines, il doit se rendre à Marseille pour régler un détail administratif. Ce voyage le contrarie un peu car il a pris froid sur le terrain, dans les gorges de la montagne où souffle un vent furieux. Recroquevillé dans la diligence qui l'emporte, il grelotte et claque des dents. Une fois arrivé à l'hôtel de la Méditerranée, rue de l'Arbre, il est secoué par un tel accès de fièvre que le propriétaire, affolé, appelle un médecin. Celui-ci diagnostique une pneumonie et conseille de prévenir immédiatement l'épouse du malade. Émilie part en hâte, avec le petit Émile. Ne connaissant pas Marseille, elle erre dans les rues, apeurée, se trompant d'adresse, demandant son chemin aux passants, avant de découvrir enfin la maison où son mari lutte contre la mort. Est-il possible que ce gisant aux yeux exorbités, à la poitrine déchirée de toux et de râles soit le superbe ingénieur italien du canal Zola ? Elle ne quitte plus son chevet, espérant une guérison de plus en plus problématique. Hélas ! le 27 mars 1847, dans une chambre anonyme, entouré de la grande rumeur des rues, François Zola rend le dernier soupir.

Brisée par les sanglots et tenant par la main son fils âgé de sept ans, Émilie assiste aux obsèques solennelles que les Aixois réservent à leur infortuné concitoyen. Le corbillard traverse toute la cité. Les cordons du poêle sont tenus par le sous-préfet, le maire, l'ingénieur d'arrondissement et un avocat au Conseil du roi et à la Cour de cassation, Alexandre Labot, ami du défunt. Pressé contre sa mère, Émile songe qu'il ne peut y avoir pire injustice au monde que cette disparition d'un homme avant l'achèvement de l'œuvre pour laquelle il a vécu. Est-il possible que, dans les jours à venir, un autre monsieur vienne donner des ordres sur le chantier, à la place de papa ? Le journal *La Provence* ouvre, le 8 avril 1847, une souscription pour placer sur la tombe de François Zola « une pierre tumulaire… en attendant que la réalisation de son canal permette à la reconnaissance publique de lui élever un monument plus splendide ».

Les visites de condoléances se succèdent, les lettres affluent dans la maison de l'impasse Sylvacanne qui a perdu son âme. Émilie Zola a d'autant plus de mal à surmonter son chagrin que son mari, en mourant, l'a laissée dans une situation financière dramatique. La Société du canal, privée de son animateur, est sur le point d'être dissoute à la suite des manœuvres du principal actionnaire, Jules Migeon, qui veut la racheter. De tous côtés, les appétits des créanciers se réveillent. Émilie est menacée de procès si elle ne règle pas certaines dettes dont, jusque-là, elle ignorait l'existence. À contrecœur, elle donne à droite, à gauche des actions du canal en garantie de paiements ultérieurs. Dénuée de ressources, la famille quitte la maison de l'impasse Sylvacanne, au loyer trop élevé, pour un logement plus exigu et moins cher, hors de la ville, dans un quartier peuplé de maçons italiens et de gitans chapardeurs. Pour un enfant, fût-il orphelin, tout changement de vie est une aubaine. Émile accompagne sa mère chez les hommes de loi. Il l'entend discuter de traites, d'intérêts, de saisie mobilière et ce jargon juridique l'intrigue. Parfois, grand-mère Aubert, qui partage le deuil de sa fille, emporte un bibelot pour le vendre à un brocanteur. Peu à peu, l'appartement se dénude. Bientôt, il ne restera plus que les murs, les lits, les chaises, la table… Émile a conscience de la misère où se débat sa mère, que les voisins appellent Mme veuve Zola. Il la plaint de tout son cœur et s'impatiente de ne pouvoir, dès à présent, remplacer son père pour bâtir une œuvre durable et subvenir aux besoins des siens. Quand il parle de son ambition à Émilie, elle sourit tristement et répond que, avant d'étonner le monde par des entreprises aussi vastes que celles de François Zola, il faut beaucoup étudier. Et, joignant la décision à la parole, elle l'inscrit comme élève à la pension Notre-Dame.

II

ÉTUDES ET ÉVASIONS

La pension Notre-Dame a tout pour séduire Émile :
située au bord d'un ruisseau sinueux, appelé la Torse,
elle abrite quelques dizaines de gamins délurés qui
parlent avec l'accent chantant du Midi. Comme le
« nouveau » sait à peine lire et hésite à tracer des lettres
sur un papier, le directeur, M. Isoard, le retient après
les cours et l'oblige à déchiffrer des fables de La
Fontaine. Dès que son professeur referme le livre,
Émile court rejoindre le troupeau des élèves. Ses
meilleurs amis sont Philippe Solari et Marius Roux.
Avec eux, il joue aux billes, à la toupie, à la balle au
chasseur. Ce ne sont que galopades et hurlements de
joie dans la cour de récréation. Parfois les garnements
s'échappent et, avant de rentrer chez eux, se perdent
dans les garrigues pour attraper des lézards ou des
cigales et surveiller le passage étincelant des truites
entre les cailloux de la rivière. Il n'est pas rare qu'une
fillette les accompagne. Philippe a une jolie sœur,
Louise. Elle se laisse lutiner sans autre conclusion que
des rires et une tape sur les mains, une fois la jupe
rabattue. En fin de journée, Émile est tout excité par
l'air vif, l'amitié et les caresses inachevées. Il juge que,
décidément, l'instruction a du bon.

À la maison, il retrouve sa mère et ses grands-parents
avec leurs soucis. Depuis la mort de son gendre, le

grand-père Aubert se cantonne dans une oisiveté et un pessimisme de vieillard. En revanche, la grand-mère Aubert s'affirme comme une femme énergique, active et débrouillarde. À soixante-dix ans, elle a très peu de cheveux gris et à peine quelques rides. C'est elle qui, avec une autorité souriante, mène la barque. Elle adore son petit-fils. Entre elle et sa fille, c'est à qui cajolera au mieux le jeune Émile. Entouré de ces deux femmes qui font assaut de tendresse, il se sait pardonné d'avance pour toutes les sottises qu'il pourrait inventer. Or, voici qu'elles se mettent en tête de le changer d'établissement scolaire. Il vient d'avoir douze ans et l'aimable pension Notre-Dame ne peut suffire, disent-elles, à former son intelligence. S'il veut devenir quelqu'un, comme son père, il doit poursuivre ses études dans l'austère collège Bourbon, à Aix. Il y sera pensionnaire. Mais, pour qu'il ne se sente pas coupé de la famille, on quittera le quartier excentrique du Pont-de-Béraud pour s'installer en ville, 27, rue de Bellegarde[1]. Ainsi sa mère et sa grand-mère pourront-elles aller le voir tous les jours au parloir et lui apporter de bonnes paroles et des friandises. Les études au collège coûtant cher, Émilie Zola se résigne à demander au conseil municipal une bourse pour son fils, « comme récompense posthume des services rendus par [son] mari à la ville d'Aix ». Cette faveur lui est accordée. Et, en octobre 1852, Émile, pourvu des recommandations et des espoirs de tous les siens, entre en classe de huitième.

Autant il était à l'aise parmi les gamins pauvres et turbulents de la pension Notre-Dame, autant il se sent dépaysé au milieu de cette société d'enfants riches, vantards et ricaneurs où il vient d'échouer tel un canard boiteux. Ici, on ne lui pardonne pas d'être un boursier, c'est-à-dire un indigent, de parler avec l'accent pointu comme les Parisiens et d'avoir, en outre, un défaut de prononciation qui fait siffler sa langue. Pour ces fils de

1. Aujourd'hui rue Mignet.

14

bourgeois provençaux, il est le « Franciot », l'étranger, l'intrus. On le poursuit, on l'accable de sarcasmes et il se demande en quoi il a mérité une telle inimitié, lui qui était disposé à aimer tout le monde dans sa nouvelle école ! Par bonheur, de la horde déchaînée se détache un grand gaillard noiraud, à l'œil de braise et au nez cassé, qui le prend sous sa protection. Il est d'un an son aîné et s'appelle Paul Cézanne.

Aussitôt rasséréné, Émile s'apprête à faire front. Après avoir longtemps traîné en queue de classe, il décide de travailler. Parce qu'il est pauvre, parce que la plupart de ses condisciples se moquent de lui, parce que son père est mort sans avoir achevé sa tâche, parce que sa mère compte sur lui pour assurer l'avenir de la famille, il se plonge avec rage dans les études. Le résultat ne se fait pas attendre : le 10 août 1853, il obtient le prix d'excellence et six autres récompenses, allant du prix de récitation classique au prix de grammaire française. Sacré bon élève, il entend ne plus jamais faillir à sa réputation. Le collège lui devient si familier qu'il se prend à aimer cet ancien couvent, avec sa chapelle obscure, presque toujours fermée, son concierge, cerbère intraitable, qu'il faut supplier d'ouvrir en grattant à sa fenêtre quand on arrive en retard, sa grande cour ombragée de quatre platanes, son autre cour, plus petite, avec les agrès et les barres parallèles, son infirmerie où règnent des odeurs pharmaceutiques et que traversent des sœurs en noir aux cornettes blanches, ses salles de classe du premier étage aux fenêtres ensoleillées et ses salles d'étude, au rez-de-chaussée, tristes et humides comme des caves. Quand Émile est rivé là, à son banc, il éprouve une désagréable sensation de claustration et de contrainte.

En plus de Paul Cézanne, il a deux bons amis, Jean-Baptistin Baille et Louis Marguery. Cézanne, fils de banquier, rêve de devenir peintre ; Baille, fils d'aubergiste, se passionne pour les sciences ; Marguery, fils d'avoué, se verrait assez bien en auteur de vaudevilles.

Quant à Émile, pendant l'étude surveillée, il aligne des vers. Les jours de sortie, les quatre copains s'attendent à la porte et s'en vont bras dessus, bras dessous. Ils se raccompagnent mutuellement pendant des heures. Dans les rues des bas quartiers, quelques gamins leur lancent des pierres. C'est la bataille habituelle entre les enfants des faubourgs et ceux de la ville, deux bandes sauvages qui se détestent par tradition. Émile et ses amis ripostent avec tout ce qui leur tombe sous la main. Puis ils poursuivent leur route sous les huées. Parfois, ils croisent un régiment qui marche au pas cadencé, musique en tête. Sans doute les soldats paradent-ils avant d'aller s'embarquer pour la Crimée. Il y a une guerre, là-bas. Mais elle ne fait pas partie des préoccupations immédiates des enfants. D'autres spectacles les attirent. Les jours de fêtes religieuses, ils sont au premier rang de la foule pour voir passer la procession, avec la longue théorie des jeunes filles en blanc chantant des cantiques, les corbeilles de roses effeuillées sous le regard attendri des bourgeois, les coups d'encensoir autour de la statue de la Vierge ou de quelque saint portée à épaules d'homme et, au crépuscule, le retour du cortège, constellé cette fois de centaines de cierges aux petites flammes tremblantes qui font paraître plus belles, plus mystérieuses et plus sages encore les pieuses demoiselles qui les tiennent entre leurs doigts gantés de filoselle immaculée.

Ces demoiselles, Émile en rêve nuit et jour depuis qu'il a quinze ans. Il lui advient d'imaginer que l'une d'elles a pris la place de Mustapha, l'habile caresseur d'autrefois. Des désirs tumultueux l'agitent. Pour se libérer de cette obsession de la femme ou, peut-être, pour la goûter davantage, il se jette dans la lecture. Ses amis font de même. Ils échangent des livres et en discutent avec fougue, exaltant ceci, dénigrant cela. Leur préférence va aux poètes du sentiment : Hugo, Musset, Lamartine... À l'exemple de ces grands anciens, Émile redouble d'activité littéraire. Ses camarades l'imitent. Leur petit clan ne vit plus que dans un nuage de rimes. Pour un peu, ils se parleraient en vers. Ils s'intéressent aussi à la musique. Le principal du collège ayant eu l'idée de créer une fanfare, Marguery apprend le piston, Cézanne le cornet et Émile, malgré son manque d'oreille, la clarinette. Un jour de 1856, le jeune Zola défile avec l'orchestre des potaches derrière les autorités ecclésiastiques, civiles et militaires d'Aix. Pénétré de son importance, il souffle à pleines joues dans son instrument sans se préoccuper des fausses notes. Il lui semble que le public, massé sur le parcours, l'associe dans son admiration aux personnages les plus prestigieux du cortège.

Il va aussi très souvent, avec ses amis, au théâtre d'Aix. Les places, au parterre, ne coûtent que vingt sous. On ne se lasse pas d'applaudir certains spectacles exceptionnels. C'est ainsi que les inséparables verront dix-huit fois *La Dame blanche* et trente-six fois *La Tour de Nesle*.

Néanmoins, leur plus grand plaisir, ils ne le doivent ni à la lecture, ni à l'écriture, ni à la musique, ni à la scène. Rien n'égale à leur sens l'ivresse des longues randonnées dans la campagne environnante. Il leur arrive d'abattre jusqu'à dix lieues dans la journée, parcourant les routes, escaladant les sentiers de chèvre, traversant des fourrés qui les griffent au passage. Ils pêchent, ils chassent au fusil ou à la fronde, ils se baignent dans l'Arc et se sèchent au soleil. C'est l'été surtout, pendant les vacances, que la fièvre de l'évasion les tourmente. Alors, dès trois heures du matin, le premier levé va jeter des cailloux contre les volets des autres. Les provisions ont été rangées la veille dans les carniers. La fraîcheur de l'aube achève de stimuler les marcheurs. Quand le jour a paru, ils sont déjà en pleine nature. Au plus fort de la chaleur, ils s'installent dans le creux de quelque ravin boisé et préparent le déjeuner. Baille allume un feu de bois mort, dont les flammes lèchent un gigot à l'ail suspendu à une branche par une ficelle. Émile s'occupe de tourner la viande à petites chiquenaudes pour qu'elle cuise également. Cézanne, le plus sauvage des trois, assaisonne la salade selon une recette connue de lui seul. Aucune cuisine ne saurait être plus savoureuse que la leur. Après avoir dévoré le gigot jusqu'à l'os et trempé leur pain dans la sauce de la salade, ils s'allongent côte à côte, à l'ombre, pour une sieste. Réveillés une heure plus tard, ils repartent, le fusil à la main, pour une partie de chasse. Le bruit des détonations, dans le silence de la campagne, leur procure un contentement viril. Avec un peu de chance, ils tuent parfois un cul-blanc. Quand ils sont las de marcher, ils s'asseyent sous un arbre, tirent des livres de leurs carniers et lisent à haute voix quelques poèmes de leurs idoles. Musset surtout les transporte parce qu'il a tant souffert à cause des femmes ! À la chute du jour, ils rebroussent chemin, comparant encore les mérites de leurs auteurs favoris et récitant des vers sublimes sous les étoiles.

Une fois, ayant prévenu leurs parents, ils décident de passer la nuit dans une grotte, comme des trappeurs d'Amérique. L'ombre venue, ils se couchent sur un lit de feuilles, au fond de l'excavation. Mais le temps se gâte, un vent furieux s'engouffre dans la caverne. À la lueur de la lune, ils discernent de grosses chauves-souris qui tournoient au-dessus de leurs têtes. Vaguement inquiets, ils se résignent à lever le camp. Avant de partir, ils mettent le feu à leur litière pour jouir du spectacle d'un incendie nocturne. Épouvantées par les flammes, les chauves-souris s'envolent hors du repaire avec des battements d'ailes spasmodiques et de brefs cris aigres qui réveillent tous les oiseaux d'alentour [1].

Pas plus que la chasse au petit gibier, la chasse aux filles n'est fructueuse pour Émile, et il s'impatiente. Il soupire encore après la sœur de Philippe Solari, la jolie

---

1. Zola a conté lui-même les péripéties de ces randonnées à Paul Alexis, qui les a évoquées dans son livre *Émile Zola, notes d'un ami.*

et coquette Louise, qui lui a sans doute accordé un baiser au cours d'une promenade ; il rêve aussi d'une demoiselle brune au chapeau rose, aperçue un dimanche à l'église ; et il se console du néant de sa vie sentimentale en composant des vers élégiaques. Parfois cependant, fatigué des gémissements romantiques, il s'évade dans la satire. Ainsi écrit-il une comédie en trois actes et en vers, intitulée *Enfoncé le pion,* où il évoque les entreprises de deux élèves astucieux disputant au pion Pitot les faveurs d'une femme. Tout en fignolant cette pochade, il espère toujours la rencontre de la créature idéale qui lui révélera l'union des corps. De nombreuses prostituées, mais aussi des filles faciles en quête d'aventures rôdent autour du collège. Peut-être l'une d'elles l'entraîne-t-elle dans la connaissance décevante de l'accouplement sans amour ? Déniaisé ou non, il décide de chanter les débauches de la jeunesse aixoise et rédige une nouvelle, aujourd'hui perdue : *Les Grisettes de Provence.* En véritable écrivain, ce qu'il n'a pas vécu, il l'invente.

Entre-temps, la famille, qui s'enfonce dans la gêne, voire dans la misère, a encore déménagé et, après un passage rue Roux-Alphérand, puis cours des Minimes, s'est installée dans un minable logis de deux pièces au coin de la rue Mazarine. Les fenêtres de l'appartement ouvrent sur les pierres du rempart en ruine. La chaleur est étouffante. Émilie Zola part souvent pour Paris afin de tenter d'ultimes démarches auprès des avocats et des hommes d'affaires susceptibles de l'aider dans son procès contre l'affreux Jules Migeon. En son absence, c'est grand-maman Aubert qui dirige la maison avec douceur et autorité. Comme d'habitude, elle ne sait rien refuser à son petit-fils. Or, voici qu'en octobre 1857, cette femme d'apparence indestructible tombe malade et meurt subitement. Émilie perd ainsi sa plus solide alliée contre l'adversité quotidienne et Émile une seconde mère. Le sort semble s'acharner sur ce petit groupe sans défense.

Affligée, Émilie Zola repart pour Paris dans l'espoir d'obtenir la protection de M. Thiers, qui a toujours manifesté tant de bienveillance envers feu son mari. Certes, l'ancien chef du gouvernement a été depuis écarté du pouvoir. Mais il doit avoir conservé de solides relations dans le monde de la politique et de la justice. Il ne refusera pas d'aider une veuve aux abois.

Resté seul auprès de son grand-père effondré, Émile multiplie les sorties avec ses camarades. Le plus proche de lui est, sans conteste, Cézanne. Il aime la brusquerie, les foucades, les emportements de ce gaillard farouche qui, déjà, rêve de peinture tout en alignant des vers de mirliton. Mais le père de Cézanne, imbu de son importance et de sa fortune de banquier, déplore que son fils se commette avec un garçon qui n'est pas de leur monde. Or, cet ostracisme vaniteux ne fait que resserrer les liens entre les deux collégiens. Ils n'étaient qu'amis, ils deviennent frères. Aussi Émile est-il frappé d'une douloureuse stupéfaction lorsqu'il reçoit, en février 1858, une lettre où sa mère lui écrit de Paris : « La vie n'est plus tenable à Aix, réalise les quatre meubles qui nous restent. Avec l'argent, tu auras toujours de quoi prendre ton billet de troisième et celui de ton grand-père. Dépêche-toi. Je t'attends [1]. »

Subitement il mesure tout ce qu'il lui faudra arracher de son cœur pour rejoindre sa mère à Paris : le collège, les promenades dans la garrigue, les saines fureurs du mistral, les fontaines d'Aix au murmure apaisant, les amis enfin qu'il sait irremplaçables. Avec eux, il organise une dernière excursion au Tholonet. Un vent d'hiver secoue les cyprès. Le ciel est d'un bleu cru. Une odeur sèche monte de la terre. Comment peut-on vivre ailleurs ? Face à ce paysage lumineux, Émile s'écrie : « Nous nous retrouverons tous les trois à Paris ! » Mais il embrasse Cézanne et Baille avec autant de force que s'il ne devait plus jamais les revoir.

1. Rapporté par Paul Alexis, *op. cit.*

III

III

DÉLIRE POÉTIQUE

Au premier abord, Paris, qu'Émile a si peu connu dans son enfance, le rebute par ses rues froides et grises, son ciel de pluie et son va-et-vient de passants grincheux. Saura-t-il s'accommoder de cet enfer monotone après avoir grandi dans le radieux paradis provençal ? Assis dans l'omnibus, entre sa mère tout heureuse qui est venue l'accueillir à la gare et son grand-père inquiet qui surveille leur maigre bagage, il suppute l'avenir et s'assombrit à chaque tour de roue. Enfin les voici tous les trois dans le petit appartement du 63, rue Monsieur-le-Prince. D'emblée, Émilie lui annonce la grande nouvelle : M. Labot, avocat au Conseil d'État et ami de la famille, a pu obtenir de M. Nisard, directeur de l'École normale, que celui-ci fasse entrer Émile comme demi-pensionnaire boursier au très vénérable lycée Saint-Louis, en classe de seconde, section des sciences, et cela bien que l'élève soit arrivé en cours d'année. Devant l'exaltation de sa mère, Émile, par charité, tente de sourire. En vérité, il n'augure rien de bon de cette transplantation. Tout enfant, il l'aurait acceptée. Mais, à dix-huit ans, il a déjà enfoncé ses racines dans une autre terre. On l'en extirpe. Et il en souffre comme d'une amputation.

Le premier contact avec ses condisciples parisiens est rude. À Aix, il évoluait parmi des gaillards violents, mal dégrossis et fanfarons ; ici, il est entouré de jeunes bourgeois policés, élégants et moqueurs, qui lisent les journaux, s'entretiennent des derniers potins de la politique, commentent les charmes des actrices en vogue et se prétendent blasés avant d'avoir vécu. Il est plus âgé que la plupart d'entre eux et cette circonstance le gêne, comme une preuve d'infériorité intellectuelle. Il se sent déplacé, dépassé, condamné à la timidité et à l'exclusion. Fait curieux, à Aix ses camarades de classe se moquaient de son accent parisien et l'appelaient « le Franciot » ; à Paris, les lycéens affirment qu'il a l'accent du Midi et l'appellent « le Marseillais ». Certains, raillant ses origines italiennes, lui ont même donné le sobriquet de « Gorgonzola ». Pour lui, maintenant, une chose est certaine : ce n'est pas au lycée Saint-Louis qu'il se fera des amis comparables à Cézanne, à Baille, à Marguery...

Son désespoir est tel qu'il ne trouve plus de réconfort que dans le ressassement des souvenirs aixois. Là-bas aussi, les copains se désolent. Les lettres qu'ils échangent sont des cris de détresse, des appels au secours. Émile raconte interminablement à Cézanne et à Baille ses lectures, ses projets littéraires, ses tristesses nocturnes, ses élans vers la nature et vers les femmes. En laissant courir sa plume, il a l'impression de poursuivre une de leurs conversations à cœur ouvert, dans la campagne. Malgré la légèreté du papier pelure qu'il emploie, il lui faut coller deux ou trois timbres pour affranchir le pli. Absorbé par sa correspondance, il ne travaille plus guère en classe : devoirs bâclés, leçons non apprises. Lui qui était si souvent le premier au collège d'Aix traîne maintenant en queue de peloton. Une seule matière le séduit encore : la narration française. Un jour, il doit traiter le sujet suivant : *Milton aveugle dictant à sa fille aînée, tandis que la seconde joue de la harpe.* Inspiré par ce tableau d'harmonie familiale, Émile rédige un texte émouvant que son professeur, M. Levasseur, juge digne d'être lu en classe. Il prédit même à l'auteur un avenir d'écrivain. Émile se rengorge : à quoi bon apprendre l'algèbre, la géométrie, la géographie, la physique puisque sa vocation, c'est la littérature ? Fort de cette conviction, il se claquemure dans son état de cancre.

S'il étudie peu, il lit énormément : Hugo certes, et Musset, mais aussi Rabelais et Montaigne. Sa préférence va aux auteurs romantiques, aux écrivains libres et débridés. Les classiques l'ennuient. À la fin de l'année scolaire, il n'obtient qu'un second accessit en français.

Afin de l'encourager à plus d'assiduité dans les études, sa mère décide de retourner avec lui à Aix pour les grandes vacances. À peine arrivé dans sa ville de prédilection, Émile est repris par le tourbillon de l'amitié. Baille s'est laissé pousser la barbe ; Cézanne travaille à un drame sur Henri VIII d'Angleterre, ce qui ne l'empêche pas de peindre comme un forcené. Ils entraînent « le Parisien » dans leurs promenades habituelles. On se baigne dans l'Arc, on escalade la montagne Sainte-Victoire, on retourne au « barrage » de Roquefavour, on chasse, on pêche, on lit à haute voix les grands précurseurs, on récite ses propres vers pondus en classe, on évoque la rouerie des femmes et le charme de leurs abandons. Émile a en tête des plans de poèmes aux dimensions gigantesques. Il en fait part à ses compagnons qui l'approuvent et l'encouragent. Mais les semaines passent vite. À peine a-t-il eu le temps de gonfler ses poumons de grand air et son cœur d'affection fraternelle qu'il doit repartir pour Paris.

La rentrée scolaire d'octobre se dresse devant lui comme une menace. Il a des vertiges, il délire, et le voici couché, peu après son retour dans la capitale, avec une fièvre typhoïde qui, dira-t-il, « galope dans [ses] veines comme une bête [1] ». Il en sort épuisé. Ses dents se déchaussent. Sa vue a tellement baissé qu'il ne peut plus

---

1. *Le Printemps, journal d'un convalescent ;* texte repris, plus tard, dans *La Faute de l'abbé Mouret.*

lire les affiches collées sur le mur d'en face. Ce n'est qu'au mois de janvier 1859 qu'il retourne au lycée.

Cette reprise des études coïncide avec un incident humiliant pour la famille. Les Zola, qui ont, une fois encore, changé d'appartement, sont expulsés du 241, rue Saint-Jacques, pour n'avoir pas payé leur loyer. De plus en plus, Émile songe qu'il n'y aura pas d'accalmie pour lui et les siens tant qu'il n'aura pas décroché une situation honorable et bien rémunérée. Pour cela, il doit d'abord passer son baccalauréat. « Sans diplômes, point de salut », affirme-t-il à Baille le 23 janvier 1859. Mais, dans la même lettre, il se refuse énergiquement à gagner sa vie comme un quelconque bureaucrate. « Je t'annonçais, dans ma dernière lettre, mon intention d'entrer au plus tôt comme employé dans une administration ; c'était une résolution désespérée, absurde. Mon avenir était brisé, j'étais destiné à pourrir sur la paille d'une chaise, à m'abrutir, à rester dans l'ornière... Heureusement que l'on m'a retenu sur le bord de l'abîme ; mes yeux se sont ouverts et j'ai reculé d'épouvante en sondant la profondeur du gouffre, en voyant la fange et les roches qui m'attendaient au fond. Arrière cette vie de bureau ! Arrière cet égout ! me suis-je écrié ; puis, j'ai regardé de tous côtés, demandant un conseil à grands cris. L'écho m'a seul répondu, cet écho railleur qui répète vos paroles, qui vous renvoie vos questions sans les satisfaire comme pour vous faire entendre que l'homme ne doit compter que sur lui. » Après cette constatation pathétique, Émile décide de faire son droit pour devenir avocat. « Il n'est qu'un moyen d'arriver, conclut-il, c'est le travail... Je dis adieu pour quelque temps à mes beaux rêves dorés, certain de les voir accourir en foule lorsque ma voix les rappellera dans une époque meilleure. »

En fait, les « beaux rêves dorés » ne l'abandonnent pas. Il se sent même de plus en plus attiré par la littérature et révulsé par la science. « Je ne suis plus ce Zola qui travaillait, qui aimait la science, qui roulait sa

bosse tant bien que mal dans l'ornière de l'enseignement universitaire, écrit-il à Marguery quelques mois
plus tard. Tu es un ami, et je puis te confier bien des
choses : or, apprends que je suis devenu un paresseux
fieffé, que l'algèbre me donne la migraine et que la
géométrie m'inspire une telle horreur que je frissonne
rien qu'à voir un innocent triangle... Tout ceci est une
transition pour te dire que, ne faisant rien, je ne serai
pas reçu au bachot [1]. »

Accablé par ce pressentiment, il se rend à la Sor-
bonne où il doit passer les épreuves écrites. De son
avis même, sa version latine est médiocre et il n'a pas
trouvé la solution du problème de mathématiques.
Persuadé qu'il sera recalé, il va consulter, à tout
hasard, la liste des admissibles et constate avec stupéfaction qu'il y figure au deuxième rang. Ce résultat
inattendu lui redonne confiance pour l'oral. Son tour
arrive. Il répond correctement aux interrogations de
sciences naturelles, de physique et chimie, de mathématiques... Le succès final lui semble déjà à sa portée. Mais un examinateur sourcilleux, chargé de la
section lettres, s'avise de lui demander la date de la
mort de Charlemagne. Troublé, Émile hésite, calcule
et finit par se tromper de quelques siècles, faisant
mourir l'empereur à la barbe fleurie sous le règne de
François Ier. Le visage du professeur se crispe et,
changeant de matière, il questionne le candidat sur
l'œuvre de La Fontaine. Sans doute Émile ne mani-
feste-t-il pas un enthousiasme suffisant pour l'auteur
des *Fables,* car son vis-à-vis se gourme davantage et
annonce d'une voix sèche : « Passons à l'allemand. »
Or, Émile a toujours été imperméable aux langues
vivantes. Incapable de lire correctement une phrase en
allemand, il entend avec effroi la sentence : « Cela
suffit, monsieur ! » L'examen oral terminé, les membres du jury délibèrent en hochant la tête et, sur

1. Lettre de juin 1859.

l'insistance de leur collègue des lettres, décident de recaler le candidat Zola, jugé « nul » en littérature.

Désolée de ce fiasco, Mme Zola n'a pourtant pas le cœur de refuser à son fils de nouvelles vacances provençales. Huit jours plus tard, vêtu d'une blouse de gros drap et chaussé de souliers de marche, il se retrouve, avec Cézanne et Baille, courant dans les broussailles odorantes, rôties par le soleil et fouettées par le vent. Inspiré par ce paysage, il se dit que, dans le Midi, pays de douceur, de liberté et de farniente, il aura plus de chances de passer son baccalauréat qu'à Paris. Ayant convaincu sa mère, il se présente à Marseille, en novembre 1859, d'abord aux épreuves écrites. Mais, alors qu'il espérait trouver ici des examinateurs moins sévères que dans la capitale, dès ce premier obstacle, il est désarçonné. Sa chute le laisse tout étourdi.

Recalé pour la seconde fois, il explique à Émilie qu'il serait vain et même néfaste pour lui de persévérer dans la voie des études. D'ailleurs, après ce double échec, sa bourse ne lui serait pas renouvelée. Une seule issue : la vie de bureau, cet « égout » où il craignait naguère de s'engager. Mais ne peut-on, même dans un « égout », cultiver des fleurs rares ? Il sera gratte-papier et poète. La musique des vers le consolera de l'esclavage administratif. Du reste, dès ses premiers succès, il s'arrangera, pense-t-il, pour vivre de sa plume.

Rentré à Paris avec sa mère, plus inquiète que jamais pour leur avenir, il renonce au lycée, met au rancart les manuels scolaires et divague dans des rêveries poétiques et sentimentales. Sa correspondance avec ses amis s'étire sur des dizaines de pages, sous la forme d'un monologue intérieur. La pensée de la femme le hante au point qu'il voue un véritable culte à Michelet, le chantre du beau sexe, et tombe en extase devant une gravure représentant une paysanne peinte par Greuze : « On ne sait trop ce que l'on doit le plus admirer ou de sa figure mutine ou de ses bras magnifiques, écrit-il à Cézanne. Quand on les regarde, on se sent pris d'un sentiment de tendresse et d'admiration... Je suis resté longtemps devant cette eau-forte, me promettant d'aimer l'original[1]. »

Les nymphes de Jean Goujon, qui décorent la fontaine des Innocents, le séduisent également. Leur demi-nudité l'enfièvre. Il regarde la pierre et voit une chair qui s'anime : « Je t'assure que ce sont de charmantes déesses, gracieuses, souriantes, tout comme j'en désirerais pour m'égayer dans mes moments d'ennui[2]. »

Au milieu de ses mirages amoureux, un remords le ronge : « Il me peine de me voir, moi, grand garçon de vingt ans, à la charge de ma famille », avoue-t-il encore à Cézanne[3]. Et, un mois plus tard : « Je suis abattu, incapable d'écrire deux mots, incapable même de marcher. Je pense à l'avenir et je le vois si noir, si noir que je recule épouvanté. Pas de fortune, pas de métier, rien que du découragement. Personne sur qui m'appuyer, pas de femme, pas d'ami près de moi. Partout l'indifférence ou le mépris... Je n'ai pas achevé mes études, je ne sais même pas parler en bon français ; j'ignore tout... Depuis que je suis à Paris, je n'ai pas eu une minute de bonheur ; je n'y vois personne et je reste au coin de mon feu avec mes tristes pensées et quelquefois avec mes beaux rêves[4]. » À l'en croire, il est vaguement amoureux d'une jeune fleuriste qui passe sous ses fenêtres deux fois par jour. Mais il n'ose la suivre, lui parler. De même, il n'a pas eu le courage de déclarer son admiration à une jeune Aixoise que, dans ses lettres, il appelle « l'Aérienne ». Il songe à lui dédier un poème dans lequel il exprimera franchement ce qu'il n'a su lui dire de vive voix. Puis, du haut de son inexpérience, il donne son avis sur les diverses catégories de femmes qu'un honnête homme est appelé à fréquenter au long de sa vie. De toute évidence, il y a trois sortes de séductrices :

1. Lettre du 16 janvier 1860.
2. Lettre à Paul Cézanne du 25 mars 1860.
3. Lettre du 5 janvier 1860.
4. Lettre du 9 février 1860.

la « fille à parties », la veuve, la vierge. « Je puis te parler savamment sur la fille à parties, écrit-il à Baille. Parfois, il nous vient, à nous autres, cette folle idée de ramener au bien une malheureuse, en l'aimant, en la relevant du ruisseau. Nous croyons remarquer en elle un bon cœur, une dernière lueur d'amour, et, sous un souffle de tendresse, nous tâchons d'activer l'étincelle et de la changer en un brasier ardent... Hélas ! la fille à parties, créature de Dieu, a pu avoir en naissant tous les bons instincts, seulement l'habitude lui a fait une seconde nature... Elle passe d'un amant à un autre, sans regretter l'un, sans presque désirer l'autre... Las de frapper sur chaque fibre sans rien en tirer, las de prodiguer des trésors d'amour et de n'éveiller aucun écho, il [le jeune homme] laissera faiblir sa tendresse et ne demandera plus à cette femme qu'une belle peau et de beaux yeux. C'est ainsi que finissent tous les rêves que nous faisons sur les filles perdues. » Et le mentor continue en analysant les avantages et les inconvénients d'une liaison avec une veuve. « Je constate le fait : la veuve n'est pas l'idéal de nos rêves : cette femme libre, plus âgée que nous, nous effraye. Je ne sais quel pressentiment nous avertit que, honnête, elle nous amènera prosaïquement et sans amour au mariage, et que, légère, elle fera de nous un jouet qu'elle jettera ensuite pour un autre... Je suis d'ailleurs peu au courant de ces dames... Reste la vierge, cette fleur d'amour, cet idéal de nos seize ans, vision qui sourit à nos chevets, amante pure du poète qui le console dans ses rêves dorés. La vierge, cette Ève avant le péché... Hélas ! où est-elle cette créature divine, si innocente que la fange des hommes ne saurait la souiller ?... Je vois çà et là de petites pensionnaires, des jeunes filles fraîches de couvent... On me les vend au poids de l'or ; on fait sonner haut à mes oreilles les yeux baissés, l'air enfantin et niais de la jeune poupée ; puis, lorsqu'on m'a bien détaillé ses mérites, sans seulement qu'il soit question de mon amour et du sien, on me crie, au nom des mœurs :

" Monsieur, cela coûte tant ; mariez-vous d'abord, vous vous aimerez ensuite, si faire se peut... " La vierge pour nous n'existe pas ; elle est comme un parfum sous triple enveloppe que nous ne pouvons posséder qu'en jurant de le porter toujours sur nous. La noceuse est à jamais perdue, la veuve m'effraye, la vierge n'existe pas[1]. »

Pour tromper sa faim de chair fraîche, Émile guette, par la fenêtre, les passantes qui, les jours de pluie, relèvent le bas de leurs jupes pour franchir les flaques. Il lui faudra beaucoup de courage pour amener chez lui une prostituée du nom de Berthe qui, au dire d'un de ses amis, Georges Pajot, porte « une robe en lambeaux », n'a que « des qualités négatives » et « semble attendre pour se mouvoir qu'une force étrangère vienne rompre son inertie[2] ». Cette intrusion d'une femme de mauvaise vie n'a été rendue possible qu'à la suite d'un nouveau déménagement. Désormais, Émile et sa mère ont des logements séparés dans la rue Neuve-Saint-Étienne-du-Mont. Lui au 24, elle au 21. « J'habite là un petit belvédère, occupé autrefois par Bernardin de Saint-Pierre et où il a, dit-on, écrit presque toutes ses œuvres. Une mansarde de bon augure pour un poète[3]. »

Le voici seul, libre et enfin déniaisé. En vérité, sa maîtresse, vulgaire et mollassonne, ne correspond guère à son idéal féminin de ferveur, de charme et d'innocence. En outre, il la soupçonne de le tromper. Il s'en contente néanmoins, par raison, par commodité. « Ma maîtresse m'embrasse et me jure tendresse éternelle ; je me demande si elle ne prépare pas alors quelque infidélité, écrit-il encore à Baille. Je mets l'oreille à ses lèvres et j'écoute son haleine ; son haleine ne me dit rien, et je me désespère. Je pose ma tête sur sa poitrine, j'entends palpiter son sein, j'entends les sourds battements de son cœur ; parfois je crois surprendre la clef de

1. Lettre du 10 février 1861.
2. Lettre de Georges Pajot du 19 novembre 1865.
3. Lettre à Baille du 10 février 1861.

ce langage, mais ce n'est que le limon qui s'agite, et je me désespère. Voilà la véritable cause de mon isolement[1]. »

Les sens assouvis, il n'en est que plus à l'aise pour chanter, dans un long poème, les amours tragiques de Rodolpho. Les rimes viennent toutes seules au bout de sa plume. Avec quelles délices il évoque les plaisirs de la chair, dont il a eu depuis peu la connaissance directe :

> *D'ardente volupté qu'une maîtresse est belle !*
> *Sa bouche, de baisers toute chaude, sourit;*
> *Son œil, demi-voilé, de bonheur étincelle;*
> *Un désir gonfle encor sa gorge de frissons,*
> *Et l'odeur de l'amour sort de sa chevelure.*

Puis ce sont douze cents vers alignés en l'honneur de « l'Aérienne » d'Aix, dont voici le ton :

> *Ah ! blonde vision, ma sœur, ma bien-aimée,*
> *Rose de mon sentier, éclose et parfumée,*
> *Toi que toujours je nomme, ainsi qu'au premier jour,*
> *Ma blanche Aérienne et ma vierge d'amour !*

Cette jeune fille inaltérable, pure comme un rayon de lune dans la garrigue, il l'associe au pays aixois :

> *Ô Provence, des pleurs s'échappent de mes yeux,*
> *Quand vibre sur mon luth ton nom mélodieux.*
> *Terre qu'un ciel d'azur et l'olivier d'Attique*
> *Font sœur de l'Italie et de la Grèce antique.*

Et il confie à Baille, dans une lettre datée du 10 août 1860 : « Ce n'est pas S...[2] que j'ai aimée, que j'aime peut-être encore : c'est l'Aérienne, un être idéal que j'ai

---

1. Lettre du 17 mars 1861.
2. S'agit-il d'un « S » ou d'un « L » mal formé ? Que la lettre tracée par Zola soit « S » ou « L », il est sans doute question ici de la sœur de Philippe Solari, Louise.

moins vu que rêvé. Que m'importe qu'une fille d'ici-bas que j'ai courtisée une heure ait un amant ? Me crois-tu assez fou pour empêcher la rose d'aimer chaque papillon qui la caresse ? »

Il a déjà publié quelques poèmes dans un journal du Midi, *La Provence,* dont un à la gloire de son père, constructeur du canal Zola. Mais, malgré son ambition dévorante, il a conscience de l'impossibilité qu'il y a pour un poète de gagner sa vie en composant des vers pour des journaux de province. Et il hésite encore à se lancer dans la prose. La prose lui paraît un mode d'expression qui étouffe le merveilleux lyrisme au profit de l'atroce réalité. En tant qu'écrivain, il se croit appelé à ne célébrer que la beauté sous toutes ses formes. « Tailler ma plume et me mettre à noircir l'homme de parti pris, lui ôtant ses rares qualités et faisant ressortir ses nombreux défauts, c'est ce que je ne saurais aimer, écrit-il à Baille. Dans notre temps de matérialisme..., le poète a une mission sainte : montrer à toute heure, en tout lieu, l'âme à ceux qui ne pensent qu'au corps et Dieu à ceux dont la science a tué la foi. L'art..., c'est un flambeau splendide qui éclaire la voie de l'humanité, et non une misérable bougie dans le taudis d'un rimeur [1]. »

Ce naïf et impérieux credo, Zola, devenu le pape du naturalisme, le relira plus tard avec une surprise amusée. Pour l'instant, il est convaincu que l'artiste est un prophète envoyé par Dieu pour initier les hommes aux perfections de la nature. Mais même un prophète a besoin de manger. Et, dans les deux logis de la rue Neuve-Saint-Étienne-du-Mont, c'est la pénurie. Alerté par Mme Zola, Alexandre Labot, l'obligeant ami de la famille, obtient pour Émile une place d'employé aux Docks de la Douane. Salaire : soixante francs par mois. Émile se résigne. Mais, très vite, la vie de bureau le met au supplice. Il étouffe entre les piles de dossiers. Ses compagnons de chaîne l'horripilent par leurs propos

---

1. Lettre du 10 août 1860.

insipides. Il craint de succomber à la médiocrité de ces scribouillards, qui alignent des chiffres dans des registres, plient l'échine au passage du chef de service et regardent dix fois leur montre en songeant à l'heure de la sortie. Son dégoût de la paperasse administrative prend des proportions telles qu'au bout de deux mois il démissionne, au grand chagrin de sa mère.

En attendant d'avoir trouvé une autre place, moins rebutante, il décide, ayant atteint sa majorité, de revendiquer la nationalité française. De fait, aux termes de la loi de 1849, étant né de père italien, il est encore considéré comme un étranger. L'absurdité de cette position, qui ne le troublait pas jadis, lui saute brusquement aux yeux. Personne, lui semble-t-il, n'est plus français que lui puisqu'il pense, parle et écrit en français, puisque sa mère et ses grands-parents maternels sont français, puisqu'il est né à Paris, puisque tous ses amis le considèrent comme un compatriote, puisque les paysages de Provence nourrissent ses rêves. Il faut, au plus vite, régulariser cette situation par quelques cachets et quelques signatures. Le 7 avril 1861, Émile Zola se rend à la mairie du cinquième arrondissement pour réclamer officiellement la qualité de Français. Un employé indifférent enregistre sa demande. Le dossier suivra la filière normale. Zola rentre chez lui, soulagé. Mais le plus dur reste à faire : trouver un emploi. « La place que je cherche est tout simplement la première venue, écrit-il à Baille. Comme je n'entre pas dans une administration pour y faire mon avenir, peu m'importe que cette administration présente ou non un avenir. Pourvu que j'aie douze cents francs par an, c'est tout ce qu'il me faut et je ne m'inquiète pas si je peux espérer de l'avancement [1]. »

Bientôt, les jours se succédant sans apporter la moindre solution au problème, il rabat encore de ses prétentions et se dit prêt à accepter n'importe quelle

1. Lettre du 17 mars 1861.

besogne pour ne plus vivre aux crochets de sa mère. Mais, comme elle l'aime trop pour exiger de lui un tel sacrifice, il continue à traîner la savate, à se plaindre dans le vide et à tremper son pain dans le bouillon familial.

IV

LA VIE DE BUREAU

Certes, Zola pourrait retourner sous le toit de sa mère
et de son grand-père. Cela réduirait un peu les dépenses
de loyer. Mais il souffre de voir cette femme, prématu-
rément vieillie, s'échiner à des travaux de couture et le
considérer par-dessus ses lunettes avec un air de doux
reproche. Elle est son remords vivant. Il l'adore et il la
fuit. Loin d'elle, il tente de justifier son oisiveté par la
certitude de la renommée future. Il est impossible que le
fils du constructeur du canal Zola ne s'illustre pas lui
aussi, un jour, par une œuvre d'envergure. En attendant, il bat le pavé de Paris, à la fois honteux de son
inaction et grisé de vagues promesses. Dès qu'un
journal de province imprime quelques vers de lui, il
reprend espoir. Il les relit cent fois, jusqu'à s'en user les
yeux, avant de se coucher. Est-ce le début d'une vraie
carrière ? Des espaces interstellaires le séparent, pense-
t-il, des écrivains authentiques. Il ne franchira jamais
ces abîmes de froid. À l'idée d'avoir son nom imprimé
en caractères gras sur la couverture d'un livre, la tête lui
tourne comme après une forte rasade d'alcool. Sa
grande occupation est d'errer, des heures entières, sur
les quais, feuilletant les brochures dans les boîtes des
bouquinistes. Avec son paletot verdâtre et râpé, luisant
au col, il ressemble à un clochard échappé d'un asile de
nuit. En rentrant chez lui, il mange pour trois sous de

pommes, allume une bougie, bourre une pipe et écrit des vers parce qu'il ne sait pas faire autre chose.

Ses amis lui reprochent d'avoir quitté les Docks : « Tout de même, c'était mieux que rien ! » Il proteste, fulmine, puis, de guerre lasse, se remet en quête d'un emploi. Mais personne ne veut de lui. « J'ai adressé demande sur demande, écrit-il à Baille ; je me suis présenté à une foule d'administrations ; partout des longueurs, jamais un résultat. Tu ne saurais croire combien je suis difficile à placer. Non pas que j'impose des conditions... Mais parce que je sais une foule de choses inutiles et que je ne sais précisément pas celles qu'il faudrait savoir... J'entre, je trouve un monsieur tout de noir habillé, courbé sur un bureau plus ou moins encombré ; il continue d'écrire sans plus se douter de mon existence que de celle du merle blanc. Enfin, après un long temps, il lève la tête, me regarde de travers, et, d'une voix brusque : " Que voulez-vous ? "... Alors commence une série de questions et de tirades, toujours les mêmes et qui sont à peu près celles-ci. Si j'ai une belle écriture ? Si je connais la tenue des livres ? Dans quelle administration j'ai déjà servi ? À quoi je suis apte ? etc. Puis, qu'il est accablé de demandes, qu'il n'y a pas de vacance dans ses bureaux, que tout est plein et qu'il faut me résigner à chercher autre part. Et moi, le cœur gros, je m'enfuis au plus vite, triste de n'avoir pu réussir, content de n'être pas dans cette infâme baraque [1]. »

Au milieu de ce désenchantement, une grande joie lui est soudain donnée. Ayant enfin réussi à convaincre son père, Cézanne débarque à Paris pour continuer ses études de peinture. Après les gaillardes effusions des retrouvailles, la vie s'organise. Cézanne a toujours aussi mauvais caractère. Il déteste Paris ; il en critique les bistrots, les monuments, le climat ; il ne supporte pas que son ami lui fasse des reproches ou lui adresse des

1. Lettre du 1ᵉʳ juin 1861.

conseils. D'ailleurs ils ne logent pas ensemble. Chaque jour, Cézanne se rend à l'Académie suisse, quai des Orfèvres, pour suivre des cours, tandis que Zola reste dans sa chambre à fumer et à écrire. Ils déjeunent chacun de leur côté. De loin en loin, Zola va chez Cézanne et prend la pose. Le peintre fait son portrait avec une rage silencieuse. Puis il repart, cette fois pour l'atelier Villevieille. « Je vois Cézanne rarement, écrit Zola à Baille. Hélas ! ce n'est plus comme à Aix lorsque nous avions dix-huit ans, que nous étions libres et sans souci de l'avenir. Les exigences de la vie, le travail séparé nous éloignent maintenant... Est-ce là ce que j'avais espéré ? » Déçu par son ami trop ombrageux ou trop fantasque, Zola lui découvre à présent tous les défauts : « Prouver quelque chose à Cézanne, écrit-il encore, ce serait vouloir persuader aux tours de Notre-Dame d'exécuter un quadrille... Il est fait d'une seule pièce, raide et dur sous la main... Il a horreur de la discussion, d'abord parce que parler fatigue, et ensuite parce qu'il faudrait changer d'avis si son adversaire avait raison... Lorsque ses lèvres disent oui, la plupart du temps son jugement dit non... Je dois me conformer à ses humeurs si je ne veux pas faire envoler son amitié [1]. »

Le portrait en cours avance lentement. Cézanne n'en est pas satisfait. Parfois, il interrompt la séance de pose et les deux amis vont fumer une pipe dans les jardins du Luxembourg. Puis ils retournent dans la chambre de Cézanne, rue d'Enfer, et Zola se fige à nouveau sous l'œil du peintre. De temps à autre, Cézanne jure qu'il n'en peut plus de vivre à Paris et qu'il veut rentrer à Aix. Zola le raisonne tant bien que mal. Mais un matin, en arrivant chez son ami, il voit la malle ouverte, les tiroirs à demi vides. « Je pars demain », annonce Cézanne d'un ton hargneux. « Et mon portrait ? » demande Zola. « Ton portrait, je viens de le crever. J'ai voulu le

1. Lettre du 10 juin 1861.

36

retoucher, ce matin, et, comme il devenait de plus en plus mauvais, je l'ai anéanti ; et je pars ! » Prudent, Zola ne le contredit pas et l'emmène déjeuner dans une gargote. Ayant mangé et réfléchi, Cézanne revient sur sa décision. « Mais ce n'est qu'un méchant raccommodage, explique Zola à Baille. S'il ne part pas cette semaine-ci, il partira la semaine prochaine... Je crois qu'il fera bien. Paul peut avoir le génie d'un grand peintre, il n'aura jamais le génie de le devenir. Le moindre obstacle le désespère. Je le répète, qu'il parte s'il veut s'éviter beaucoup de soucis[1]. »

Pendant des semaines encore, Cézanne et Zola jouent à s'exaspérer l'un l'autre, à cause de leur différence de tempérament, et à se réconcilier, à cause de leurs souvenirs communs. Paul entraîne Émile dans les expositions de tableaux, dans les ateliers où il travaille parmi une kyrielle de rapins barbus fumant la pipe, aux environs de Paris où ils se baignent dans l'eau froide et se moquent des nageurs novices. Il ne se passe pas de jour qu'ils ne se disputent à propos d'une toile que l'un trouve superbe et l'autre détestable, ou de la nécessité du labeur assidu pour une réussite dans le domaine de l'art, ou de l'influence d'un père banquier sur la carrière de son fils. Sur ce dernier point, Paul est d'une susceptibilité maladive. Il en veut à son père d'avoir de l'argent et reconnaît cependant que cette aisance lui permet de se consacrer à la peinture au lieu de faire son droit comme il était prévu en famille. Pour avoir la paix, Émile essaie, autant que possible, d'éviter ce sujet explosif. Lui qui voue une tendresse admirative à son père disparu ne comprend pas que Paul se dresse avec fureur contre le sien. Lorsque enfin Cézanne repart pour Aix, au début de septembre, Zola éprouve le sentiment complexe d'avoir, tout ensemble, perdu un ami et écarté un gêneur.

Les premiers froids arrivent. Zola, qui habite mainte-

1. Lettre de la fin juin-début juillet 1861.

nant dans un garni sordide, 11, rue Soufflot, s'assied à sa table et s'enveloppe d'une couverture pour se réchauffer. Il appelle cela « faire l'Arabe ». Transi et l'estomac dans les talons, il s'astreint à écrire. Comme d'habitude, ses projets sont grandioses. Il songe à réunir sous le titre général de *Trois Amours* ses poèmes *Rodolpho, L'Aérienne* et *Paolo*[1]. Mais, tout en se disant poète jusqu'à la moelle des os, il ne peut s'abstraire de la noire réalité qui l'entoure. Autrefois, il reprochait à Baille d'être réaliste : « Quand on remue la fange, il reste toujours quelques souillures aux mains, lui écrivait-il ; quand, à l'aurore, on s'égare dans les champs, on rentre parfumé de fleurs et de rosée... Le chantre lyrique... ne chantant que le bon, le juste et le beau, ne présentant à l'homme que des spectacles de lumière, se relève lui-même en tâchant de relever autrui[2]. » Maintenant il n'est plus très sûr de son fait. Il se demande s'il a le droit de se consacrer à un rêve d'harmonie et de pureté, alors qu'il patauge dans la misère et la boue de l'époque. L'artiste est-il fait pour ignorer le monde ou pour l'évoquer dans toute son horreur ? Doit-il être un barde au regard levé vers le ciel ou un témoin scrupuleux de son siècle et, au besoin, un accusateur ? À travers les murs de sa chambre, ce ne sont pas des voix mélodieuses qu'il entend, mais des vociférations, des chocs de verres, des couplets obscènes, des halètements de plaisir, des rires de putains. Au milieu de la nuit, il est réveillé par un vacarme de gros souliers dans le corridor, par des cris aigus de femmes, par des injures, des sanglots, des bruits de coups. C'est une descente de police. Les agents des mœurs ramassent les voisins du poète. Il se retourne dans son lit et se rendort. Au réveil, il vérifie le contenu de son porte-monnaie : tout juste de quoi s'acheter pour deux sous de fromage d'Italie, du pain et une pomme. Parfois, il se résigne à attraper des moineaux sur le

1. Ce projet deviendra *L'Amoureuse Comédie*.
2. Lettre du 10 août 1860.

rebord de sa fenêtre, à leur tordre le cou et à les faire rôtir pour agrémenter son ordinaire. Mais cette tuerie lui répugne. Où trouver de l'argent ? Tout ce qui peut être engagé au mont-de-piété est déjà parti. Alors, il se résout à faire le tour de ses rares relations pour emprunter de quoi tenir jusqu'à la fin de la semaine. Partout, il se heurte à un refus embarrassé. Sa maîtresse, Berthe, qui l'accompagne dans ses démarches, grogne qu'elle n'en peut plus de vivre avec un « décavé ». Exaspéré, il retire son paletot, le jette à la fille, ordonne : « Porte ça au mont-de-piété ! » et rentre chez lui en manches de chemise, malgré le froid qui le glace.

Quels que soient son désarroi et sa misère, il ne songe pas à s'insurger contre le gouvernement impérial, ni contre la société de parvenus qui en est le soutien. La politique n'est pas son affaire. Il est trop pris par la poésie pour se perdre en récriminations contre tel ou tel ministre. De même, il n'est nullement tenté, comme certains révoltés, de montrer le poing au ciel et de reprocher à Dieu le sort injuste qui l'accable. Sa religion est d'une sagesse reposante. Catholique respectueux, mais non pratiquant, il écrivait à Baille : « Je crois en un Dieu tout-puissant, bon et juste. Je crois que ce Dieu m'a créé, qu'il me dirige ici-bas et qu'il m'attend dans les cieux. Mon âme est immortelle et, me donnant le libre arbitre, le Maître s'est réservé le droit de peines et de récompenses. Je dois faire tout ce qui est bien, éviter tout ce qui est mal et compter surtout sur la justice et sur la bonté de mon Juge. Maintenant je ne sais si je suis juif catholique, juif protestant ou mahométan, je sais que je suis une créature de Dieu, et cela me suffit [1]. »

En décembre 1861, deux événements le secouent d'importance : Jean-Baptistin Baille vient à Paris pour entrer à l'École polytechnique et le grand-père Aubert

1. *Ibid.*

meurt après une longue maladie, veillé par sa fille, qui, dans son chagrin, ne peut s'empêcher de penser qu'elle aura ainsi une bouche de moins à nourrir. Zola est certes attristé par la disparition du vieillard qu'il a toujours vu, discret comme une ombre, aux côtés de sa mère. D'autre part, il ne peut guère se réjouir de l'arrivée de Baille, car à peine celui-ci a-t-il mis le pied dans la capitale qu'il est happé par ses études et englouti dans la forteresse de la rue Descartes, au flanc de la montagne Sainte-Geneviève.

Vers la fin de l'année également, un ami de la famille, M. Boudet, membre de l'Académie de médecine, promet à Mme Zola de recommander Émile à l'éditeur Hachette pour un emploi de commis. Mais il n'y aura pas de place vacante avant quelques semaines. Devant l'air consterné du jeune homme qui est venu en qué- mandeur, M. Boudet s'attendrit. Il considère ce garçon aux traits tirés, au visage bleui par le froid et, avec un sourire indulgent, le charge de remettre à différents destinataires ses cartes de visite du Jour de l'An, préalablement cornées. En remerciement, il lui glisse dans la main un louis d'or.

Zola s'acquitte scrupuleusement de la mission, dans un Paris enseveli sous la neige. Les gens chez qui il se présente sont tous des personnages éminents. Il ne les voit pas, certes, se contentant de déposer la carte de visite sur un plateau d'argent. Mais il hume l'air que respirent un Théophile Gautier, un Taine, un Octave Feuillet, un Edmond About... Il espérait une occasion plus reluisante pour faire son entrée dans le monde des lettres ! Amer, il rit de ce rôle de saute-ruisseau, alors qu'il a des musiques géniales dans la tête.

Malgré d'atroces maux d'estomac, il s'obstine à rédiger une autobiographie, *Ma confession*. Il lui semble que tout s'écroule autour de lui, les espoirs et les souvenirs. « Paris n'a rien valu à notre amitié, écrit-il à Cézanne. Peut-être a-t-elle besoin pour vivre gaillarde- ment du soleil de Provence ?... N'importe, je te crois toujours mon ami[1]. » Sa vue baisse ; il porte la barbe pour cacher son menton mou et fuyant ; ses mains tremblent ; il a des étourdissements parce qu'il ne mange pas à sa faim. Quand donc M. Louis Hachette lui ouvrira-t-il les bras pour le sauver du désastre ?

Enfin, le 1ᵉʳ mars 1862, il prend le chemin de la rue Pierre-Sarrazin, siège de la maison d'édition. Mais il y entre par la petite porte. Salaire : cent francs par mois. Relégué dans une arrière-boutique poussiéreuse, il ficelle des paquets de livres. Au lieu d'être publié lui-même, il expédie les œuvres des autres. Ses doigts sont endoloris à force de tirer sur les nœuds. « Le soleil luit et je suis enfermé, écrit-il à Cézanne. Je regarde depuis une heure des maçons qui travaillent en face de ma fenêtre : ils vont, viennent, montent, descendent et paraissent très heureux. Moi, je suis assis, je compte les minutes qui me séparent encore de six heures. Ah ! maudite tristesse ! c'est là le refrain de toutes mes chansons... Je vais travailler jusqu'à minuit, ce soir, et si je fais un beau vers, comme j'en ai fait un hier, me voilà une provision de gaieté pour demain. Pauvre fou que je suis[2] ! »

Peu après, montant en grade, il passe au service de publicité. Son salaire est doublé. Immédiatement, il se croit autorisé à donner des conseils à M. Louis Hachette lui-même. Il lui suggère de créer une « Bibliothèque des débutants », collection où ne paraîtraient que des œuvres de jeunes auteurs inconnus. Puis, payant d'audace, il dépose sur le bureau du patron un recueil de ses propres poèmes, intitulé *L'Amoureuse Comédie*. Il s'agit, selon lui, d'un triptyque comparable, toutes proportions gardées, à *La Divine Comédie* de Dante, avec son enfer amoureux (*Rodolpho*), son purgatoire sentimental (*Paolo*) et son paradis éthéré (*L'Aérienne*).

Pendant quarante-huit heures, il attend avec anxiété

1. Lettre du 20 janvier 1862.
2. Lettre du 18 septembre 1862.

le verdict. Enfin Louis Hachette reçoit son employé et lui déclare tout net que ses vers sont honorables, mais que, pour s'imposer à un vaste public, il devrait écrire en prose. Zola encaisse sans broncher cette recommandation d'un commerçant avisé. Il y a longtemps qu'il s'est tenu le même raisonnement dans le silence de sa chambre. Rentré chez lui, il relit ses dernières productions rimées et en reconnaît avec regret la platitude. Mais il a là, sous la main, un livre de poésie tout prêt à être imprimé. Doit-il y renoncer au profit d'un roman qu'il n'a pas encore rédigé ? Certes, il a griffonné les premières pages de sa *Confession de Claude,* quelques nouvelles aussi qu'il pourrait rassembler en volume. Mais rien de tout cela n'est encore au point. Peu importe ! Si, comme le dit Louis Hachette, un grand avenir l'attend à condition d'oublier les vers, il est prêt à changer de moyen d'expression et même de peau. Aucun arrachement ne lui coûtera, pour peu que le succès soit au bout. Paris vaut bien une messe et la gloire littéraire une infidélité aux muses. Qui sait d'ailleurs si le sacrifice ne sera pas agréable ? Dans un suprême effort de volonté, Zola décide de se consacrer à cette prose qu'il a si longtemps dédaignée. « Je vais empiler manuscrit sur manuscrit dans mon secrétaire, puis, un jour, je les lâcherai un peu dans les journaux, annonce-t-il à Cézanne. J'ai déjà écrit trois nouvelles d'environ trente pages... Je compte en commettre une quinzaine et tâcher ensuite de les faire éditer quelque part [1]. »

Le 23 septembre 1862, il a envoyé à Alphonse Calonne, directeur de *La Revue contemporaine,* un conte intitulé *Le Baiser de l'ondine,* avec ces quelques lignes d'accompagnement : « Mon nom n'a aucune valeur littéraire, il est complètement inconnu. J'espère cependant que la brièveté du manuscrit vous engagera à le lire. » Refusé par *La Revue contemporaine,* le texte

---

1. Lettre du 29 septembre 1862.

est publié peu après par *La Revue du mois*, puis par *La Nouvelle Revue de Paris*[1]. Zola lit et relit, avec ivresse, son nom au bas du court récit qui vient de paraître. Avec l'encre d'imprimerie, il a reçu, lui semble-t-il, l'onction du baptême littéraire. Un autre baptême, officiel celui-là, lui est administré le 31 octobre 1862 : il est informé que ses démarches ont abouti et qu'il a été enfin naturalisé français.

1. Ce conte devait figurer parmi les *Contes à Ninon* sous le titre *Simplice*.

V

NAISSANCE D'UN ÉCRIVAIN

Devenu chef du service de la publicité chez Hachette, Zola est plongé jusqu'au cou dans la vie littéraire de Paris. Les auteurs les plus connus entrent dans son bureau et se déboutonnent. Il les entend parler avec naïveté de leurs ambitions, de leurs chiffres de vente, de leur désir de gagner l'estime de tel ou tel critique, de la réclame insuffisante qui est faite autour de leur dernier livre. Tous ces grands hommes, loin de voir en lui un futur confrère prêt à les dévorer, se confient à lui comme à un conseiller technique. Discret et efficace, Zola apprend auprès d'eux les dessous du métier d'écrivain. Ils croient qu'il est là pour les servir alors que ce sont eux qui le servent en l'affranchissant. Avant même d'avoir publié un seul volume, il est leur égal dans le maniement des ficelles du succès. Il fait ainsi la connaissance de Duranty, le doctrinaire du réalisme, de Taine, de Renan, de Littré, de Sainte-Beuve, de Guizot, de Lamartine, de Michelet, d'About, de Barbey d'Aurevilly... La plupart, malgré leur talent ou leur génie, ont besoin d'argent et n'ont à la bouche que les mots de contrat, de tirage, de garantie, de partage des droits, de rapports avec la presse... Et Zola les comprend. Pour lui aussi, la littérature doit être à la fois un sacerdoce et un gagne-pain. En attendant de leur emboîter le pas, il distribue des communiqués aux journaux pour vanter les mérites d'un Amédée Achard ou d'un Prévost-Paradol.

Mais, s'il les reçoit tous aimablement, il ne se lie avec aucun. Ses vrais amis sont ceux qu'il a connus à Aix. Justement, Cézanne revient à Paris où il a loué un atelier. Baille sort deux fois par semaine de l'École polytechnique. Les trois inséparables jurent de s'épauler l'un l'autre pour conquérir la capitale et — pourquoi pas ? — la France. Cézanne, le plus au large dans ses finances, mais aussi le plus tourmenté, initie ses amis à la peinture telle qu'il la conçoit. Baille, le plus raisonnable, le plus froid, voit tout sous l'angle de la science et rêve d'une haute situation dans le domaine de la recherche pure. Et Zola, le plus sensible, le plus passionné, se demande si la solution, en littérature, ne serait pas une alliance entre le bouillonnement coloré de Cézanne et la rigueur savante de Baille.

Hélas ! Baille tire au sort un mauvais numéro et est obligé d'accomplir son service militaire. Zola doit, à son tour, subir l'épreuve. N'a-t-il pas eu tort de réclamer sa naturalisation ? S'il était resté italien, on l'aurait laissé tranquille ! Mais le hasard lui attribue le numéro 495, lequel n'est pas appelé. Le voici libre comme l'air. Cézanne, lui, a coupé au service militaire, son père lui ayant acheté un remplaçant. Cette double chance réconcilie Zola avec l'armée. Sa vie matérielle est assurée. Il a définitivement choisi sa voie. Que demander de plus ?

Avec Cézanne, il entreprend de longues promenades à Fontenay-aux-Roses, à Aulnay, vers la Vallée-aux-Loups. Une mare verte les attire. Cézanne plante son chevalet au bord de l'eau et peint avec fièvre. Zola observe le jeu du pinceau sur la toile et essaie de comprendre le goût de son ami pour le bariolage brutal.

L'art de l'époque est résolument académique, léché et émasculé. C'est contre ce parti pris de convention philistine, de bonne éducation picturale que les nouveaux venus réagissent. Zola est de leur bord, non parce qu'il les approuve, mais parce qu'ils représentent pour lui l'avenir. C'est, pense-t-il, une affaire de génération. Les jeunes doivent aller côte à côte et s'entraider, dans tous les domaines, pour relayer et, au besoin, bousculer les anciens.

Cézanne rêve d'entrer aux Beaux-Arts. Mais il échoue au concours d'admission. Il espère aussi exposer au Salon de 1863. Or, il est refoulé, en même temps que Pissarro, Claude Monet et Édouard Manet. La bourgeoisie cossue qui dicte les modes au temps de Napoléon III n'aime pas qu'on touche à ses habitudes. Elle est pour l'ordre, la religion, la fortune, la décence et l'immobilité. Toute originalité, en art comme en politique, l'effraie. Sa préférence, en peinture, va aux scènes historiques, aux tableaux de genre, aux anecdotes gentillettes, aux représentations de déesses mythologiques dont la nudité lisse et pomponnée se déguste du regard comme une pâtisserie. Mais déjà l'Empire évolue et veut se montrer libéral. Le 24 avril 1863, *Le Moniteur officiel* publie cette information étonnante : « De nombreuses réclamations sont parvenues à l'Empereur au sujet des œuvres d'art qui ont été refusées par le jury de l'Exposition. Sa Majesté, voulant laisser le public juge de la légitimité de ces réclamations, a décidé que les œuvres d'art qui ont été refusées seraient exposées dans une autre partie du Palais de l'Industrie. »

Cézanne et Zola accueillent cette mesure comme une prime victoire des novateurs. Or, il s'agit d'un piège. Élevé dans le respect de la tradition, le public, qui se presse par curiosité au Salon des Refusés, salue la générosité d'esprit du couple impérial, approuve le choix du jury et clame son dégoût face aux horreurs de la jeune peinture. En se rendant à cette exposition, les deux amis s'attendent à un choc d'où jaillira la révélation. Ils seront comblés. Dès les premiers pas, ils tombent en arrêt devant un grand tableau montrant, dans une clairière trouée de soleil, une femme nue, assise de trois quarts en compagnie de deux hommes aux vêtements modernes. C'est *Le Déjeuner sur l'herbe* de

Manet. Il se dégage de cette toile une force, une insolence et, en même temps, une lumière qui coupent le souffle. Le Salon officiel offre aux visiteurs des images apaisantes qui ont pour titre : *Premières Caresses, Les Dragées du baptême, Un joli coup de fourchette, Les Amis de grand'maman...* Et voici que soudain éclate sous leurs yeux la splendeur de cette chair indécente entre des vestons sombres. Des groupes murmurants se forment devant le tableau. Les messieurs ricanent, les dames s'indignent, les jeunes filles baissent les paupières. Cézanne et Zola, eux, sont subjugués. Mais pour des raisons différentes. Cézanne découvre, dans la toile de Manet, une nouvelle façon de voir, simple et brutale à la fois, une habile technique permettant d'évoquer l'atmosphère d'un lieu par des oppositions de couleurs. Zola, lui, y décèle une démarche artistique originale, s'attachant à évoquer le réel dans toute sa crudité, sans se soucier des petites répugnances d'une assemblée de snobs. L'un et l'autre se sentent, en quelque sorte, fécondés par cette rude image de la vie. Zola se croit même brusquement appelé à défendre la cause de Manet, à prouver au monde que Manet est un génie, à se joindre, par la plume, au combat de vérité que Manet mène avec son pinceau.

Entraîné par Cézanne, il fait le tour des ateliers, se lie avec des peintres d'avant-garde, Pissarro, Monet, Degas, Renoir, Fantin-Latour, Manet lui-même, et se passionne pour leur entreprise, qui nargue l'imbécillité de la foule habituée aux chromos. Mais Cézanne, qui a une vie sentimentale tumultueuse, changeant souvent de partenaire, lui présente aussi des femmes. L'une d'elles, Gabrielle-Éléonore-Alexandrine Meley, retient l'attention d'Émile. Plantureuse et un brin populacière, elle n'a rien de la petite paysanne de Greuze ni des nymphes de Jean Goujon dont Zola s'éprenait dans sa solitude. Pourtant la chair robuste, l'esprit sain et pratique de cette Junon le séduisent. De basse condition, orpheline de mère, Gabrielle-Alexandrine, née le

16 mars 1839, a été blanchisseuse et a vendu des fleurs place Clichy. Raison de plus, pense Zola, pour s'intéresser à elle. Bientôt, la jeune femme devient pour lui le refuge sûr et hygiénique dont il a besoin pour son équilibre. Il opte pour elle comme il opte pour le réalisme en peinture et en littérature.

Afin d'exprimer ses nouvelles théories en la matière, il adresse à un ami aixois, Antony Valabrègue, lui aussi féru de poésie, une longue dissertation au sujet des trois écrans (classique, romantique, réaliste) sur lesquels se projette le génie de l'écrivain. Selon lui, « l'écran classique est une belle feuille de talc, très pure et d'un grain fin et solide, d'une blancheur laiteuse... Les couleurs des objets s'affaiblissent en en traversant la limpidité voilée... La création dans ce cristal froid et peu translucide perd toutes ses brusqueries, toutes ses énergies vivantes et lumineuses... L'écran romantique est une glace sans tain, claire, bien qu'un peu trouble en certains endroits, et colorée des sept couleurs de l'arc-en-ciel. Non seulement elle laisse passer les couleurs, mais elle leur donne encore plus de force ; parfois, elle les transforme et les mêle... L'écran réaliste est un simple verre à vitre, très mince, très clair et qui a la prétention d'être si parfaitement transparent que les images le traversent et se reproduisent ensuite dans toute leur réalité... Toutes mes sympathies, s'il faut le dire, sont pour l'écran réaliste ; il contente ma raison et je sens en lui des beautés immenses de solidité et de vérité [1] ».

Dans l'intervalle de quelques mois, Zola a pris de l'assurance. Ayant réuni une pincée de nouvelles sous le titre *Contes à Ninon*, il a porté le recueil à son patron, qui l'a recommandé aussitôt à l'éditeur Hetzel. En se présentant à lui, il déclare avec aplomb : « Monsieur, trois éditeurs ont refusé mon manuscrit. Pourtant, j'ai du talent. » Amusé, Hetzel promet de le lire et,

1. Lettre du 18 août 1864.

quarante-huit heures plus tard, Zola reçoit un billet laconique : « Veuillez passer demain chez moi. » En attendant l'heure du rendez-vous, il se promène, la tête à l'envers, dans les allées du Luxembourg. Enfin le voici devant Hetzel. « Votre volume est pris, lui annonce ce dernier. Voici M. Lacroix qui vous édite. Il va vous signer un traité. » Éperdu de bonheur, Zola court annoncer la nouvelle à sa mère qui en pleure de fierté.

Et, immédiatement, il s'occupe de préparer le lancement de son livre. Profitant de sa situation chez Hachette, il écrit des dizaines de lettres aux critiques de sa connaissance afin de se rappeler à eux et de piquer leur curiosité. Le résultat ne se fait pas attendre. À leur parution, en novembre 1864, les *Contes à Ninon* sont accueillis par la presse avec sympathie. Il est vrai que ces petits récits, conventionnels et fadasses, ne peuvent que plaire à des journalistes et à un public soucieux avant tout de n'être pas dérangés dans leurs habitudes.

Encouragé par ce premier succès, Zola publie des articles et des nouvelles dans *Le Petit Journal*, *La Vie parisienne*, *Le Salut public de Lyon*... Mais sa grande affaire, c'est la rédaction d'une sorte de roman autobiographique, *La Confession de Claude*. « J'ai besoin de marcher vite aujourd'hui, et la rime me gênerait, écrit-il à Antony Valabrègue. Je suis à la prose et m'en trouve bien. J'ai un roman sur le métier et je pense pouvoir le publier dans un an... Des œuvres ! des œuvres !! des œuvres [1] !!! » Dans *La Confession de Claude*, Zola évoque l'aventure d'un poète pauvre qui se lie avec une fille des rues, Laurence, la garde par pitié, essaie de la soustraire à son vice et, peu à peu, se laisse entraîner par elle dans la déchéance. Pourtant, parvenu au dernier degré de l'abjection, il s'arrache à la fascination qu'exerce sur lui cette prostituée, s'enfuit de Paris et va

1. *Ibid.*

se réfugier en Provence pour retrouver la dignité, la sérénité et le goût de vivre et d'écrire. Ce n'est pas encore du réalisme raide et saignant, mais une timide approche de ce genre littéraire.

Zola a mis dans ce récit beaucoup de son expérience personnelle. Claude, le poète malchanceux, c'est lui-même ; Laurence, c'est Berthe, la « fille à parties », qui l'a suivi de taudis en taudis et dont il a tenté en vain la guérison morale ; enfin, la régénération du héros au contact de la Provence traduit son propre attachement au pays de ses souvenirs. D'ailleurs, le livre est dédié « à [ses] amis Paul Cézanne et Jean-Baptistin Baille ».

Malgré la pâleur de l'ouvrage, le procureur impérial s'en saisit et rédige un rapport au garde des Sceaux. Tout en condamnant les outrances de certains passages du roman, il estime qu'il n'y a pas lieu d'en poursuivre l'auteur pour atteinte à la morale publique. Zola pousse un ouf de soulagement : la *Confession* ne sera pas retirée des librairies. Cependant, la vente est faible. Quelques bonnes critiques, mais d'autres, dont celle de Barbey d'Aurevilly, carrément injurieuses. Il répond à ce dernier par une lettre très rêche et explique son sentiment à Antony Valabrègue : « J'ai récolté des coups de férule à droite et à gauche, et me voilà perdu dans l'esprit des gens de bien... Mais aujourd'hui je suis connu, on me craint et on m'injurie ; aujourd'hui je suis classé parmi les écrivains dont on lit les livres avec effroi. Là est l'habileté... L'habileté consiste, l'œuvre une fois faite, à ne pas attendre le public, mais à aller vers lui et à le forcer à vous caresser ou à vous injurier... Vous me demandez ce que mon livre m'a rapporté. Peu de chose. Un livre ne nourrit jamais son auteur. J'ai avec Lacroix un traité qui m'alloue 10 % sur le prix du catalogue. Je touche donc 30 centimes par exemplaire tiré. On en a tiré 1 500. Comptez. Remarquez que mon traité est très avantageux. On a le feuilleton. Toute œuvre, pour nourrir son auteur, doit d'abord passer dans un journal qui la paie à raison de 15 à 20 centimes la ligne [1]. »

Zola étage des chiffres avec délectation. Le roman est pour lui, tout ensemble, une œuvre d'art et une opération commerciale. « Je ne veux pas que l'on fasse une œuvre en vue de la vendre, disait-il, dès 1860, à Cézanne ; mais, une fois faite, je veux qu'on la vende [2]. » Il accepterait, à la rigueur, que la poésie fût destinée à quelques rares amateurs ; la prose, en revanche, doit attirer les foules. Aucun écrivain digne de ce nom n'a à rougir de constater que ses livres s'enlèvent comme des petits pains. N'ont-ils pas sous les yeux, ces chers auteurs, les exemples d'un Balzac, d'un Hugo, d'un Dickens ? En dépit du demi-échec de *La Confession de Claude,* Zola est persuadé qu'un large public va bientôt l'acclamer ou le haïr. Apprenant par Antony Valabrègue qu'à Aix il est question de débaptiser le canal Zola, il répond avec superbe : « Je ne tiens guère à la faible renommée que peut m'attirer un nom donné à un mur ; quant à moi, je me sens de taille à bâtir plusieurs murs, s'il le faut [3]. »

Ces « murs » qu'il entend bâtir, il craint à présent que son travail chez Hachette ne l'en empêche. Il a besoin d'une liberté totale pour se consacrer à son œuvre. D'ailleurs, son protecteur, Louis Hachette, est mort entre-temps et la nouvelle direction n'apprécie guère son activité d'écrivain moderne et audacieux. Il y a eu une enquête de police à son domicile et dans les bureaux de la société d'édition. Ce qui inquiète les services secrets, c'est principalement le fait que Zola ait publié des vers dans le journal de gauche *Le Travail,* chapeauté par Clemenceau. Après de savants calculs, il se convainc que, grâce à ses livres et à ses articles, il arrivera à joindre les deux bouts. Aussi quitte-t-il son emploi chez

---

1. Lettre du 8 janvier 1866.
2. Lettre du 1er août 1860.
3. Lettre de février 1866.

Hachette en se réservant la possibilité d'une collaboration « extérieure » avec la maison.

Le voici écrivain « professionnel ». Il déménage, une fois de plus, et loue un appartement avec sa maîtresse, Alexandrine Meley, rue de l'École-de-Médecine. Elle est pour lui une compagne dévouée, attentive à soigner ses humeurs et à respecter son travail. Discrète, elle se tient dans un coin, le jeudi, lorsqu'il réunit ses compagnons de lutte : Cézanne, Baille, Roux, Solari, Pajot, Pissarro… On rit, on discute art et littérature autour d'une bouteille de vin. La tête échauffée, Zola se voit déjà livrant assaut à l'univers entier. Et il est sûr de la victoire. « Je battrai monnaie autant que possible, annonce-t-il encore à Antony Valabrègue. D'ailleurs j'ai foi en moi, et je marche gaillardement[1]. »

1. Lettre du 8 janvier 1866.

LE JOURNALISTE
ET L'AMATEUR D'ART

Dès le début de sa collaboration aux différentes gazettes, Zola voit grand. Il ne peut se contenter de feuilles secondaires pour y apposer sa signature. Puisqu'il a juré de conquérir la France, ce qu'il lui faut, c'est un journal à gros tirage. Très vite il songe à entrer dans l'équipe d'Hippolyte de Villemessant qui, après avoir fondé *Le Figaro,* se prépare à créer *L'Événement,* quotidien à deux sous. Il sait que ce personnage, sorte de colosse trapu et charnu, à la lippe lourde, à la voix éraillée et aux manières de charretier, a un flair infaillible en affaires et apprécie plus l'audace carrée que l'habileté courtoise. Aussi Zola écrit-il, le 11 avril 1865, une lettre au style dru à Alphonse Duchesne, collaborateur et secrétaire de Villemessant : « Monsieur, je désire réussir au plus tôt. Dans ma hâte, j'ai songé à votre journal comme à la feuille qui peut procurer la notoriété la plus rapide. Je vais donc à vous franchement. Je vous envoie quelques pages de prose et je vous demande en toute naïveté : cela vous convient-il ? Si ma petite personnalité vous déplaît, n'en parlons plus ; si c'est seulement l'article ci-joint qui ne vous plaît pas, je pourrai en écrire d'autres. Je suis jeune et, je l'avoue, j'ai foi en moi. Je sais que vous aimez à essayer les gens, à inventer des rédacteurs nouveaux. Essayez-moi, inventez-moi. Vous aurez toujours la fleur du panier. »

Cette supplique étant restée sans réponse, Zola écrit, l'année suivante, au gendre de Villemessant, le publiciste Gustave Bourdin, qui est chargé d'assurer dans *L'Événement,* récemment lancé, la critique des livres, et lui propose une chronique bibliographique : « Je donnerai en vingt ou trente lignes un compte rendu de chaque œuvre nouvelle le jour même de la mise en vente ; j'irai trouver chaque éditeur et j'obtiendrai certainement d'eux la communication de leurs publications, de façon à ce que mon article paraisse avant toute réclame ; d'autre part, je me chargerai, lorsqu'une œuvre importante sera annoncée, de me procurer quelque extrait intéressant que *L'Événement* pourra insérer [1]. »

Amusé par la suggestion, Gustave Bourdin présente Zola à son beau-père. Villemessant a pour les individus un œil de maquignon. Même dans un salon, il se comporte comme à la foire. Du premier regard, il juge son visiteur : ce type-là a de la combativité à revendre ! On peut lui faire confiance. Après cinq minutes d'entretien, il déclare à Zola : « Pendant un mois, tout ce que vous donnerez passera : *L'Événement* est à vous. À la fin du mois, je saurai si vous avez quelque chose dans le ventre et je déciderai de votre sort [2]. » Zola sort du bureau avec des ailes aux talons.

Le 31 janvier 1866, en achetant *L'Événement,* il voit son nom en première page, dans un article de Villemessant lui-même : « À nos lecteurs. Il manque à *L'Événement,* pour être aussi complet que son genre le comporte, le département de la critique littéraire... Le compte rendu des livres jouit, à tort ou à raison, d'une renommée de fastidiosité qui jette un froid dans l'âme du lecteur... Nommer M. Émile Zola, ce n'est point révéler un inconnu... Un jeune écrivain, très versé dans les détails de la librairie..., homme d'esprit et

1. Lettre du 22 janvier 1866.
2. Cf. Paul Alexis, *op. cit.*

d'imagination... et dont les livres, rares encore mais excellents, ont fait sensation dans la presse... Si mon nouveau ténor réussit, tant mieux. S'il échoue, rien de plus simple. Lui-même m'annonce qu'en ce cas-là, il résiliera son engagement, et je raye son emploi de mon répertoire. J'ai dit. — H. de Villemessant[1]. »

Ce style rocailleux, cette grossièreté de pensée pèsent peu dans l'esprit de Zola par rapport à l'hommage que lui rend ainsi un vieux routier du journalisme. Au début de février 1866, son premier article paraît dans *L'Événement* sous la rubrique « Livres d'aujourd'hui et de demain ». Il fait l'éloge du *Voyage en Italie* de Taine. Désormais, Zola livrera de la copie chaque jour, avec brio et ponctualité.

Deux semaines ne se sont pas écoulées que Villemessant le félicite. À la fin du mois, le débutant passe au guichet sans savoir encore quelle sera sa rémunération. Le caissier lui remet cinq cents francs. Jamais encore Zola n'a touché d'un coup une somme aussi importante. S'il osait, il embrasserait Villemessant qui rigole et lui tape sur l'épaule, comme après une bonne farce. Le patron est même si content de lui qu'il le charge de rendre compte du Salon de 1866. Lourde responsabilité ! Mais Zola est sûr de son affaire. Ne trempe-t-il pas, depuis son adolescence, dans l'univers de la peinture ? Grâce à Cézanne et à ses amis, il a, pense-t-il, toute la compétence requise pour juger les artistes de son temps. Il intitule sa chronique « Mon Salon » et consacre son article inaugural à une étude acerbe des membres du jury. Le papier est signé Claude, en souvenir du héros de la *Confession*.

Dès l'abord, la prétention de ce plumitif inconnu qui ose attaquer des gloires assises soulève des protestations parmi les lecteurs. Dans les numéros suivants, au lieu de s'excuser, le dénommé Claude persiste. Il dénonce la nullité du Salon, s'indigne que Manet en ait été écarté,

---

1. Cité par Armand Lanoux dans *Bonjour, Monsieur Zola*.

proclame que ce peintre sera « un des maîtres de demain », que ses toiles « crèvent le mur, simplement », que « sa place est marquée au Louvre, comme celle de Courbet ». L'Administration des Beaux-Arts ayant décidé de ne pas rouvrir le Salon des Refusés pour des « raisons de maintien de l'ordre », Zola, alias Claude, s'en prend à ces hommes « qu'on place entre les artistes et le public » et qui, au lieu d'aider à l'épanouissement de la création, « amputent l'art et n'en présentent à la foule que le cadavre mutilé ». Il conclut : « Je supplie tous mes confrères de se joindre à moi, je voudrais grossir ma voix, avoir toute puissance pour obtenir la réouverture de ces salles où le public allait juger, à son tour, et les juges et les condamnés. » Malgré cette adjuration pathétique, l'Administration des Beaux-Arts maintient sa résolution. Et Zola, prenant feu, redouble de provocation dans l'éloge de ses amis et le dénigrement des fossoyeurs du génie français.

D'emblée, tous ces rapins révolutionnaires l'accueillent comme le meilleur défenseur de leur art. Il les rencontre régulièrement dans les cabarets où ils ont coutume de s'assembler. En pénétrant dans la salle commune du Guerbois, il se dirige sans hésiter vers le coin bruyant et enfumé où des gaillards hirsutes, à la barbiche conquérante et à la molle cravate noire, discutent en suçant leur pipe et en vidant des chopes de bière et des verres de rude aramon. On l'interpelle, il s'assied à leur table et jette de l'huile sur les braises de leur indignation. Il y a là Renoir, Fantin-Latour, le beau Frédéric Bazille, Berthe Morisot, le grave Manet, sa canne entre les jambes et le haut-de-forme posé à côté de lui, sur la banquette. Bizarrement, Zola se trouve plus en famille parmi eux que dans le monde faux du journalisme. Il a l'impression que la pratique du regard direct sur le modèle a préservé, chez ces novateurs, une part de sincérité, de simplicité et d'enfance. Parce qu'ils manient la couleur, ils demeurent proches de la nature. Dominés par l'instinct, ils réfléchissent moins qu'ils ne sentent. Les écrivains sont plus compliqués, plus retors, plus artificiels dans leurs jugements, plus fuyants dans leurs amitiés. Par moments, Zola se demande s'il n'est pas un peintre égaré dans l'écriture, si sa plume n'est pas un succédané du pinceau. En tout cas, il est bien décidé à soutenir ces jeunes loups qui ont assurément du talent, puisqu'ils veulent changer le monde. Chaque jour davantage, *L'Événement* devient le déversoir de ses engouements et de ses colères artistiques.

Après s'être amusé des clameurs furieuses de son nouveau collaborateur, Villemessant commence à trouver que Zola passe la mesure. Il a beau aimer la bagarre, il doit compter avec ses abonnés. Les lettres de lecteurs scandalisés sont de plus en plus nombreuses dans son courrier. On chuchote que l'empereur voit d'un mauvais œil la campagne antiacadémique menée par *L'Événement*. Des marchands de tableaux mécontents menacent de retirer toute réclame au journal qui insulte leurs protégés. Du coup, Villemessant se résigne à mettre de l'eau dans son vin et adjoint à Zola un autre chroniqueur, Théodore Pelloquet. Celui-ci, dûment chapitré, est chargé de vanter les mérites des peintres officiels assassinés par l'intraitable Claude.

Zola s'incline. Mais, après son article intitulé « Les Chutes », où il ose prétendre que l'art de Courbet, de Millet, de Rousseau s'est affadi avec le temps, que leurs dernières productions le déçoivent et qu'il « pleure » sur leur décadence, il pressent que, dans l'esprit de Villemessant, son renvoi est déjà décidé. Alors il fait ses adieux dans un texte fulgurant : « J'ai défendu M. Manet comme je défendrai dans ma vie toute individualité franche qui sera attaquée. Je serai toujours du parti des vaincus. Il y a une lutte évidente entre les tempéraments indomptables et la foule. Je suis pour les tempéraments et j'attaque la foule... Je me suis conduit en malhonnête homme, en marchant droit au but, sans songer aux pauvres diables que je pouvais écraser en chemin. Je voulais la vérité et j'ai eu tort de blesser les gens pour aller jusqu'à elle... J'ai cherché des hommes dans la foule de ces eunuques. Et voilà pourquoi je suis condamné. »

Ce besoin de réhabiliter ceux que raille et insulte une multitude imbécile, ce courage qui le pousse à oublier sa quiétude personnelle par soif de justice et de vérité, Zola les porte en lui depuis sa plus tendre enfance. Chaque fois qu'il prend la défense de quelqu'un, il pense à son père, frustré de la gloire qu'il aurait méritée. Ayant rompu avec *L'Événement,* il réunit ses articles dans une brochure : *Mon Salon.* Le livre est dédié à Cézanne, dont Zola n'a pas parlé dans ses chroniques, considérant que son ami n'en était encore qu'au début de sa carrière. Il s'en explique en des termes qui ont dû blesser Cézanne : « Je ne t'ai pas cité dans le journal, je te dédie l'ouvrage. Tu es mon meilleur ami, mais en tant que peintre je réserve mon jugement. »

Tout en collaborant régulièrement à *L'Événement,* Zola a tricoté un feuilleton : *Le Vœu d'une morte.* Bien qu'il ait quitté le journal, c'est à Villemessant qu'il propose cette élucubration commerciale. Publié en novembre 1866, le roman tombe à plat. Auparavant, Zola a fait paraître chez Achille Faure un volume intitulé *Mes haines,* qui réunit quelques études virulentes sur des sujets littéraires et artistiques. Dans sa préface, il laisse libre cours à son intransigeance et découvre ainsi, avec rudesse, le fond de son caractère : « La haine est sainte, écrit-il. Elle est l'indignation des cœurs forts et puissants, le dédain militant de ceux que fâchent la médiocrité et la sottise. Haïr, c'est aimer, c'est sentir son âme chaude et généreuse, c'est vivre largement du mépris des choses honteuses et bêtes... Je hais les gens nuls et impuissants... Je hais les gens qui vont en troupeau... Je hais les railleurs malsains, les petits jeunes gens qui ricanent, ne pouvant imiter la pesante gravité de leurs papas... » Et ceci qui témoigne d'un orgueil farouche : « Si je vaux quelque chose aujourd'hui, c'est que je suis seul et que je hais. »

En vérité, cette faculté de haine est contrebalancée par une non moins grande faculté d'amour. Dans ses admirations comme dans ses aversions, il va à l'extrême. Et cependant, cet homme qui combat, l'écume aux lèvres, pour ses idées n'apprécie rien tant que la tranquillité dans l'existence quotidienne. C'est un pantouflard enragé, un redresseur de torts au regard myope et aux reins enveloppés de flanelle. Après avoir vécu quelques années séparé de sa mère, il éprouve le besoin de la prendre chez lui et de la loger sous le même toit que sa maîtresse. Ils habitent tous les trois maintenant dans un appartement confortable, 1, rue Moncey[1], aux Batignolles, avec salle à manger, salon, chambres à coucher, cuisine. Zola est fier d'avoir pu se payer ce luxe grâce à l'argent que lui rapportent ses articles.

Émilie Zola accepte la liaison de son fils avec un rien de regret. Certes, cette Alexandrine est plutôt bonne fille. Elle sait tenir un ménage, faire la cuisine, ravauder le linge ; elle est sans doute fidèle ; elle ne dérange pas Émile dans son travail. Mais enfin, elle n'est pas belle, avec son corps lourd et son regard charbonneux. Au départ d'une carrière qui s'annonce brillante, Émile aurait pu trouver une femme plus gracieuse et qui, sans être une duchesse, sortirait d'un autre milieu. Ne va-t-il pas l'épouser sur un coup de tête ? Évidemment, il le faudrait par respect des convenances. Mais quel dommage pour l'avenir d'Émile ! Cette ancienne blanchisseuse ne saura jamais tenir un salon ! Elle le tirera vers le bas au lieu de l'aider à s'élever ! Heureusement, il n'a pas l'air pressé de lui passer la bague au doigt. Tout en se gardant bien de critiquer Alexandrine devant son fils, Émilie souffre d'avoir à s'effacer devant une intruse. Alexandrine le sent et reste sur son quant-à-soi. Entre les deux femmes s'établit une tension courtoise, une muette rivalité dont Zola feint de ne pas s'apercevoir. Il a besoin que la paix règne dans la maison pour pouvoir

1. Aujourd'hui rue Dautancourt.

écrire tout son soûl. Son plus cher désir est que les choses demeurent en l'état. Alexandrine, c'est pour lui la sécurité, la commodité, la tendresse. Il se laisse aimer plus qu'il n'aime. En la choisissant pour compagne, il a pris une assurance contre les débordements de la chair.

En été, fuyant la grosse chaleur de Paris, il emmène Alexandrine à Bennencourt, au bord de la Seine. Là, les amis habituels se réunissent dans l'auberge de la mère Gigoux. La « colonie » compte, en plus du couple Zola-Alexandrine, le frêle Valabrègue, le tonitruant Cézanne, le doux Baille, le médiocre Chaillan, le fidèle Solari et quelques poupées faciles. Dans le cercle des francs lurons et des filles rieuses, Alexandrine fait bonne figure. On boit sec, on mange gras et, pour aider la digestion, on canote. Mme Zola est, bien entendu, restée à la maison. Elle est inquiète de savoir son fils toujours sur l'eau : « Par le vent qu'il fait, une petite barque est si vite renversée. » Souvent, c'est Alexandrine qui prend les rames. Après cet effort, toute la bande va se reposer à l'ombre des arbres, sur une petite île. La chaleur, le parfum de l'herbe, l'odeur fauve de sa maîtresse couchée à côté de lui grisent Zola au point qu'il en oublie un instant son travail pour jouir simplement de la vie. Rentré chez lui, il écrit à Numa Coste, un ami peintre qui fait son service militaire : « En somme, je suis satisfait du chemin parcouru. Mais je suis un impatient, je voudrais marcher encore plus vite... Alexandrine engraisse, moi je maigris un peu [1]. » « Marcher encore plus vite » ! Comme d'autres ont faim devant l'étalage des charcutiers, lui a faim devant la vitrine des libraires. Tous ces livres dont pas un n'est de lui ! Quand donc sera-t-il assez célèbre pour éclipser les autres écrivains ? Il voudrait être, à lui seul, toute la littérature française.

1. Lettre du 26 juillet 1866.

VII

THÉRÈSE RAQUIN

Après des débuts prometteurs, Zola déchante. Ne touchant plus de mensualités régulières de *L'Événement,* il doit grappiller de quoi vivre dans différents journaux. Il donne ainsi de la copie au *Rappel,* au *Salut public...* Puis, la manne se faisant rare, il accepte d'écrire pour *Le Messager de Provence,* édité à Marseille, un grand feuilleton inspiré par des procès criminels récents. Tarif : deux sous la ligne, ce qui est tout à fait honorable pour une feuille de province. On lui fournit les documents. Il n'a plus qu'à les assaisonner à sa façon. Ravi de l'aubaine, il se lance, la tête froide et la plume agile, dans la rédaction des *Mystères de Marseille, roman historique contemporain.* Il n'a pas honte de cette besogne alimentaire. À son avis, seule l'oisiveté est dégradante pour un écrivain. « Je compte sur un grand retentissement dans tout le Midi, confie-t-il à Antony Valabrègue. Il n'est pas mauvais d'avoir une contrée à soi. D'ailleurs, j'ai accepté les propositions qui m'ont été faites poussé toujours par cet esprit de travail et de lutte... J'aime les difficultés, les impossibilités. J'aime surtout la vie, et je crois que la production quelle qu'elle soit est toujours préférable au repos. Ce sont ces pensées qui me feront accepter toutes les luttes qu'on m'offrira, luttes avec moi-même, luttes avec le public [1]. » Et, comme Antony Valabrègue ne paraît pas convaincu, il enfonce le clou : « Il ne m'est pas permis comme à vous de m'endormir, de m'enfermer dans une tour d'ivoire sous prétexte que la foule est sotte. J'ai besoin de la foule, je vais à elle comme je peux, je tente tous les moyens pour la dompter. En ce moment, j'ai surtout besoin de deux choses : de publicité et d'argent... Je vous dis ceci en ami. Il est bien entendu que je vous abandonne *Les Mystères de Marseille*. Je sais ce que je fais [2]. »

Les Mystères de Marseille, feuilleton amphigourique, sont publiés par *Le Messager de Provence* à partir du 2 mars 1867. Malgré quelques protestations de lecteurs offusqués par ce tableau repoussant de leur ville, l'histoire ne déplaît pas. Aussi Zola décide-t-il d'en tirer une pièce, en collaboration avec Marius Roux. Montée au théâtre du Gymnase à Marseille, elle s'effondre sous les sifflets après trois représentations. Zola, qui a fait le voyage avec son collaborateur pour assister aux dernières répétitions, est ulcéré. Certes, il reconnaît que ni son roman ni sa pièce ne sont de la grande littérature, mais il en veut au public d'être de son avis.

Revenu à Paris, il se sent incompris et comme exclu de l'actualité, alors que la ville vibre encore au souvenir des visites royales, des scandales galants, des feux d'artifice et des bals masqués de l'Exposition de 1867. Il lui semble que, pour lui aussi, tous les lampions se sont éteints. Pourtant il a deux consolations dans sa vie : Manet, qui lui sait gré de le soutenir avec tant de courage, fait son portrait et Solari sculpte son buste. Trop pauvres l'un et l'autre, Zola et Solari ne peuvent se payer les services d'un mouleur professionnel. Alors, aidés de Cézanne, ils gâchent le plâtre eux-mêmes, exécutent de leur mieux le moulage et obtiennent, après de délicates manœuvres, une superbe effigie de l'écri-

1. Lettre du 19 février 1867.
2. Lettre du 4 avril 1867.

vain. Quant au tableau de Manet, c'est un miracle de force et de sobriété, comparable à ses plus belles toiles. Zola se dit que ces deux œuvres, si elles sont exposées au Salon, ne manqueront pas d'attirer sur lui l'attention de la foule.

Un autre motif de satisfaction chatouille son orgueil : tout en gribouillant *Les Mystères de Marseille,* il a commencé un roman sur lequel il fonde de grands espoirs. Ses matinées sont réservées à la rédaction sérieuse et lente de cette histoire, intitulée provisoirement *Mariage d'amour,* et ses après-midi à la galopante besogne des *Mystères.* Ainsi, changeant de casquette selon les heures, s'amuse-t-il à mener de front deux entreprises dont l'une flatte son ambition et dont l'autre lui assure le pain quotidien. L'idée de ce *Mariage d'amour,* qui deviendra bientôt *Thérèse Raquin,* lui a été suggérée par la lecture, dans *Le Figaro,* d'un feuilleton d'Adolphe Belot et Ernest Daudet, *La Vénus de Gordes.* Dans cette œuvre mineure, les auteurs, après avoir fait assassiner le mari par l'amant de la femme, expédiaient le couple meurtrier aux assises. Cette donnée banale travaille inconsciemment l'esprit de Zola à la recherche d'un sujet puissant. Et soudain, c'est l'étincelle : les deux coupables échapperont à la justice de la société, mais, rongés par le remords, passeront le reste de leur vie à se haïr et finiront par se suicider devant la mère de la victime, qui les a toujours soupçonnés et qui, assise dans son fauteuil de paralytique, écrasera leurs cadavres d'un regard vengeur. « Je suis très satisfait de cette dernière œuvre, écrit Zola à Antony Valabrègue ; c'est, je crois, ce que j'ai fait de mieux jusqu'à présent. Je crains même que l'allure n'en soit trop corsée[1]. » Et de fait, l'histoire des deux amants, Thérèse et Laurent, est d'une sensualité et d'une violence explosives. Pour la première fois depuis ses débuts dans la littérature, Zola ne choisit pas de se

1. Lettre du 4 avril 1867.

mettre en scène sous un autre nom et d'évoquer, à travers son héros, des affres et des satisfactions qu'il a lui-même connues. Or, bien que totalement étranger à la vie de l'auteur, ce drame paraît plus vrai que la mélancolique *Confession de Claude*. Ici, tout sonne juste, les sentiments et le climat, la grisaille de l'existence quotidienne des époux Raquin et la flamme qui soudain embrase Thérèse lorsque Laurent apparaît dans le minable logis du ménage. Grand admirateur de Taine, Zola fait sienne cette phrase des *Nouveaux Essais de critique et d'histoire* : « De pureté, de grâce, le naturaliste ne s'inquiète guère ; à ses yeux, un crapaud vaut un papillon ; la chauve-souris l'intéresse plus que le rossignol. » D'instinct, l'auteur de *Thérèse Raquin* traite ses personnages avec la rigueur d'un naturaliste décrivant un animal, analysant ses réactions, mais ne le jugeant pas. À vingt-sept ans, il est fier de constater que le savant a tué en lui le poète.

Le roman paraît d'abord en feuilleton dans *L'Artiste,* dirigé par Arsène Houssaye. Mais celui-ci a peur de mécontenter son public et supplie l'auteur de couper certains passages, « parce que, dit-il, l'impératrice lit [sa] revue ». Zola consent à quelques adoucissements, mais se fâche tout rouge lorsqu'il découvre, sur le dernier feuillet des épreuves, une phrase finale, d'esprit moralisateur, ajoutée par Arsène Houssaye pour atténuer la brutalité du récit.

Le texte original est rétabli pour l'édition en volume lancée par Lacroix vers la fin de 1867. Dès les premiers jours, Zola guette avec angoisse les réactions des lecteurs. Elles sont mitigées. Rien d'étonnant à ce que Taine voie dans *Thérèse Raquin* une application de ses théories sur l'art. « L'ouvrage est tout entier construit sur une idée juste, écrit-il à Zola. Il est bien lié, bien composé, il indique un véritable artiste, un observateur sérieux, qui cherche non l'agrément, mais la vérité. » Pourtant, il se demande si l'auteur n'a pas eu la main un peu lourde : « Il faut être physiologue et psychologue de métier pour n'avoir pas les nerfs détraqués par un livre comme le vôtre... Quand on clôt toutes les percées et qu'on emprisonne le lecteur, fenêtres fermées, dans une histoire exceptionnelle, en tête-à-tête avec un monstre, un fou ou un malade, le lecteur a peur ; souvent même la nausée lui vient ; il crie contre l'auteur... Si j'osais un avis, je dirais que vous avez besoin d'élargir votre cadre et de balancer vos effets [1]. »

De leur côté, les Goncourt proclament que *Thérèse Raquin* est « une admirable autopsie du remords et, par toutes ces pages où palpitent des délicatesses frissonnantes, une sorte de terreur nerveuse nouvelle dans le livre ». Sainte-Beuve, lui, tout en louant Zola, émet des doutes sur la véracité de son histoire et le choix des effets. Du haut de sa compétence magistrale, il lui adresse une lettre mi-figue, mi-raisin : « Votre œuvre est remarquable, consciencieuse, et, à certains égards même, elle peut faire époque dans l'histoire du roman contemporain. » Mais aussitôt il ajoute : « Je ne comprends rien à vos amants, à leurs remords et à leur refroidissement subit avant d'être arrivés à leurs fins. » Et il conclut, paterne : « Vous avez fait un acte hardi ; vous avez bravé dans cette œuvre et le public et aussi la critique. Ne vous étonnez pas de certaines colères ; le combat est engagé ; votre nom y est signalé ; de tels combats se terminent, quand un auteur de talent le veut bien, par un autre ouvrage, également hardi, mais un peu détendu, où le public et la critique croient voir une concession à leur gré, et tout finit par un de ces traités de paix qui consacrent une réputation de plus [2]. » Déférent, Zola remercie le pontife pour le compliment et pour le conseil.

En revanche, il sursaute en lisant, dans *Le Figaro,* un

1. Lettre du début de 1868.
2. Lettre du 10 juin 1868.

article de Louis Ulbach, signé Ferragus. « Ma curiosité a glissé ces jours-ci dans une flaque de boue et de sang qui s'appelle *Thérèse Raquin* et dont l'auteur, M. Zola, passe pour un jeune homme de talent, écrit Louis Ulbach. Enthousiaste des crudités…, il voit la femme comme M. Manet la peint, couleur de boue avec des maquillages roses… *Thérèse Raquin,* c'est le résidu de toutes les horreurs publiées précédemment. On y égoutte tout le sang et toutes les infamies… Je ne blâme pas systématiquement les notes criardes, les coups de pinceau violents et violets ; je me plains qu'ils soient seuls et sans mélange… La monotonie dans l'ignoble est la pire des monotonies. Il semble, pour rester dans la comparaison de ce livre, qu'on soit étendu sous le robinet d'un des lits de la morgue, et, jusqu'à la dernière page, on sent couler, tomber goutte à goutte sur soi cette eau faite pour délayer les cadavres. »

En fait, cette diatribe ne déplaît pas à Zola. L'important, c'est qu'on parle du livre : en bien ou en mal, peu importe. Avec cet éreintement, Louis Ulbach lui offre l'occasion d'une belle réponse dans le même *Figaro* : « Vous restez à fleur de peau, Monsieur, tandis que les romanciers analystes ne craignent pas de pénétrer dans les chairs… Oubliez l'épiderme satiné de telle ou telle dame, demandez-vous quel tas de boue est caché au fond de cette peau rosée dont le spectacle contente vos faciles désirs. Vous comprendrez alors qu'il a pu se rencontrer des écrivains qui ont fouillé courageusement la fange humaine. La vérité, comme le feu, purifie tout. »

Mais Louis Ulbach a donné le ton. La plupart des journalistes font chorus avec lui. Edmond Texier, dans *Le Siècle,* accuse Zola d'avoir composé *Thérèse Raquin* « par suite d'une sorte d'ébriété physiologique ». Un des fondateurs de *La Tribune,* André Lavertujon, écrit à l'auteur : « C'est effroyable de parti pris et comme choix de sujet : j'en ai eu le cauchemar… Je souhaite qu'à *La Tribune* vous ayez des inspirations moins noires [1]. » Laurent-Pichat, lui, annonce qu'il parlera du livre, dans *Le Phare de la Loire,* « avec sévérité pour le genre et respect pour le talent [2] ». De tous côtés, on traite Zola de « pornographe », d' « égoutier », de partisan de la « littérature putride ». C'est assez pour éveiller la curiosité du public. On va à *Thérèse Raquin* comme on va dans les bals des quartiers louches : pour s'encanailler avec un frisson de dégoût. Lancé par la polémique, le livre se vend bien. Dès le mois de mai 1868, Lacroix met en route une deuxième édition. Elle est précédée d'une importante préface de l'auteur : « Je suis charmé de constater que mes confrères ont des nerfs de jeune fille... Ce dont je me plains, c'est que pas un des pudiques journalistes qui ont rougi en lisant *Thérèse Raquin* ne me paraît avoir compris ce roman... Dans *Thérèse Raquin,* j'ai voulu étudier des tempéraments, non des caractères. J'ai choisi des personnages souverainement dominés par leurs nerfs et leur sang... Thérèse et Laurent sont des brutes humaines, rien de plus... On commence, j'espère, à comprendre que mon but a été un but scientifique avant tout. »

Malgré cette explication, le charivari contre Zola continue. Conspué, il se frotte les mains. Enfin, il est devenu une figure représentative dans le monde des lettres. Ayant déménagé, il habite maintenant au 23, rue Truffaut, toujours dans le quartier des Batignolles, un pavillon avec jardin. Loyer : cinq cent cinquante francs par an. C'est encore trop lourd. Pour couvrir les frais, il multiplie les articles dans les journaux et concocte un feuilleton, tiré d'une pièce qu'il a écrite trois ans auparavant, alors qu'il était employé chez Hachette : *Madeleine Férat.* C'est une mauvaise resucée de *Thérèse Raquin.* Zola confie le manuscrit au nouvel *Événement,* dirigé par Bauër. Dès les premières livraisons, le roman, présenté sous le titre plus accrocheur de

1. Lettre du 22 mai 1868.
2. Lettre du 16 juin 1868.

La Honte, heurte la pudibonderie des abonnés. Le procureur impérial convoque le directeur et lui annonce qu'on le tiendra quitte s'il arrête immédiatement la publication, mais que le livre pourra être poursuivi. Bauër obéit, le feuilleton est abattu en plein vol. Aussitôt, Zola se défend dans *La Tribune,* invoque Michelet, auteur de *La Femme,* et le docteur Prosper Lucas, dont les théories sur l'hérédité ont inspiré son œuvre. L'ayant reçu personnellement, le procureur impérial se montre conciliant. Sûr de n'être pas inquiété pour l'édition en volume, Zola décide de ne pas changer un mot. Cette levée de boucliers autour de lui, loin de le contrarier, le stimule. Il lui semble avoir découvert la bonne tactique dans l'affrontement avec la foule moutonnière des bourgeois. La plume à la main, il ne raconte pas, il combat. S'il sentait autour de lui un acquiescement unanime, un ronronnement de satisfaction, peut-être n'aurait-il plus le cœur à l'ouvrage. Certains auteurs caressent le public dans le sens du poil. Lui le secoue, le défie, le frappe. Et sa jouissance de créateur lui vient de son audace à braver l'opinion.

Comme il l'espérait depuis le début, sa notoriété fracassante lui vaut maintenant des amitiés et des jalousies dans le monde des lettres. Il fréquente les « mardis » d'Arsène Houssaye, les « lundis » de Paul Meurice, reçoit lui-même le jeudi, se lie avec Alphonse Daudet, avec Michelet, avec Duranty et, à la suite de ses prises de position chaleureuses sur l'œuvre des Goncourt, est invité par les deux frères dans leur petite maison d'Auteuil. Le soir du 14 décembre 1868, ils notent dans leur *Journal* : « Nous avons eu à déjeuner notre admirateur et notre élève Zola. C'était la première fois que nous le voyions. Notre première impression fut de voir en lui un Normalien crevé, à la fois râblé et chétif, à encolure de Sarcey et à teint exsangue et cireux, un fort jeune homme avec des délicatesses et du modelage d'une fine porcelaine dans les traits de la figure, le dessin des paupières, les furieux méplats du nez, les mains. Un peu taillé en toute sa personne comme ses personnages, qu'il fait de deux types contraires, ces figures où il mêle le mâle et le féminin ; et au moral même, laissant échapper une ressemblance avec ses créations d'âmes aux contrastes ambigus. Le côté qui domine, le côté maladif, souffrant, ultra-nerveux, approchant de vous, par moments la sensation pénétrante de la victime tendre d'une maladie de cœur. Être insaisissable, profond, mêlé, après tout ; doulou-reux, anxieux, trouble, douteux. »

Inconscient de l'examen clinique auquel le soumet-tent ses aînés, Zola leur déballe tout. Il est sûr que ces écrivains riches, talentueux et raffinés, entourés de bibelots tarabiscotés, d'estampes japonaises et de meubles rares, ont ce qu'il faut pour comprendre un bougre de son espèce, qui n'aspire qu'à les rejoindre dans le luxe et la notoriété. « Il nous parle de la difficulté de sa vie, écrivent encore les Goncourt, du désir et du besoin qu'il aurait d'un éditeur l'achetant pour six ans trente mille francs, lui assurant chaque année six mille francs : le pain pour lui et sa mère, et la faculté de faire l'*Histoire d'une famille* en dix volumes. »

Oui, Zola, excité par le vin, la bonne chère et les propos flatteurs de ses hôtes, leur dévoile son fantasti-que secret : il voudrait écrire une suite de livres dans lesquels apparaîtraient des personnages issus d'une même famille, marqués par l'hérédité et le milieu, une « grande machine » qui clouerait le bec à ses détrac-teurs. « C'est que j'ai tant d'ennemis ! soupire-t-il. C'est si dur de faire parler de soi ! »

En quittant les Goncourt, il est convaincu de s'être assuré leur amicale complicité dans son ascension vers la gloire. Perspicace dès qu'il s'agit de fouiller le caractère d'un personnage de roman, il se révèle lourdement naïf devant des créatures réelles. Mais n'est-ce pas cette incapacité de se conduire habilement dans la vie qui lui permet de si bien évoluer dans le rêve ? Venu à Auteuil par le train, comme le lui ont conseillé les deux frères, il repart avec la certitude de s'être enrichi à leur contact d'un espoir immense. Tandis que la locomotive siffle et que le wagon bringuebale, il savoure par avance le récit qu'il fera de cette mémorable entrevue devant sa mère et Alexandrine qui l'attendent à la maison.

VIII

ALEXANDRINE

L'idée creuse son chemin. Plus Zola réfléchit au déroulement de sa carrière, plus il se persuade que, s'il veut attacher son nom à une vaste entreprise, il lui faut concevoir une fresque en plusieurs volumes, quelque chose de comparable à *La Comédie humaine* de Balzac. Il a une vénération pour l'auteur du *Père Goriot*. « Quel homme ! écrit-il. Je le relis en ce moment. Il écrase tout le siècle. Victor Hugo et les autres, pour moi, s'effacent devant lui[1]. » Mais, tout en admirant ce géant des lettres françaises, il lui en veut un peu d'être si grand. Comment égaler un tel génie sans le copier ? Tout le problème est là. Avec obstination, Zola cherche à se démarquer de son modèle. Première nuance : l'organisation de *La Comédie humaine* ne s'est faite qu'après coup, alors que Balzac avait déjà écrit plusieurs romans de la série. D'où une sorte d'incohérence dans la construction de l'ensemble. Ainsi les divers morceaux qui composent ce monument n'ont-ils souvent d'autre rapport entre eux que la réapparition de certains comparses. C'est là, songe Zola, le travail d'un homme inspiré et brouillon, n'obéissant qu'aux secousses de son inspiration. Lui, en revanche, veut être un créateur méthodique, dont le plan général sera établi dossier par

1. Lettre à Antony Valabrègue du 29 mai 1867.

dossier, tiroir par tiroir, avant qu'il ait tracé la première ligne du premier volume. Contrairement à Balzac qui s'est abandonné à sa fantaisie pour peupler son univers, il décide de ne rien laisser au hasard pour animer le sien. Il remarque aussi qu'il n'y a pas d'ouvriers chez Balzac, que celui-ci a voulu faire l'histoire des mœurs de son temps, que son œuvre est le miroir d'une société « dominée par la religion et la royauté ». Et il précise dans une note intitulée *Différence entre Balzac et moi* : « Mon œuvre à moi sera tout autre chose. Le cadre en sera plus restreint. Je ne veux pas peindre la société contemporaine, mais une seule famille, en montrant le jeu de la race modifiée par les milieux... Ma grande affaire est d'être purement naturaliste, purement physiologiste. »

Il faut une idée directrice à un tel déploiement de personnages, de lieux, de professions. Qu'à cela ne tienne : Zola se précipite sur les théories à la mode et trouve la justification de sa propre inclination pour les sciences exactes. Ces sciences exactes vont si vite dans la conquête du monde qu'un jour ou l'autre, se dit-il, elles expliqueront tout. À son avis, le romancier penché sur sa page et le savant enfermé dans son laboratoire sont investis de la même mission : approfondir la connaissance du réel. Les uns travaillent sur les âmes, les autres sur les corps. Mais la démarche de leur esprit est identique. Le public, émerveillé par les progrès des spécialistes du scalpel, de la cornue ou du microscope, devrait donc accorder toute confiance aux écrivains qui obéissent à la même discipline intellectuelle. Le siècle étant scientifique, la littérature est forcée de le devenir. Pour s'en persuader, Zola revient, en pensée, à ses conversations avec un ami d'Aix, un savant, Fortuné Marion, qui lui a démontré la persistance des liens du sang dans le caractère physique et moral de l'homme. Il lit aussi, avec une voracité de néophyte, l'*Introduction à la médecine expérimentale* de Claude Bernard, le *Traité de l'hérédité naturelle* du docteur Prosper Lucas, la *Philosophie de l'art* de Taine, la *Physiologie des passions* du docteur Charles Letourneau et les études de Darwin récemment traduites en français. Toutes ces publications achèvent de le convaincre que, pour être de son temps, il doit répudier les rêves idéalistes et coller au plus près à la réalité tangible. Très vite, il se décide à faire de son œuvre l'illustration des théories de l'hérédité. Tout s'explique par les antécédents d'un individu. Fouiller dans son passé génétique, c'est déterminer son avenir au sein de la société. Fort de cette certitude, dont le côté systématique, loin de l'inquiéter, le réjouit, Zola se croit appelé à être le promoteur d'un art nouveau. Il le pressentait déjà lorsqu'il écrivait *Thérèse Raquin*. Aujourd'hui, à près de trente ans, et avec toutes ces lectures savantissimes dans la tête, il en est sûr. Ébloui par la révélation, il estime que le meilleur moyen de démontrer l'importance de l'hérédité dans la vie des êtres humains, c'est de prendre tous les personnages de cette suite romanesque dans une même famille. Les tares de chacun se trouveraient ainsi éclairées, et comme justifiées, par un atavisme quasi automatique. Cette pyramide s'appellerait *Histoire naturelle et sociale d'une famille sous le Second Empire*. Si Balzac a été un démiurge, lui sera un expérimentateur.

Maintenant, il embrasse d'un regard d'aigle le terrain où il va chasser. Il dresse un premier plan de dix romans se déboîtant l'un de l'autre et portant la triple étiquette du matérialisme, de la physiologie, de l'hérédité, tout cela évoqué sous le règne de Napoléon III. Ce règne, Zola l'exècre pour ses génuflexions devant l'argent, son clinquant, ses préjugés bourgeois, son hypocrisie, sa bigoterie, son intolérance. En situant son œuvre à cette époque qu'il abhorre, il en dénoncera les vices et la stupidité. Mais il ne veut s'aventurer qu'à coup sûr dans une telle fondrière. Pendant un an, il travaille assidûment à la Bibliothèque impériale, plongé dans des livres de sciences, prenant des notes, fignolant l'arbre généalogique de ses héros, les Rougon-Macquart. Cet arbre généalogique, il le présente à Lacroix en même temps que le plan de sa série romanesque, et l'éditeur, impressionné par l'ampleur et le sérieux du projet, signe un contrat pour les quatre premiers tomes. En garantie, l'auteur recevra cinq cents francs par mois.

Au moment d'aborder la rédaction du premier volume, intitulé *La Fortune des Rougon*, Zola établit, une fois pour toutes, son emploi du temps. Lever à huit heures du matin ; promenade pendant une heure pour se dégourdir à la fois le corps et l'esprit ; ensuite, travail ; l'après-midi, visites utiles, correspondance, séances de lecture à la Bibliothèque impériale pour parfaire la documentation. Toujours précis, il calcule le nombre de pages qu'il pourra abattre chaque jour et conclut qu'il aura terminé son cycle dans dix ans. Pourvu qu'aucun événement extérieur ne vienne le perturber dans la tâche immense où il s'engage !

Afin de s'assurer un avenir paisible, il décide de régulariser sa liaison avec Alexandrine. En quelque cinq ans, il a pu apprécier les solides qualités de sa compagne. Sans être une beauté sur laquelle on se retourne dans la rue, elle se présente comme une femme bien en chair, aux cheveux bruns soyeux, au visage ferme, aux yeux sombres et vifs, à la lèvre supérieure ombrée d'un léger duvet. Elle est loyale, active, pratique et ambitieuse. L'ascension sociale est son idée fixe. Elle veut être reconnue comme une vraie bourgeoise, partageant la vie d'un romancier célèbre. En lui proposant le mariage, Zola comble ses vœux. Mais elle exige de passer par l'église et Zola, le positiviste, l'agnostique, ne peut lui refuser cette faveur. Les témoins sont Paul Cézanne, Marius Roux, Philippe Solari et un nouveau venu, un jeune poète aixois, grand admirateur de l'auteur de *Thérèse Raquin* : Paul Alexis. Mme Zola mère se résigne à avoir pour bru une fille du peuple. Les rapports des deux femmes sont affectueux en apparence. D'un commun accord, elles mettent leurs dissentiments en sourdine pour respecter la tranquillité du maître de maison.

Après le mariage, Zola se sent enfin rasséréné. Il n'a pas un appétit sexuel bien exigeant. Ou plutôt, cet appétit ne se réveille en lui que lorsqu'il tient une plume. Si la femme de chair le laisse assez indifférent, son tempérament s'enflamme dès qu'il évoque des créatures imaginaires. Auprès d'elles, il n'est plus paralysé par une timidité d'enfant. Il ose vivre et décrire les enlacements les plus hardis. Débarrassé de toute crainte d'échec physique, il se livre, en secret, à une jouissance qui le transporte. Quand il retrouve Alexandrine, il a l'impression de l'avoir trompée, tout en lui restant fidèle. Chaste dans sa chambre à coucher, il prend sa revanche dans son cabinet de travail. Et nul ne soupçonne les joies qu'il éprouve ainsi dans la solitude. Non, rien ne remplace pour lui l'enivrant plaisir de noircir du papier, avec dans la tête un univers dont il est le seul maître. Nourri d'encre, il est un monstre de labeur et de rêverie. À la mort de Jules de Goncourt, en juin 1870, il écrit à son frère Edmond une lettre pathétique où il conclut : « L'art l'a tué. » Quelques semaines plus tard, en allant déjeuner à Auteuil, il discourt longuement, devant son hôte, de ses propres travaux. Goncourt note dans son *Journal*[1] : « Il me parle d'une épopée en dix volumes, de l'*Histoire naturelle et sociale d'une famille* qu'il a l'ambition de tenter, avec l'exposition des tempéraments, des caractères, des vices, des vertus développés par les milieux et différenciés comme les parties d'un jardin où il y a de l'ombre, où il y a du soleil. » En fin de repas, devant cet homme accablé par la disparition de son frère, il s'écrie : « Après l'analyse des infiniment petits du sentiment comme elle a été exécutée par Flaubert dans *Madame Bovary*, après l'analyse des choses artistiques, plastiques, nerveuses, comme vous l'avez faite, après ces *œuvres-bijoux*, ces volumes ciselés, il n'y a plus de place pour les jeunes, plus rien à faire, plus à constituer, plus

1. Le 27 août 1870.

à construire un personnage. Ce n'est que par la quantité des volumes, la puissance de la création qu'on peut parler au public. »

En lançant ces mots, Zola est sincère. Il a une profonde admiration pour Flaubert (il le lui a d'ailleurs écrit en lui adressant son livre *Madeleine Férat*), il le reconnaît comme un maître de l'observation du réel et, en quelque sorte, comme un précurseur, mais il ne partage pas son obsession de la phrase parfaite. Tout en louant l'excellence de ce style travaillé à la manière d'un orfèvre, il se refuse à le prendre pour exemple. L'*œuvre-bijou* n'est pas son fait. Il écrit violemment, à la va-vite, avec des avalanches d'adjectifs, des sonorités heurtées, et même parfois des incorrections de langage. Ce qu'il cherche en lâchant ce torrent verbal, ce n'est pas à flatter l'oreille de ses lecteurs, mais à les plonger, tout suffocants, dans la vision d'un monde qui leur est étranger. Il faut que les couleurs, les rumeurs, les odeurs de ce monde assaillent le public comme elles l'assaillent lui, dans le silence de son bureau, alors que, derrière la porte, sa mère et sa femme vaquent, sur la pointe des pieds, aux soins du ménage. S'il grossit le trait de ses descriptions, c'est pour mieux frapper les esprits paresseux. La vérité de Flaubert est une copie scrupuleuse, la sienne est une caricature tragique. Mais, par son excès même, cette caricature tragique secoue les imaginations, éveille les sensibilités, aide à la découverte des âmes et des choses. L'art, tel qu'il le conçoit, est un grossissement de la réalité qui restitue, en l'accentuant, l'essence de cette réalité. Il remplace la délicatesse par la force, l'observation méticuleuse par la déformation passionnée.

Dans *La Fortune des Rougon,* il évoque, avec une truculente ironie, les répercussions du coup d'État du prince Louis-Napoléon Bonaparte, le 2 décembre 1851, dans une ville de Provence qu'il a inventée d'après ses souvenirs d'Aix et baptisée Plassans. À la faveur de ce séisme, les ambitions se déchaînent. Deux branches

76

rivales d'une même famille, les Rougon et les Macquart, s'affrontent, les premiers se révélant bonapartistes par calcul, les seconds libéraux par pauvreté et par envie. Entre ces deux camps ennemis, un jeune parent, Silvère Mouret, un idéaliste, meurt pour la défense de la république. Sur cette trame politique, Zola brode un roman psychologique d'une joyeuse férocité, dénonçant le lent pourrissement des âmes fascinées par l'appât du gain et des honneurs.

L'auteur espère un beau branle-bas à la publication de ce livre si sévère pour le régime impérial. Mais il sait que, cette fois, il aura derrière lui une large partie de l'opinion. Après avoir porté Napoléon III aux nues, bien des gens se détournent de leur idole, lui reprochant les abus de pouvoir du gouvernement, les scandales, la malheureuse expédition au Mexique, les travaux extravagants d'Haussmann, l'étalage insolent du luxe, face à la misère des ouvriers. Les républicains, encouragés par le résultat des élections de 1869, redressent la tête. La collaboration de Zola à des journaux comme *La Tribune, Le Rappel* et surtout *La Cloche* a fait de lui un homme de gauche, un opposant déclaré. Pourtant, il n'appartient à aucun groupe militant. Simplement il souhaite pour la France plus de justice, plus de liberté, plus d'égalité dans la distribution des richesses, bref un régime parlementaire digne de ce nom. Et il le dit et il l'écrit avec d'autant plus d'ardeur qu'il sent venir l'orage.

Depuis l'assassinat, le 10 janvier 1870, de Victor Noir par le prince Pierre Bonaparte, un malaise plane sur le pays. Les institutions les plus solides semblent attaquées de l'intérieur. Devant cette déliquescence fardée de vanité, les convoitises de l'Allemagne se réveillent. Bismarck veut la guerre. Et, si Napoléon III la redoute, l'impératrice Eugénie le somme de se montrer intransigeant. C'est dans cette atmosphère d'indécision gouvernementale et de nervosité populaire que *La Fortune des Rougon* paraît en feuilleton dans *Le Siècle*. La publication ira-t-elle jusqu'au bout ? Zola en doute. Il a raison. Le 13 juillet 1870, Bismarck, qui a mené le jeu de main de maître, communique à la presse une version tronquée de la dépêche qui lui a été envoyée d'Ems par l'empereur Guillaume Ier, version jugée en France insultante pour l'honneur national. Ce camouflet ranime le patriotisme de la rue. Les journaux de droite affirment que l'armée française est invincible. Tous les experts militaires prévoient une victoire rapide. Le peuple unanime hurle : « À Berlin ! » Zola est stupéfié par l'aveuglement imbécile du gouvernement et des masses. La guerre lui semble inévitable. Personne ne se soucie plus de *La Fortune des Rougon*. Les lecteurs du *Siècle* n'ont d'yeux, dans leur journal, que pour les nouvelles politiques. Déjà on mobilise. Au milieu de cette fièvre belliqueuse, Zola ose écrire, dans *La Cloche*, que des dizaines de milliers de soldats français vont paradoxalement se faire tuer pour défendre un Empire qu'ils détestent. Et il appelle de ses vœux le retour de la république. Cet article lui vaut d'être inculpé « d'excitation au mépris et à la haine du gouvernement et de provocation à la désobéissance aux lois ». Mais, fort heureusement, les tribunaux sont encombrés, l'affaire s'enlise. Pour prouver que, malgré ses idées pacifistes, il est un bon Français, Zola veut s'engager dans la garde nationale. On le refuse à cause de sa myopie qui s'est accentuée avec les années. Les événements se précipitent. Le 19 juillet 1870, malgré les efforts de Thiers, la guerre est déclarée. Le 11 août, *Le Siècle* suspend la publication de *La Fortune des Rougon*, vu « la gravité des circonstances ». Zola est désespéré, à cause de la guerre, à cause du naufrage de son roman, à cause de son inutilité d'écrivain dans un monde devenu fou. « Cette affreuse guerre m'a fait tomber la plume des mains, écrit-il le 22 août 1870 à Edmond de Goncourt. Je suis comme une âme en peine. Je bats les rues. Un petit voyage à Auteuil serait une promenade pour un pauvre diable de romancier sans ouvrage. »

Le désastre de Sedan, la capture de l'empereur, la retraite désordonnée de l'armée empêchent Zola de se réjouir pleinement de l'instauration de la république. Devant l'avance des Prussiens, sa mère et Alexandrine prennent peur. Paris n'est plus sûr. Il faut partir. Pour aller où ? La révolution triomphe à Aix. Baille et le père de Cézanne font partie de la nouvelle municipalité. Mais des troubles sont à craindre. Mieux vaut se réfugier dans un coin paisible, loin du délire des villes. On en discute, tandis que la bataille fait rage à l'est. Et, le 7 septembre, la famille quitte Paris pour s'installer dans la banlieue de Marseille, à L'Estaque. Paul Cézanne y a planté son chevalet. Sa vieille et rude amitié ne sera pas de trop pour réconforter le « pauvre Émile ». Zola est à la fois honteux de fuir et soulagé de mettre de la distance entre lui et l'envahisseur, malheureux enfin de ne pouvoir faire entendre sa voix au milieu du tumulte que soulève la chute de l'Empire.

IX

LA DÉFAITE

À L'Estaque, Zola retrouve Paul Cézanne, qui se cache dans ce bourg oublié, face à la mer bleue, avec sa maîtresse, Hortense Fiquet. Même ses parents ignorent le lieu de sa retraite. Et les autorités militaires ont renoncé à mettre la main sur lui. Il se désintéresse superbement de la guerre pour peindre. Son affaire, ce n'est pas de suivre, sur une carte, la progression des Prussiens, mais de couvrir une toile avec des couleurs qui vous remuent les tripes. Il le dit à Zola. Celui-ci ne peut le comprendre. L'actualité le talonne. Il est solidaire de ceux qui se battent, de ceux qui s'indignent, de ceux qui songent au meilleur moyen de sauver la France. La paix ensoleillée de L'Estaque lui semble une insulte à la souffrance du pays tout entier. Après quelques jours d'oisiveté coupable, il choisit de s'installer à Marseille avec sa mère et sa femme. Il y sera, pense-t-il, plus proche des préoccupations de ses compatriotes.

Ce qu'il découvre en arrivant là-bas, le 10 septembre 1870, c'est une immense foire aux ambitions, désordonnée et glapissante. La république a été proclamée dans la ville, mais des rivalités éclatent entre les membres de l'équipe qui a pris le pouvoir. Gambetta donne, de loin, des consignes qui ne sont pas exécutées. La cité est aux mains d'une plèbe incontrôlable dont les cortèges parcourent les rues en vociférant. Leur homme de confiance est le député Esquiros. Il s'oppose à Gambetta. Tout cela va-t-il se terminer par une lutte fratricide ? Non, ici on crie fort, on gesticule beaucoup, mais le sang ne coule pas. Ayant nommé Alphonse Gent préfet des Bouches-du-Rhône, Gambetta l'expédie à Marseille pour chasser les gardes civiques de la mairie dont ils se sont emparés. Les gardes civiques sont mis au pas et des élections municipales, organisées en hâte, installent un Conseil modéré à l'hôtel de ville.

À peine le calme est-il revenu que Zola songe à reprendre son activité de chroniqueur. Il retrouve son ami Marius Roux et Léopold Arnaud qui lui a commandé naguère *Les Mystères de Marseille*. Ensemble, ils décident de fonder un journal : *La Marseillaise*. L'inspiration en est à la fois républicaine et prudente. Rien qu'à baguenauder dans la ville pendant cette parodie d'insurrection, Zola a pris en horreur les foules imbéciles, qui, une fois lancées contre le pouvoir, perdent tout contrôle d'elles-mêmes. Il lui semble que, réunis en masse, les hommes intelligents deviennent stupides par contagion. Un flot de fureur et d'aberration emporte les têtes. Partisan de l'ordre et de la réflexion, il condamne les extrémistes de tout poil. Aussi se range-t-il résolument derrière Alphonse Gent. Selon lui, on peut fort bien militer tout ensemble pour la justice sociale et le confort bourgeois.

Malgré les efforts des rédacteurs, *La Marseillaise* s'effondre. Voici Zola sur le pavé. Mais il a des relations dans la ville. Subitement, il songe à demander un poste de préfet ou de sous-préfet. Cela assurerait « la matérielle » de la famille. Or, toutes les nominations s'effectuent à Bordeaux. C'est donc là-bas qu'il doit se rendre s'il veut décrocher la timbale. Malheureusement, en pleine guerre, le moindre voyage pose des problèmes insolubles. Les horaires des chemins de fer varient de jour en jour. Après un long temps d'hésitation, Zola se résout à l'épreuve et prend un billet de troisième classe.

Son wagon est bondé. Le froid le pénètre. Il a faim. Par chance, il peut acheter, à Cette, une tranche de gigot. Le ventre calé, il regarde avec tristesse la neige qui, de Cette à Montauban, ensevelit la campagne.

À Bordeaux, où il arrive le 12 décembre, il court d'hôtel en hôtel, sous la pluie, pour trouver un logement. Tout est complet. Enfin on lui propose une chambre de domestique à l'hôtel Montré, rue Montesquieu. Elle ne coûte que deux francs. À sa première sortie, Bordeaux lui déplaît. Il juge la ville « toute grise et toute boueuse ». Pour se consoler, il s'offre des huîtres à un franc vingt la douzaine. Et aussitôt il commence les démarches.

Si Paris est assiégé par les Prussiens, Bordeaux l'est par les quémandeurs. Depuis que le gouvernement s'est installé dans cette ville, après un bref passage à Tours, la population paraît avoir doublé. Politiciens, journalistes, avocats, spéculateurs de tout acabit sont pendus aux basques des hommes du pouvoir pour obtenir qui une protection, qui un poste, qui un marché juteux. Alors que Paris, encerclé, affamé, épuisé, lutte héroïquement pour sa survie, ici on intrigue, on parlote, on complote… Cette chasse aux sinécures dégoûte Zola, mais il ne peut faire autrement que d'y participer. Ses premières visites aux gens en place le déçoivent : « Il n'y a absolument rien de libre dans la magistrature, écrit-il à Alexandrine et à sa mère. D'abord, le ministère ne nomme guère que les préfets, laissant à ceux-ci le soin et la charge de trouver des sous-préfets. Or, toutes les préfectures sont prises, et pas un préfet ne paraît disposé à lâcher sa proie… Restent les sous-préfectures. Masure [1] m'a offert celle de Quimperlé, en Bretagne, que j'ai refusée ; c'est trop loin et trop laid… Il m'a proposé ensuite celle de Lesparre, une petite ville qui est à quelques lieues de Bordeaux. J'ai encore refusé,

---

1. Gustave Masure était directeur adjoint du personnel au ministère de l'Intérieur.

quitte plus tard à accepter, si je ne trouve rien de mieux [1]. »

Sans se laisser démonter, il continue à tirer les cordons de sonnette. Il vise la sous-préfecture d'Aix. Évidemment, elle a déjà un titulaire. Il faudrait donc révoquer celui-ci, et Alphonse Gent, préfet à Marseille, pourrait le faire. Que Marius Roux s'occupe donc de la manœuvre ! Qu'il alerte pour cela Arthur Ranc, collaborateur de Gambetta et directeur de la Sûreté générale ! Qu'il remue ciel et terre !

Sollicité, Alphonse Gent répond que la sous-préfecture d'Aix n'est pas vacante. Un autre sous-préfet a été nommé entre-temps. Zola se désespère. Sa mère lui écrit : « Ne te fatigue pas trop, je te souhaite une bonne réussite, mais si par malheur tes efforts n'étaient pas couronnés de succès, ne t'en attriste pas trop. Que la pensée d'avoir fait ce que tu pouvais te console dans ce cas... Ton retour près de nous n'en sera pas moins fêté, puisque tu nous seras rendu. »

Zola est au bout du rouleau. Il ne peut vivre à moins de dix francs par jour. Dans une semaine, il sera complètement ratissé. « Il pleut continuellement, écrit-il à sa mère et à Alexandrine. Comme je ne suis occupé que deux ou trois heures par jour, je passe le temps à me promener sous les arcades du théâtre. Les cafés sont ignobles. L'eau ruisselle sur tous les murs des maisons... Quelle ville humide !... Je me lève à huit heures, et je mange un petit pain. Puis je fais mes courses et je marche sous les arcades du théâtre jusqu'à midi. À midi, je déjeune au Chapon Fin, après quoi, je dors et je lis jusqu'au moment du dîner. À neuf heures, je me couche. Ce n'est pas d'une gaieté folle [2]. »

À distance, sa mère, qu'il a surnommée « Mme Canard », et Alexandrine, qu'il appelle tendrement « Coco », le plaignent de ses échecs successifs dans une

1. Lettre du 13 décembre 1870.
2. Lettre du 14 décembre 1870.

ville inhospitalière. Elles lui donnent des nouvelles de son chien, Bertrand, qui s'ennuie sans son maître. Elles le pressent de retourner à Marseille. Mais il s'entête dans son idée d'obtenir, coûte que coûte, une sous-préfecture. Il envisage même, en cas de victoire, de faire venir les deux femmes à Bordeaux : « Ah ! si vous étiez ici, près de moi, je serais sûr de mon affaire, avec un peu de patience et d'énergie. Ne vous désespérez pas trop. Le malheur est que je ne puis plus vous fixer le jour de mon retour. Je sens que tout est perdu si je lâche pied. Mais je vais presser tout le monde et tâcher d'obtenir un prompt résultat... Dites-moi, dans vos prochaines lettres, ce que vous avez d'argent et ce qu'il vous faudrait pour venir me rejoindre [1]. » Émue par cette invitation, Émilie songe déjà à un possible voyage et répond : « Au revoir, mon Émile, mon gros caneton. Mme Canard apprête ses ailes afin de voler vers toi si tu fais bien couan, couan pour l'appeler [2]. »

À présent, Zola place tous ses espoirs en Alexandre Glais-Bizoin, membre du gouvernement et écrivain à l'occasion. Pour être sûr de ne pas le manquer, il fait le pied de grue pendant une heure, sous une pluie battante, devant son domicile. Dès que cet important personnage met le nez dehors, il l'aborde avec cordialité. Glais-Bizoin l'emmène au café et lui propose un chocolat qu'il refuse par diplomatie, le sachant très près de ses sous. Au bout de cinq minutes, rengainant sa fierté, il ose dire à son vis-à-vis : « Si vous aviez des bureaux, je vous demanderais un petit coin chez vous. » « Je n'ai qu'un secrétaire, répond Glais-Bizoin. Il est à Vannes. Voulez-vous le remplacer [3] ? »

En apprenant que le salaire serait de cinq cents francs par mois, Zola accepte d'enthousiasme. Le voici remis à flot. Certes, ce poste est moins reluisant que celui de

1. Lettre du 18 décembre 1870.
2. Lettre du 20 décembre 1870.
3. Lettre datée du même jour.

sous-préfet. Mais, par ces temps de troubles et d'intrigues, c'est péché que de se montrer trop difficile. Dans sa joie d'être tiré d'affaire, le nouveau secrétaire ministériel écrit à « Madame Coco et Madame Canard » afin de leur annoncer la bonne nouvelle et leur recommander d'emporter le plus d'argent possible pour les frais d'installation. Il leur annonce aussi que ses fonctions officielles lui valent déjà « des coups de chapeau » et qu'il lui arrive de « donner audience ». D'ailleurs, il ne se contentera pas d'assurer le courrier de son bienveillant et pâle patron : « Je trouverai à coup sûr des correspondances à faire dans les journaux des départements ; on croira qu'à titre de secrétaire de Glais-Bizoin je suis dans le secret des dieux, et je pense pouvoir vendre honorablement de la copie [1]. »

La question du logement l'inquiète : « J'en ai deux en vue qui présentent de grands inconvénients, et j'hésite. Les cuisines ici sont horribles : pas de fourneaux, un âtre bas et étranglé. Vous ne serez guère à votre aise. Enfin, je ne pense rester à Bordeaux que le temps de conquérir quelque préfecture, à moins que ma place de secrétaire ne me convienne mieux. » Pour ce qui est du voyage, l'idéal serait d'obtenir deux billets de train gratuits : « Mais ce n'est pas possible. Cela montrerait trop la corde et ne réussirait sans doute pas : j'ai pris mes informations. Il faut que je me pose ici en monsieur très bien, non en employé. »

Et il poursuit, plein de sollicitude pour sa femme et sa mère, mais aussi pour son chien Bertrand, qu'elles doivent impérativement lui amener : « Ce que je vous recommande, c'est de bien vous couvrir. Il fait un froid glacial. Ce pauvre Bertrand va être bien mal. Il y a des niches pour les chiens, qui sont fermées d'un côté : demandez-en une de cette façon, pour qu'il ne gèle pas. Enfin, tâchez de l'installer pour le mieux. À la rigueur offrez une pièce de deux francs au conducteur et

1. Lettre du 21 décembre 1870.

85

demandez-lui ce qu'on pourrait faire pour empêcher la pauvre bête de prendre une fluxion de poitrine...[1]. À bientôt, je vous attends dimanche soir. Et quelle joie[2] ! »

Le 25 décembre, les deux femmes ne sont pas encore arrivées et Zola perd courage. « Il fait, ici, un froid tel que je n'en ai jamais ressenti à Paris, et je suis dans les rues à errer comme une âme en peine. Tant qu'il m'a fallu lutter, j'ai pu supporter notre séparation, mais, depuis que je suis casé, vous ne sauriez combien je m'impatiente... Quel triste jour de Noël ! J'ai grelotté tout le jour ; je vais aller vous attendre à la gare, et si je reviens sans vous, je serai bien triste[3]. »

Les voyageuses n'atteignent Bordeaux que dans la nuit du 26 au 27 décembre. Elles ont dû passer toute une journée à Frontignan, bloquées par la neige. On emménage tant bien que mal dans un petit appartement que Zola a loué entre-temps, au 48, rue de Lalande.

À peine les Zola sont-ils installés qu'Émile s'inquiète de ce qu'est devenue sa maison des Batignolles. Ayant entendu dire qu'elle était réquisitionnée, il écrit à Paul Alexis : « Le jardin a-t-il été dévasté ? Quelles sont les pièces livrées aux occupants ? Mon cabinet a-t-il été pris ? Les meubles sont-ils restés dans les pièces, ou les a-t-on montés en haut, ce qu'on n'aurait pu faire que par les fenêtres ?... A-t-on respecté mes papiers dans mon bureau, dans mon cartonnier et dans mon secrétaire ? N'a-t-on pas cassé de vaisselle ? N'a-t-on rien pillé ou emporté ?... J'espère d'ailleurs que l'occupation de mon logis s'est faite selon la loi, avec l'assistance d'un commissaire. J'espère aussi que les scellés ont été posés et qu'un inventaire a été dressé... Ma situation est particulière : à titre de fonctionnaire, comme secrétaire

1. On n'avait pas le droit de faire voyager les animaux dans les compartiments de voyageurs. Ils étaient regroupés dans un wagon spécial.
2. Lettre du 22 décembre 1870.
3. Lettre du 25 décembre 1870.

de Glais-Bizoin, j'avais droit à ce que mon domicile fût respecté. Veuillez dire cela au concierge, au propriétaire, au maire, à tous ceux que vous verrez... Dans quel état doit être mon pauvre cabinet, où j'ai commencé avec tant de ferveur mes *Rougon-Macquart*[1] ! »

Sans attendre cette requête, Paul Alexis était allé inspecter la maison et avait adressé à Zola un état des lieux. Mais leurs lettres se sont croisées. Celle de Paul Alexis n'arriva à Bordeaux qu'avec un grand retard. Il écrivait : « Batignolles n'a pas été bombardé, mais une partie de votre logement a été réquisitionnée par la mairie des Batignolles pour abriter pendant le siège une famille de réfugiés. Toutes les démarches que j'ai tentées, à plusieurs reprises, pour vous éviter ce désagrément sont restées vaines. Oui, mon cher Émile, *horresco referens,* toute une famille, le père, la mère et cinq enfants !... Je me hâte d'ajouter, pour vous rassurer, que le rez-de-chaussée seul a été laissé à leur disposition. La toile de Manet, votre argenterie, divers autres objets que vous aviez laissés étalés sur les tables ont été montés au premier étage par mes soins. J'ai plusieurs fois donné mon coup d'œil en passant ; j'espère donc que vous ne trouverez pas trop de dégâts. Vous en serez quitte pour faire refaire votre matelas[2]. »

Zola est consterné, mais il a conscience d'être un privilégié parmi ses compatriotes, dont un grand nombre ont eu leur maison détruite ou un proche parent tué au combat. Tout en assurant le secrétariat de Glais-Bizoin, il brûle de se lancer de nouveau dans le journalisme et écrit à Louis Ulbach, directeur de *La Cloche,* pour lui proposer ses services. Affaire conclue.

Dans l'intervalle, les événements ont marché à un train d'enfer. Paris, exsangue, a tenté de vaines sorties pour desserrer l'étau des Prussiens. Après des combats meurtriers, un armistice a été signé par Jules Favre et

1. Lettre du 17 février 1871.
2. Lettre du 9 février 1871.

Bismarck. À Tours, Gambetta a lancé un ultime appel aux armes dans un pays abasourdi par sa défaite et qui ne songe plus qu'à lécher ses plaies. Après des élections législatives qui se sont déroulées dans la panique, l'Assemblée nationale s'est réunie à Bordeaux. Thiers a été nommé chef du pouvoir exécutif, les troupes prussiennes ont défilé sur les Champs-Élysées pour fêter leur victoire et les nouveaux députés ont souscrit aux conditions de paix imposées à Versailles : perte de l'Alsace et d'une partie de la Lorraine, versement à l'Allemagne d'une indemnité de cinq milliards de francs. Zola est suffoqué de chagrin devant le résultat de cette guerre atroce qui aurait pu être évitée. Mais, en même temps, il se révolte contre l'outrecuidance des vainqueurs. Parce que la France est humiliée, il se sent, lui, fils d'Italien, plus français que jamais.

Le gouvernement de la Défense nationale ayant résigné ses pouvoirs, Glais-Bizoin a quitté Bordeaux. Zola, pour vivre, ne peut plus compter que sur ses appointements de journaliste. Mais il ne fléchit pas : il lui semble même, étrangement, que de cette horrible saignée sortira, pour les hommes de sa génération, un avenir radieux. « Je sens une renaissance, avait-il déjà écrit à Paul Alexis. Nous sommes les hommes de demain, notre jour arrive [1]. » Et il charge son jeune ami de remettre en état la maison des Batignolles, qui vient d'être évacuée. Il compte y retourner dès que les événements le permettront : « Je vous envoie un bon de cinq francs pour que vous puissiez faire tailler mes rosiers, mes arbres et ma vigne. Je vous recommande tout particulièrement mes rosiers, ceux qui sont dans la première corbeille. Qu'on ne touche pas à la terre ; elle renferme des navets de pivoines et de dahlias qui seraient massacrés. » Pour terminer, toujours la même formule : « Dites-vous que notre règne arrive. La

1. Lettre du 17 février 1871.

paix est faite. Nous sommes les écrivains de demain [1]. »

En attendant, il envoie à *La Cloche* des articles débordants de fureur et de verve sur la vie politique à Bordeaux. L'Assemblée qu'il découvre est farouchement réactionnaire, composée d'une majorité de notables ignares et infatués, qui ont été élus dans les campagnes. Les réunions se tiennent au théâtre municipal. Assistant chaque jour aux séances, Zola note les trois lustres éclairant les banquettes rouges, la scène avec son décor de salon, l'estrade drapée de velours pourpre et il conclut : « C'est là que la France va être exécutée. » Il dénonce l'ingratitude des représentants de la province, lesquels osent insulter Garibaldi, ce héros qui a mis son épée au service de la France et dont le seul tort est de vouloir rester italien. Il entend avec stupeur les bordées d'injures qui accueillent Victor Hugo quand ce dernier essaie de soutenir la cause garibaldienne. Il voit le petit Thiers monter à la tribune et trouve qu'avec son air chafouin et son éloquence fluide il incarne à la perfection les qualités moyennes du pays. Il déplore les chamailleries de tous ces apprentis députés qui se renvoient la balle pour désigner les responsables de la défaite. « Vous n'avez certes pas la moindre idée de l'aspect de l'Assemblée, écrit-il dans un de ses articles. Je ne voudrais pas lui manquer de respect et les temps ne sont pas aux rires, mais vraiment les campagnes nous ont envoyé de braves gens qui feraient la joie de nos caricaturistes. Imaginez les hobereaux du temps de Charles X et de Louis-Philippe soigneusement conservés, bien qu'un peu couverts de poussière. Ce sont surtout les chapeaux qui sont incroyables. Il y en a de toutes les formes. Braves gens qui ont vécu dans leurs terres depuis la chute de la monarchie et qui viennent de quitter leurs fermiers pour assister à la curée de la République. Il y en a d'enfantins. La plupart ne savent pas même lever la main pour donner leur vote. »

1. Lettre du 2 mars 1871.

Mais déjà l'Assemblée se propose de quitter Bordeaux pour Versailles. Zola boucle ses valises avec anxiété, car il vient d'apprendre que l'imprimerie du *Siècle* a perdu l'unique manuscrit de *La Fortune des Rougon,* dont la publication avait été arrêtée au début de la guerre. Aura-t-il le courage de réécrire ce roman qui lui a donné tant de mal ? Pourquoi faut-il que des événements extérieurs contrecarrent toujours ses élans de romancier ? C'est le cœur lourd que la famille Zola et le chien Bertrand prennent le train pour la capitale.

Le 14 mars 1871, ils sont chez eux et constatent avec soulagement que la maison, vidée de ses réfugiés, est intacte. Les Prussiens se sont retirés de Paris, mais leur présence à l'entour est perceptible comme si l'air s'était brusquement épaissi. On ne respire plus tout à fait ici comme dans le reste de la France. Zola se précipite à l'imprimerie du *Siècle* et, par miracle, retrouve son manuscrit sur la table du correcteur. Un poids lui tombe de la poitrine.

Le 18 mars, *Le Siècle* reprend la publication de *La Fortune des Rougon.* La satisfaction qu'en retire Zola est gâchée par les mauvaises nouvelles de la rue. Thiers veut récupérer les canons de la garde nationale, dont la possession par les milices populaires lui semble dangereuse. Mais la troupe se heurte à une cohue où voisinent ouvriers, femmes, enfants et gardes nationaux. Les généraux Lecomte et Clément Thomas sont capturés et massacrés. Devant l'ampleur de l'insurrection, Thiers se réfugie, avec tout le gouvernement, à Versailles où se trouve déjà l'Assemblée nationale. Entre la représentation légale de la nation et la Commune de Paris, c'est la rupture. « On ne traite pas avec des assassins ! » déclare Jules Favre. L'Assemblée ayant repris ses séances le 20 mars, Zola, en journaliste consciencieux, décide de rendre compte des débats dans *La Cloche* sous le titre : *Lettres de Versailles.* Mais, deux jours après le soulèvement, alors qu'il se prépare à monter dans le train pour Versailles, il est retenu par des rebelles en armes. Le lendemain, la même mésaventure lui arrive, cette fois à Versailles. Il y est arrêté par un commissaire de police et amené à l'Orangerie du château où l'on entasse les insurgés. Charles Simon, qu'il a connu à la rédaction de *La Cloche,* parvient à le faire relâcher après interrogatoire. « Inquiété hier par le Comité central, soupçonné aujourd'hui par le pouvoir exécutif, écrit-il dans *La Cloche* du 23 mars, je me tâte, je fais mon examen de conscience et je me demande si je n'agirais pas sagement en faisant mes malles. » Il n'en continue pas moins d'envoyer ses chroniques à *La Cloche* et au *Sémaphore de Marseille.* Dans la partie de bras de fer qui se joue entre Versailles et Paris, il oscille entre le mépris que lui inspire le « Parlement-croupion » et son dégoût devant les crimes de la populace. Toutefois, il espère que le gouvernement saura se montrer conciliant et que les communards assagis déposeront les armes pour que Paris redevienne « la grande ville du bon sens et du patriotisme ».

Le 31 mars, par suite des opérations militaires que vient de décider Versailles, Zola est empêché de prendre le train à la gare Saint-Lazare. Mais un garde national lui suggère de se rendre à la gare Montparnasse, car des convois circulent encore sur la rive gauche. Deux jours plus tard, l'armée versaillaise engage la lutte pour l'anéantissement de la Commune. Zola est effrayé par la violence de la répression. L'exaltation féroce des royalistes de l'Assemblée le révolte. Il souligne, dans ses comptes rendus, la satisfaction « bourgeoise et égoïste » dont Thiers rayonne en annonçant à l'Assemblée le succès de ses troupes. On dirait que le gouvernement, vaincu par les Prussiens, se venge sur les Français. Mais les communards ne valent pas mieux, avec leurs « dictateurs de l'Hôtel de Ville » qui suppriment les journaux hostiles à leurs idées, ordonnent des perquisitions, instaurent la « carte civique » et poussent les masses à l'assassinat et au pillage. « Je vous avoue que ma tête commence à tourner, au milieu d'une situation qui, chaque jour, devient plus complexe et plus inexplicable », écrit Zola le 23 avril. Le 10 mai, menacé d'être pris comme otage par les communards, il quitte Paris pour Saint-Denis. Peu après, les versaillais entrent dans la capitale par la porte mal gardée du Point-du-Jour, et c'est le début de la Semaine sanglante. Formés en bandes incohérentes et mal armées, les communards reculent en se battant pied à pied. Les hommes de la sécurité publique démolissent les barricades. Tout fédéré pris les armes à la main est exécuté sur place. Le 28 mai, les insurgés sont acculés au cimetière du Père-Lachaise et fusillés, notamment au mur des Fédérés.

Quand Zola et les siens regagnent Paris, il y règne un ordre funèbre. Les habitants terrorisés n'osent plus se regarder en face. À l'humiliation d'avoir été battus par les Prussiens s'ajoute la honte de s'être égorgés entre frères. Une seule consolation : les Parisiens se pressent pour souscrire à l'emprunt national qui doit permettre la libération du territoire. Ouvert le 27 juin au matin, il est clos le soir même, après avoir rapporté près de cinq milliards de francs. En mettant la main à leur poche, les bourgeois ont l'impression d'acheter tout ensemble l'oubli de la guerre étrangère et celui de la guerre civile. Au patriotisme du sang succède le patriotisme du portefeuille. Exécutions et déportations se multiplient. Les cadavres n'ont pas eu le temps de pourrir que déjà ils n'encombrent plus les mémoires. Une formidable envie de vivre pour le plaisir s'empare des populations encore tout endolories. « Pendant deux mois, j'ai vécu dans la fournaise, écrit Zola à Paul Cézanne. Nuit et jour, le canon, et vers la fin les obus sifflaient au-dessus de ma tête dans mon jardin... Aujourd'hui, je me retrouve tranquillement aux Batignolles, comme au sortir d'un mauvais rêve. Mon pavillon est le même, mon jardin n'a pas bougé, pas un meuble, pas une plante n'a souffert, et je puis croire que ces deux sièges sont de vilaines farces inventées pour effrayer les enfants... Jamais je n'ai eu plus d'espérance ni plus d'envie de travailler. Paris renaît. C'est, comme je te l'ai souvent répété, notre règne qui arrive. On imprime mon roman, *La Fortune des Rougon*. Tu ne saurais croire le plaisir que je ressens à en corriger les épreuves. C'est comme mon premier livre qui va paraître. Après toutes ces secousses, j'éprouve cette sensation de jeunesse qui me faisait attendre avec fièvre les feuillets des *Contes à Ninon* [1]. » Une autre satisfaction de taille lui est donnée par le conseil municipal d'Aix, qui a décidé d'accorder officiellement le nom de « canal Zola » à l'ouvrage d'art entrepris jadis par son père. Enfin justice est rendue à l'ingénieur italien qu'Émile a tant admiré dans son enfance !

Lorsque *La Fortune des Rougon* sort en librairie, Zola envoie le volume à Flaubert et reçoit, en réponse, ces quelques lignes : « Je viens de finir votre atroce et beau livre... J'en suis encore étourdi ! C'est fort, très fort... Vous avez un fier talent et vous êtes un brave homme [2]. »

1. Lettre du 4 juillet 1871.
2. Lettre du 1er décembre 1871.

X

LES ROUGON-MACQUART

La guerre finie, la défaite digérée, Zola se donne tout entier à la suite des *Rougon-Macquart*. Son pavillon des Batignolles est devenu une véritable forcerie littéraire. Pour se délasser entre deux chapitres, il descend dans son jardin, vêtu d'un tricot troué et de vieux pantalons, chaussé de gros souliers de paysan, et se met à bêcher son petit coin de terre, à soigner ses rosiers ou à arroser ses salades. Son chien Bertrand le suit pas à pas. Zola lui a construit une niche avec des planches de rebut. Mme Coco et Mme Canard le regardent avec attendrissement se livrer à ces menus travaux manuels. De leur côté, elles élèvent des poules et des lapins, et se partagent les occupations du ménage, heureuses de cette modeste aisance après les privations et les angoisses des derniers mois. Parfois aussi, Zola s'habille en bourgeois et se rend « à la ville » pour se documenter dans la Bibliothèque qui n'est plus impériale mais nationale. Ou bien il va au café *Le Guerbois* afin d'y retrouver quelques amis. Mais l'humeur y est moins gaie qu'autrefois. Certains des habitués, dont le joyeux Frédéric Bazille, sont tombés sur le champ de bataille. Zola préfère recevoir ses intimes, le jeudi, à la table familiale. Alexandrine est excellente cuisinière. Elle n'a pas son pareil pour confectionner une bouillabaisse lourdement épicée ou un civet de lièvre embaumant le vin et l'oignon.

Ces repas pesants n'empêchent pas Zola de se rasseoir avec entrain à son bureau dès que ses invités sont partis. Ses digestions sont rapides et sa pensée reste claire. Il ne se lance dans un roman qu'après en avoir solidement établi les prémices dans cinq dossiers : le premier, qu'il intitule *Ébauche,* indique les caractéristiques des héros et esquisse l'idée générale du livre ; le deuxième précise, sur des fiches, l'état civil, les antécédents héréditaires, les traits saillants des personnages ; le troisième est une enquête sur le milieu où ils évoluent, la profession qu'ils exercent, etc. ; le quatrième comprend des notes de lecture, des coupures de journaux, des renseignements émanant d'amis interrogés sur tel ou tel détail pour « faire vrai » ; le cinquième enfin, c'est le plan, chapitre par chapitre. À partir de ces matériaux patiemment assemblés, Zola donne libre cours à sa verve. Il écrit trois à cinq pages par jour, d'une seule volée, sans presque se relire, sans raturer, sans insérer de rajouts dans les marges. Quelques années plus tard, il confiera à un journaliste russe : « Je travaille de la manière la plus bourgeoise. Mes heures sont fixées : le matin, je m'assieds à ma table comme un marchand à son comptoir, j'écris tout doucement, en moyenne trois pages par jour, sans recopier ; imaginez-vous une femme qui brode de la laine, point par point... Je ne mets ma phrase sur le papier que lorsqu'elle est parfaitement disposée dans ma tête. Comme vous voyez, tout ceci est extraordinairement ordinaire [1]. »

Ce qui ne l'est pas, c'est la flamme qui anime ces textes si minutieusement préparés. Il y a un contraste saisissant entre la sagesse méthodique de la besogne et la violence inspirée du résultat. Toute la structure interne des *Rougon-Macquart* est expliquée par la névrose d'Adélaïde Fouque, dont le père a fini dans la

1. Lettre à Pierre Boborykine du début février 1876.

démence et qui, après la mort de son mari, un simple domestique nommé Pierre Rougon, a pris pour amant un ivrogne, Antoine Macquart. La descendance de celle qu'on appelle tante Dide sera ainsi marquée par la double malédiction de la folie et de l'alcoolisme. Chaque surgeon de l'arbre généalogique portera la trace de cette terrible hérédité, avec des variantes dues à la différence des tempéraments, des sexes et des milieux. En passant d'un volume à l'autre, le lecteur fera la connaissance de toutes les familles issues de ce tronc à la fois robuste et pourri. Et l'ensemble aura l'ampleur d'un panorama de la société du Second Empire et la netteté sans concessions d'une étude scientifique. Il y a quelques mois déjà que Zola, guidé par cette vision grandiose, a entamé la rédaction du deuxième tome du cycle, intitulé *La Curée*. Il y évoque l'aventure d'Aristide Rougon, un jeune loup affamé qui, monté à Paris au lendemain du coup d'État, épouse une petite bourgeoise enceinte dont il faut « laver la faute », se lance dans la spéculation foncière et édifie une fortune colossale, tandis que sa seconde femme, Renée, une jouisseuse esseulée, s'éprend de son beau-fils, Maxime, et, ruinée par son mari, meurt d'une méningite. Ce roman âpre et sensuel est à la fois la condamnation du monde des affaires, avec ses intrigues féroces, ses débauches, son clinquant, sa fausse respectabilité, et la peinture d'une « nouvelle Phèdre », d'une « Parisienne pervertie » se livrant à l'inceste dans les bras d'un adolescent veule et à demi consentant. Zola, n'ayant jamais fréquenté l'univers fastueux et corrompu qu'il décrit, s'est documenté avec son sérieux habituel. Il a visité l'hôtel de M. Menier au parc Monceau, s'est renseigné auprès de ses amis plus huppés sur les toilettes des femmes à la mode, les livrées des domestiques, les particularités des équipages de la gentry, a étudié les bouleversements de Paris selon les plans fantastiques d'Haussmann, s'est plongé dans des livres sur les emprunts du Crédit foncier et le code des expropriations. En honnête artisan, il compte sur l'exactitude des détails pour donner toute sa force à ce tableau de la décadence faisandée et galante du Second Empire.

Dès la parution des premiers chapitres de *La Curée* dans *La Cloche,* c'est le scandale. Des lecteurs indignés écrivent au procureur de la République. Celui-ci convoque Zola et lui conseille, avec courtoisie et fermeté, d'interrompre la publication d'un feuilleton qui offusque tant de monde. En cas de refus, il se verra contraint de saisir le journal. Pour convaincre Zola, qui tombe des nues, il lui met sous les yeux des lettres où on l'accuse de pornographie : « Même en république, on laisse passer ces ordures d'alcôve ! » Afin d'éviter des poursuites contre *La Cloche,* Zola s'incline. Mais il tient à se justifier dans une lettre ouverte à Louis Ulbach, laquelle est immédiatement insérée en première page du journal : « Ce n'est pas le procureur de la République, c'est moi qui vous prie de suspendre la publication du roman... *La Curée* n'est pas une œuvre isolée, elle tient à un grand ensemble, elle n'est qu'une phrase musicale de la vaste symphonie que je rêve... Je tiens à constater d'ailleurs que le premier épisode a été publié par *Le Siècle,* sous l'Empire, et que je ne me doutais guère alors d'être un jour entravé dans mon œuvre par un procureur de la République... Devais-je me taire, pouvais-je laisser dans l'ombre cet éclat de débauche qui éclaire le Second Empire d'un jour suspect de mauvais lieu ?... *La Curée,* c'est la plante malsaine poussée sur le fumier impérial, c'est l'inceste grandi dans le terreau des millions... Ma Renée, c'est la Parisienne affolée, jetée au crime par le luxe et la vie à outrance ; mon Maxime, c'est le produit d'une société épuisée, l'homme-femme, la chair inerte qui accepte les dernières infamies ; mon Aristide, c'est le spéculateur né des bouleversements de Paris, l'enrichi impudent, qui joue à la Bourse avec tout ce qui lui tombe sous la main, femmes, enfants, honneur, pavés, conscience. Et j'ai essayé, avec ces trois monstruosités sociales, de donner une idée de l'effroyable bourbier dans lequel la France se noyait... Cependant, je m'habitue difficilement à cette idée que c'est un procureur de la République qui m'a averti du danger offert par cette satire de l'Empire. Nous ne savons pas aimer la liberté en France d'une façon entière et virile[1]. »

Or, c'est là une mauvaise réponse. Ce que certains lecteurs reprochent à Zola, ce n'est point tant sa dénonciation des tares du Second Empire que sa complaisance envers l'érotisme. Élevés dans le corset d'une fausse morale, ils s'indignent à la description d'une nuit d'amour où Renée se conduit en homme, dominant son beau-fils alangui, énervé, lequel subit ses caresses avec une passivité reconnaissante. Sous les mains agiles de sa belle-mère, il est, dit Zola, « un être neutre, blond et joli », « une grande fille, avec ses membres épilés, ses maigreurs gracieuses d'éphèbe romain ». Sans doute Zola a-t-il éprouvé une volupté intense en évoquant, seul dans son bureau, cet accouplement androgyne. Comme toujours, sa sensualité refoulée s'est libérée dans l'écriture. Il a été tout ensemble Renée la dévoreuse et Maxime la proie du plaisir. Dès l'arrêt de la publication, *Le Constitutionnel* triomphe : « En littérature, M. Zola appartient à la bande de Vallès, qui se croit réaliste et n'est que malpropre. On sait ce qu'a produit en politique cette école, mère de la Commune. »

Lorsque *La Curée* sort en volume chez Lacroix, elle tombe dans une sorte de conspiration du silence. Sans se donner le mot, la plupart des journaux évitent d'en parler. Ils sont trop occupés par la politique d'aujourd'hui pour s'intéresser aux amours d'hier. Pour comble de malchance, voici que Lacroix est déclaré en faillite, ce qui coupe net le lancement du livre. Ému par la déconfiture de son jeune confrère, Théophile Gautier le recommande à son propre éditeur : Georges Charpen-

1. Lettre du 6 novembre 1871.

98

tier. Il n'est que temps ! Zola se trouve sur le sable. Il n'a même pas de quoi se payer un costume convenable pour rendre visite à son éventuel sauveur. Georges Charpentier, qui n'a que trente-cinq ans, l'accueille avec une amabilité respectueuse. Il sait reconnaître les talents sûrs et n'hésite pas à s'engager quand un livre lui plaît ou qu'une tête lui revient. Sans tergiverser davantage, il propose à Zola de lui prendre deux romans par an moyennant le versement d'une mensualité de cinq cents francs et de racheter à Lacroix, pour huit cents francs, le droit d'exploiter *La Fortune des Rougon* et *La Curée*. Sauvé ! Zola rentre à la maison en triomphateur. Désormais, il pourra travailler à la suite des *Rougon-Macquart* sans trembler pour ses fins de mois.

Déjà le voici embarqué dans la rédaction du *Ventre de Paris*. S'il a été captivé par tout ce qu'il a appris en se documentant sur la haute société sous le Second Empire, c'est une véritable hallucination qui s'empare de lui lorsqu'il découvre l'univers des Halles. Saisi de passion, il se sent à la fois peintre et romancier devant l'amoncellement des victuailles offertes à la fringale des Parisiens. Jour après jour, il visite les pavillons, les caves, les resserres, note la forme des toitures, la disposition des différents secteurs : boucherie, poissonnerie, fruits et légumes, fromagerie, consulte les règlements de police et d'octroi, trace le plan du quartier en précisant la caractéristique de chaque rue, ouvre ses narines sur les puissantes odeurs qui se dégagent de cette monstrueuse concentration de nourriture. Peu à peu, dans sa tête, les Halles cessent d'être un décor pour devenir une entité mythique, le principal personnage du roman. L'intrigue, elle, est fondée sur l'opposition entre les maigres et les gras. Florent, le rêveur, « le maigre », l'ancien proscrit, évadé du bagne, se laisse reprendre par la politique et fonde une société secrète. Dénoncé, il sera arrêté et renvoyé à Cayenne. Son demi-frère, Quenu, « le gras », un charcutier enrichi, et Lisa, sa femme, petite bourgeoise à la chair calme et à l'esprit cupide, sont incapables d'imaginer que les honnêtes gens puissent crever de faim. Les maigres, idéalistes et naïfs, finissent toujours par succomber, face aux gras qui ne songent qu'à s'emplir les poches sous quelque régime que ce soit. Ainsi la conclusion pessimiste du *Ventre de Paris* rejoint celle de *La Fortune des Rougon*. Ce qui frappe le plus le lecteur de l'époque, ce n'est pas la signification profonde du livre, mais l'extraordinaire bouquet de sensations dont il déborde. Qu'il s'agisse de l'arrivage des poissons, avec ses avalanches d'écailles luisantes, du remuement rugueux des langoustes, enveloppées d'une fraîche odeur de marée, ou du rempart hétéroclite des fromages qui, du brie au camembert et du roquefort au cantal, exhalent une délicieuse puanteur, tout, dans ce temple de la boustifaille, flatte les plus bas appétits de l'homme et l'invite à ne penser qu'aux joies du ventre. Les marchandes elles-mêmes sont imprégnées de ces robustes relents. Sarriette, la fruitière, a « une odeur de prune » qui monte de ses jupes. Son fichu « sent la fraise ». La Normande a, comme un parfum persistant attaché à sa peau, d'une finesse de soie, « un suint de marée coulant des seins superbes, des bras royaux, de la taille souple, mettant un arôme rude à son odeur de femme ». Cadine, la fleuriste, est, à elle seule, « un bouquet tiède et vivant ». Aux Halles, on dirait que tout est mangeaille, les êtres et les choses.

Malgré quelques frissons de dégoût devant cette gigantesque nature morte, les lecteurs acceptent le feuilleton et même s'en régalent. À sa sortie en librairie, le roman se vend mieux que *La Fortune des Rougon* et *La Curée*. La critique, elle, est divisée. *La Revue des Deux-Mondes* conseille à Zola de renoncer « à ces exagérations malsaines qui contribuent à dépraver le goût du public ». Barbey d'Aurevilly, dans *Le Constitutionnel*, traite l'auteur de « rapin, tout au plus enragé ». Mais le roman enthousiasme Maupassant qui écrira : « Ce livre sent la marée, comme les bateaux pêcheurs qui rentrent au port, et les plantes potagères avec leur saveur de terre, leurs parfums fades et champêtres. » Quant à Huysmans, il renchérit : « Je l'avoue très simplement, *Le Ventre de Paris* me fait démesurément exulter [1]. »

Sans trop y croire encore, Zola commence à se rendre compte qu'un groupe de jeunes auteurs s'assemble derrière lui pour s'opposer, au nom de la vérité, à l'idéalisme d'un Hugo. Ces novateurs se sentent plus proches des Halles où officie Lisa, la charcutière, que de la cathédrale Notre-Dame où gîte Quasimodo, le sonneur de cloches difforme et amoureux.

1. Lettre de 1876.

XI

FAUSSES ET VRAIES AMITIÉS LITTÉRAIRES

Travailleur solitaire, Zola a néanmoins toujours éprouvé le besoin de retrouver des amis aux heures de loisir. Dès son enfance, il a été animé par l'esprit d'équipe. Mais ses compagnons d'autrefois se sont éloignés. Il ne voit plus guère ni Baille ni Cézanne. Ce dernier vit à l'écart et peint en secret. « Il se renferme beaucoup, il est dans une période de tâtonnements et, selon moi, il a raison de ne vouloir laisser pénétrer personne dans son atelier, écrit Zola au critique d'art Théodore Duret. Attendez qu'il se soit trouvé lui-même [1]. » Chez Cézanne, le peintre le déçoit autant que l'homme. Il n'a plus rien à lui dire. Jamais il ne comprendra cet éternel mécontent, avec ses sautes d'humeur, ses rages dans le vide et ses éclairs de génie. Il préfère la compagnie des deux jeunes Aixois, Paul Alexis et Antony Valabrègue, venus à Paris et qui l'enveloppent d'une affectueuse déférence. Il fréquente aussi, bien sûr, Edmond de Goncourt. Mais il devine, de la part de son confrère, une ironie sournoise, une mesquine jalousie. Par moments, il lui semble que cet esthète entouré de bibelots précieux, et écrivant avec des manchettes, se moque de lui à cause de sa rudesse et de sa naïveté. Zola ne lui en confie pas moins ses

1. Lettre du 30 mai 1870.

tourments d'auteur à la poursuite du succès. « Ne croyez pas que j'aie de la volonté, lui dit-il. Je suis, de ma nature, l'être le plus faible et le moins capable d'entraînement. La volonté est remplacée chez moi par l'idée fixe, l'idée fixe qui me rendrait malade si je n'obéissais pas à son obsession. » Et, élevant un verre de bordeaux à deux mains, il ajoute : « Voyez le tremblement que j'ai dans les doigts. » « Il me parle d'une maladie de cœur en germe, note Edmond de Goncourt, d'une menace de maladie de la vessie, d'une menace d'un rhumatisme articulaire... Une partie de la journée, je cause avec cet aimable malade, dont la conversation se promène, d'une manière presque enfantine, de l'espérance à la désespérance [1]. »

À quelque temps de là, au cours d'un repas chez Flaubert, Goncourt observe Zola qui mange comme quatre et lui dit : « Zola, seriez-vous gourmand ? » « Oui, répond Zola, c'est mon seul vice ; et chez moi, quand il n'y a pas quelque chose de bon à dîner, je suis malheureux, tout à fait malheureux. Il n'y a que cela ; les autres choses, ça n'existe pas pour moi... Vous ne savez pas quelle est ma vie ? » « Et le voilà, écrit Goncourt, qui, avec un visage assombri, entame le chapitre de ses misères. C'est curieux combien ce gras et bedonnant garçon est geignard et comme ses expansions versent de suite en des paroles mélancoliques. » Zola se plaint notamment de « l'espèce de quarantaine » faite autour de ses romans. Comme les autres convives protestent, il s'écrie : « Eh bien, voulez-vous que je vous parle, là, du fond du cœur ?... Vous me regarderez comme un enfant, mais tant pis ! Je ne serai jamais décoré, je ne serai jamais de l'Académie, je n'aurai jamais une de ces distinctions qui affirment mon talent *(sic)*. Près du public, je serai toujours un paria, oui, un paria ! » Et Goncourt se délivre de l'agacement qu'il a éprouvé pendant le dîner en notant, le soir même : « Ce

1. *Journal*, 3 juin 1872.

gros garçon, plein de naïveté enfantine, d'exigences de putain gâtée, d'envie légèrement socialiste, continue à nous parler de son travail, de la ponte quotidienne des cent lignes qu'il s'arrache tous les jours ; de son cénobitisme, de sa vie d'intérieur, qui n'a de distraction, le soir, que quelques parties de dominos avec sa femme... Au milieu de cela, il s'échappe à nous avouer qu'au fond sa grande satisfaction, sa grande jouissance est de sentir l'action, la domination qu'il exerce, de son humble trou, sur Paris, de par sa prose ; il le dit avec un accent mauvais, l'accent de revanche d'un pauvre diable qui a longtemps mariné dans la misère [1]. »

Si Goncourt, malgré son amabilité de façade, ne paraît pas à Zola un confrère franc du collier, tout autre est son opinion sur Flaubert. Dire que, lors de sa première visite à l'auteur de *Madame Bovary,* il l'a trouvé ridicule avec ses graves discours sur la beauté dans l'art excluant toute considération philosophique ou sociale ! Mais, dès sa deuxième rencontre avec lui, rue Murillo, il est tombé sous le charme de ce géant à la voix tonitruante, au regard puéril et au cœur tendre. Les fureurs de Flaubert, qui se déchaînent à propos de vétilles, l'étonnent comme la brusque éruption d'un volcan. Dans son emportement, il arrive que « l'ermite de Croisset », comme l'appellent certains, arrache sa cravate et son faux col, se lève de table et aille à la fenêtre pour respirer l'air du dehors. Certes, Zola l'admire d'être, lui aussi, un infatigable chercheur de détails véridiques, courbé chaque jour, plusieurs heures d'affilée, sur son manuscrit. Pourtant, il ne comprend pas que le choix des adjectifs, le fignolage des périodes, la chasse aux répétitions soient les principales préoccupations de cet écrivain dont la profession de foi se résume ainsi : « Une seule phrase bien faite suffit à l'immortalité d'un homme ! » Il songe parfois que son hôte ne se rend pas compte de la portée de son œuvre. Il

1. *Journal*, 25 janvier 1875.

voit en lui le créateur du réalisme moderne. Il le dit bien haut, et Flaubert, en l'écoutant, rit à gorge déployée. Avec cet hurluberlu génial, Zola a l'impression d'avoir trouvé quelqu'un de solide et de droit comme un roc, sur qui il peut s'appuyer aux moments de doute. Une sorte de père spirituel affectueux et bougon.

Fier de son amitié, il se rend chez lui chaque dimanche après-midi, pendant les séjours de Flaubert à Paris. Dans le clair appartement, dont les fenêtres donnent sur le parc Monceau, il rencontre Edmond de Goncourt, Guy de Maupassant, Alphonse Daudet et Ivan Tourgueniev, qui forment avec lui le « groupe des cinq ». De dix ans plus jeune que Zola, Maupassant n'est encore à ses yeux qu'un garçon avantageux, vaguement poète, qui gratte du papier dans une administration, s'envoie en l'air avec des filles, fait du canotage et sert de factotum à Flaubert auquel le lie une tendresse quasi filiale. Daudet, lui, pâle et souffreteux, chantre de la lumineuse Provence, est un personnage plus complexe. Sa prose est délicate, mais ses goûts en matière de peinture sont détestables. Il met n'importe quel barbouilleur au-dessus de Manet. Goncourt, bien que plus raffiné et plus disert, dégage, sous ses allures de parfait gentilhomme des lettres, une bizarre impression de fausseté. Dès qu'il ouvre la bouche, il faut se tenir sur ses gardes. Zola préfère la conversation du doux colosse Tourgueniev, qui a une barbe d'argent, une longue crinière soyeuse et une voix de fillette. Tourgueniev parle à merveille de sa Russie natale. Tout, dans son caractère, est rond, lisse et enfantin. Il a l'air perpétuellement amoureux d'un nuage.

Il semble à Zola qu'il ne pourra jamais se passer de l'approbation de ses proches confrères. Bien qu'ils soient ses rivaux, il n'est à l'aise qu'en leur compagnie. C'est que leurs préoccupations répondent, point par point, aux siennes. Ils sont animés de la même fièvre créatrice, connaissent les mêmes doutes en relisant leurs manuscrits, parlent le même langage de boutique et se plaignent de la même incompréhension chez les journalistes et les éditeurs. Dévorés par l'écriture, ils se retrouvent pour comparer leurs soucis et leurs espoirs comme les pensionnaires d'un hôpital échangent, dans la salle d'attente, le récit de leurs malaises. Pour divers qu'ils soient, ils obéissent à une seule consigne : tourner le dos au romantisme et peindre la vie sous ses vraies couleurs. Afin de parvenir à ce résultat, ils entendent sonder les êtres avec une impartialité et une insensibilité scientifiques. Leur style se veut rudimentaire et leur description des milieux aussi exacte que possible, sans crainte de noirceur ou de trivialité. Ils ont l'ambition de tout dire, de tout dévoiler d'une société qui se drape dans l'hypocrisie. Pour eux, plus de sujets tabous, plus de mots interdits par la bienséance. On leur reproche la puanteur de leur déballage et ils rétorquent qu'ils ouvrent une fenêtre pour faire pénétrer l'air pur et la lumière dans les taudis des ouvriers et les alcôves des demi-mondaines. On les accuse de démoraliser leurs concitoyens par l'évocation systématique de la laideur et du vice, et ils répliquent qu'ils s'efforcent de les guérir par l'étalage de la vérité.

Autour des pontifes du genre, se groupent les petits auteurs en quête de notoriété. Ils ont choisi leurs parrains parce que le filon réaliste ou naturaliste leur semble riche de promesses. Mais la plupart de ces débutants, mal payés, mal considérés, tirent la langue. Si un Zola peut prétendre recevoir trente mille francs du *Gil Blas* pour la publication d'un roman en feuilleton, un Paul Alexis s'estimerait heureux s'il touchait le dixième de cette somme pour sa copie. Tous, des plus grands aux plus humbles, portent une attention sourcilleuse à la gestion financière de leurs œuvres, surveillent de près les comptes de droits d'auteur, se démènent comme de beaux diables pour le lancement de leurs ouvrages. Émancipés par l'argent, ils sont devenus des professionnels qui, dans leurs réunions, parlent aussi bien de réussite artistique que de gros sous. Contrairement aux romantiques écervelés de la génération précédente, ils sont des fonctionnaires de la plume. Le comportement excentrique est proscrit parmi cette nouvelle race de gens de lettres. On épate le public par ses livres, non par sa conduite ou son accoutrement. Certains même ne répugnent pas à s'habiller en bourgeois. Le gilet écarlate de Théophile Gautier est jeté aux orties. « Il est grand temps que la foule comprenne qu'à de rares exceptions près un homme de talent mène une vie honorable, affirmera Huysmans. Les véritables maîtres dans l'art de penser et d'écrire vivent chez eux, ne travaillent pas dans les cafés et, s'ils vont dans le monde, la plupart n'ont pas besoin de décrocher chez le frelampier du coin un habit noir et des gants passés à la gomme. Si la tourbe des bohèmes de la plume est nombreuse en France, les naturalistes n'ont rien à démêler avec elle [1]. »

En somme, à la suite de Zola, les écrivains revendiquent un statut d'honorabilité comparable à celui du médecin, du notaire, de l'avocat, du magistrat, du professeur d'université. Et cela parce qu'ils s'enorgueillissent à présent de faire œuvre utile. Fini le temps du dilettantisme, du divertissement, de la rêverie éveillée. Le naturalisme ouvre l'ère de la littérature éducative. Les auteurs ne sont plus des amuseurs, mais des enseignants. Malheureusement, trop de jeunes esprits se saisissent de ce prétexte pour pondre n'importe quoi. La production est si abondante que le public, sollicité de toutes parts, ne sait plus quel livre acheter. « Lorsqu'on voit les pauvretés, le déluge d'œuvres médiocres qui encombrent les vitrines, écrit Zola, on se demande quels ouvrages les éditeurs peuvent bien refuser [2]. » Et Paul Bonnetain s'exclame devant Jules Huret : « Tout le monde écrit des romans, les grues en retraite, les *ligues*

1. *Émile Zola et « L'Assommoir »*, 1877. (Repris dans *En marge*, Marcelle Lesage, 1927.)
2. *L'Argent dans la littérature.* (Repris dans *Le Roman expérimental*, 1880.)

des patriotes, les rastaquouères, les notaires, les cabots[1] ! » C'est la protestation des hommes de métier contre les amateurs. Et Zola, le prolifique, personnifie, aux yeux de ses confrères, l'homme de métier. Il vit de sa plume et s'en glorifie. En outre, il est jeune et il parle fort. Autour de lui, on se serre les coudes. On appartient à la chapelle naturaliste moins parce qu'on croit aux dogmes qu'elle dispense que pour bénéficier de l'appui des aînés dans la course aux gros tirages.

La petite équipe entre en transe lorsque, le 11 mars 1874, Flaubert fait jouer sa pièce *Le Candidat,* au Vaudeville. Maupassant s'est chargé de « composer la salle ». Le soir de la première, Zola parcourt le foyer à l'entracte, en essayant de persuader les spectateurs déçus qu'ils assistent à la représentation d'un chef-d'œuvre. Personne ne l'écoute. À la fin, quand le rideau tombe, les sifflets couvrent les applaudissements de la claque. Le four est incontestable. Tous les amis se précipitent dans les coulisses pour réconforter l'auteur. Flaubert a un rire méprisant, ouvre les bras et grogne : « Eh bien, voilà ! Je m'en fous ! » Mais Zola le devine profondément blessé. Le lendemain, les journaux se montrent indulgents envers ce faux pas du grand homme. Le très malveillant Goncourt s'indigne de ce traitement de faveur : « Si c'était moi qui avais fait cette pièce, si c'était moi qui avais eu la soirée d'hier, je pensais quels trépignements, quelle bordée d'injures, quels engueulements m'aurait adressés la presse. Et pourquoi ? C'est la même vie d'efforts, de travail, de dévouement à l'art[2]. »

Goncourt avec son *Henriette Maréchal,* Daudet avec sa *Lise Tavernier* et son *Arlésienne,* Zola avec ses vaines tentatives scéniques ont tous à se plaindre des planches. Prenant le parti de railler leurs échecs, ils instituent un « dîner des auteurs sifflés », qui les réunit pour la

1. Cité par René-Pierre Colin dans *Zola, renégats et alliés.*
2. *Journal,* 12 mars 1874.

première fois le 14 avril 1874, au café Riche. À table, on discute joyeusement sur « les aptitudes spéciales des constipés et des diarrhéiques en littérature [1] ».

En dépit de ces expériences théâtrales malheureuses, Zola donne au Cluny une farce, *Les Héritiers Rabourdin,* inspirée du *Volpone* de Ben Jonson. « Une lettre de Zola me force à aller voir la répétition de sa pièce, note Goncourt. C'est à Cluny : une salle de spectacle qui, en plein Paris, trouve le moyen de ressembler à une salle de province, comme peut-être, par exemple, la salle de Sarreguemines. Sur les planches, des acteurs comiques, qui ont la gaieté refroidie des pauvres acteurs qui ne dînent pas tous les jours. C'est navrant pour un homme de valeur d'être interprété dans une telle salle par de tels comédiens [2]. »

Sentant la bataille mal engagée, Zola écrit à Flaubert : « Tous les jours, d'une heure à quatre, je me mange les poings. On rêve la création d'une chose originale, et l'on aboutit à un vaudeville [3]. » Il a essuyé un premier échec au théâtre, l'année précédente, avec une adaptation de *Thérèse Raquin* qui n'a eu que neuf représentations. Est-il possible que, cette fois encore, les dieux de la scène lui soient hostiles ? Jusqu'à la dernière minute, il espère un miracle. Mais, le 3 novembre 1874, c'est la chute. Les spectateurs sont déchaînés. Parmi les huées et les sifflets, Flaubert, cramoisi, bat des mains et hurle : « Bravo, je trouve ça superbe ! » Le lendemain, la presse est féroce. Seul Daudet se montre indulgent, accusant les comédiens d'avoir trahi l'auteur par leur insuffisance. « Merci, mon cher ami, lui écrit Zola. Au milieu de l'abominable massacre que la critique a fait de ma pièce, votre article reste certainement le meilleur... Ne vous y trompez pas, ma cause est la vôtre. C'est l'artiste qu'on extermine en

---

1. Goncourt : *Journal,* 14 avril 1874.
2. *Ibid.*, 1er novembre 1874.
3. Lettre du 9 octobre 1874.

moi. Il faut nous serrer les uns contre les autres. Le bataillon est petit, mais il sera fort [1]. » Trois jours plus tard, il renseigne Flaubert sur la marche du spectacle : « Dimanche, le théâtre Cluny était plein ; la pièce a porté énormément ; la soirée n'a été qu'un éclat de rire. Mais, les jours suivants, la salle s'est vidée de nouveau. En somme, nous ne faisons pas un sou. Je l'avais prédit, je sentais l'insuccès d'argent dès la seconde... Ce qui m'exaspère, c'est que la pièce a dans le ventre cent représentations... Et je ne serai pas joué vingt fois. J'aurai un four. La critique triomphera. Je le répète, c'est là ma seule tristesse. Avez-vous lu toutes les injures sous lesquelles on a cherché à m'enterrer ? J'ai été exterminé... Et que votre mot était juste, le soir de la première : " Demain, vous serez un grand romancier. " Ils ont tous parlé de Balzac et ils m'ont comblé d'éloges à propos de livres qu'ils avaient éreintés jusqu'ici. C'est odieux, le dégoût me monte à la gorge... À bientôt, mon cher ami, et soyez plus fort que moi. Je me suis laissé *rouler,* voilà mon sentiment [2]. »

La pièce est retirée de l'affiche après dix-sept représentations. Et Zola ne peut même pas se consoler de son fiasco au théâtre par un franc succès dans le roman. Son dernier livre, *La Conquête de Plassans,* dont à peine dix-sept cents exemplaires ont été vendus en six mois, n'a pas obtenu un seul article. Pourtant, cette évocation de l'ascendant maléfique pris par un prêtre, l'abbé Faujas, sur une famille, sur une maison, sur une femme qu'il conduit à la folie, sur une ville enfin, où il veut installer un nouvel ordre moral, ne manque ni de grandeur ni de courage. Violemment anticlérical, le récit, où se conjuguent les thèmes de l'hypocrisie provinciale et de la défaillance des êtres faibles devant un esprit fanatique, ne fait, une fois de plus, aucune concession au goût du public. Et le public se venge en dédaignant un ouvrage

---

1. Lettre du 9 novembre 1874.
2. Lettre du 12 novembre 1874.

qui est censé le braver. Même pas un petit scandale. Le silence. Cette condamnation par l'indifférence désespère Zola. Il songe qu'il n'est pire supplice pour un écrivain que de prêcher dans le désert. Ne sera-t-il, toute sa vie durant, qu'un auteur confidentiel, un gagne-petit ? Il a déjà trente-quatre ans et vient de publier, avec *La Conquête de Plassans,* le quatrième volume des *Rougon-Macquart.* À son âge, ou peu s'en faut, Flaubert était célèbre pour sa *Madame Bovary.* Où est la justice ? Certes, Maupassant crie au génie et Flaubert confie à Tourgueniev : « Je viens de lire d'un trait, aujourd'hui même, *La Conquête de Plassans* et j'en suis encore tout ahuri. C'est roide. Ça vaut mieux que *Le Ventre de Paris*[1]. » Mais ce sont là de minces consolations. Tant pis : Zola ne veut pas dévier de la ligne qu'il s'est tracée. Et, pour bien définir sa position en littérature, il écrit au peintre Édouard Béliard : « J'appartiens à une école ou plutôt à un groupe littéraire, qui tient d'ailleurs en ce moment le haut du pavé. Nous peignons, nous ne jugeons pas ; nous analysons, nous ne concluons pas ; nous ramassons simplement des documents humains et nous nous contentons de dresser le procès-verbal des faits auxquels nous assistons... Je fais table rase, autour de moi, de tout ce qui ne me sert pas immédiatement et pleinement. Mon métier, rien de plus. La littérature seule en avant, le reste au loin et à l'état de pur accessoire. Pas d'autre idée que de créer mes bonshommes puissamment. Et une seule joie, être intense, porter mes qualités et mes défauts à l'extrême, faire sentir mon poing dans chacune de mes phrases... Une hypertrophie d'individualité, si vous voulez[2]. »

Ce qui réconforte Zola, c'est qu'il a un autre livre en chantier, *La Faute de l'abbé Mouret.* Il y évoque le tragique combat de la religion avec la nature. Serge Mouret, petit prêtre malingre et asexué, qui voue à la

1. Lettre du 1ᵉʳ juin 1874.
2. Lettre du 5 avril 1875.

Vierge Marie une dévotion ambiguë, tombe malade et son oncle, le docteur Pascal, le transporte au Paradou pour qu'il y passe sa convalescence. Là, il découvre l'amour au contact de la jeune Albine, un amour exalté et comme justifié par la luxuriante végétation du parc à l'abandon. Ce qui n'est au début qu'un pur élan de l'âme se transforme vite en une passion charnelle, que dénonce un autre ecclésiastique, le frère Archangias, des Écoles chrétiennes, détracteur de la Femme et véritable gendarme de Dieu. Saisi de remords, Serge Mouret revient à son église, laissant mourir au loin Albine et l'enfant qu'elle attend de lui. De même que, dans *Le Ventre de Paris*, le principal personnage était le quartier des Halles, de même, ici, le héros du récit est le soleil, éblouissant, qui chauffe la terre et les corps, qui fait monter la sève des plantes et la sève humaine, qui condamne de tout son éclat les sombres préceptes de la religion.

Afin de se documenter sur la psychologie de l'abbé Mouret, Zola s'est entouré de nombreux ouvrages de piété. La lecture des jésuites espagnols et de *L'Imitation de Jésus-Christ* a nourri toute la partie mystique de son roman. Il s'est également renseigné auprès d'un prêtre défroqué sur les années de grand séminaire. Enfin, plusieurs matins de suite, il est allé entendre la messe dans la petite église Sainte-Marie-des-Batignolles. Assis à l'écart, son paroissien à la main, il a suivi d'un regard aigu le déroulement de la liturgie et, de temps à autre, a jeté des notes au crayon dans les marges du livre. Pour la description des plantes du Paradou, il a pioché dans des dictionnaires, a visité des expositions horticoles, a interrogé ses propres souvenirs sur les paysages des environs d'Aix...

Entre-temps, il a déménagé. Il habite, toujours aux Batignolles, un pavillon coquet au 21, rue Saint-Georges [1]. C'est une « maison bourgeoise » à deux

1. Aujourd'hui rue des Apennins.

étages : huit pièces, cuisine, débarras, cave et jardin d'agrément. L'été est torride. Zola regarde son carré de gazon et le voit croître et s'enfler aux dimensions d'une jungle. C'est le Paradou aux Batignolles. Suant et soufflant, la tête en feu, il évoque, au milieu des arbres et des fleurs, ces deux jeunes gens tout neufs qui découvrent l'amour avec l'innocence d'Adam et Ève. À travers eux, il affirme sa foi en la nature, sa négation du péché, sa tendresse admirative et charitable pour tout ce qui est humain. Il revient sur cette conception païenne de la vie dans la préface qu'il écrit pour un recueil de récits anciens, intitulé *Nouveaux Contes à Ninon*. « Ah ! Ninon, je n'ai rien fait encore. Je pleure sur cette montagne de papier noirci ; je me désole que je n'ai pu étancher ma soif du vrai, que la grande nature échappe à mes bras trop courts. C'est l'âpre désir, prendre la terre, la posséder dans une étreinte, tout voir, tout savoir, tout dire. Je voudrais coucher l'humanité sur une page blanche, tous les êtres, toutes les choses ; une œuvre qui serait l'arche immense. » Il confie aussi, dans le même texte : « J'aurais glissé à l'hébétement du métier si, dans mon amour de la force, je n'avais eu une consolation, celle de la production incessante, qui me rompait à toutes les fatigues. » Et il est vrai que la « production incessante » est devenue sa seule raison de vivre. Sa femme, sa mère, ses amis s'agitent comme des ombres à l'arrière-plan de son cabinet de travail. Il ne jouit de l'existence qu'à travers ses personnages. Sa plume lui tient lieu de sexe.

Il a mis beaucoup d'espoir dans *La Faute de l'abbé Mouret*. À la publication en volume, il semble que l'attention du public soit agréablement chatouillée. Mais la critique est sévère. Barbey d'Aurevilly, qui n'a même pas parlé de *La Conquête de Plassans*, explose : « C'est le naturalisme de la bête, mis sans honte et sans vergogne au-dessus du noble spiritualisme chrétien... Je ne crois pas que, dans ce temps de choses basses, on ait rien écrit de plus bas. » Même son de cloche dans *La*

Revue de France : « Le roman le plus immoral et le plus irréligieux de toute la série en est aussi le plus médiocre. La description du nouvel Éden, théâtre de la faute, est plus technique que poétique, et d'une longueur fastidieuse ; c'est de l'idylle faite à coups de dictionnaire. » Et, dans *La Revue bleue* : « Non, il n'y a là, en réalité, ni un descendant des Rougon, ni un abbé. Il y a un animal mâle lâché au milieu des bois avec un animal femelle. » Même Flaubert est réticent. Il écrit à Mme Roger des Genettes : « N'est-ce pas que *L'Abbé Mouret* est curieux ? Mais le Paradou est tout simplement raté ! Il aurait fallu pour l'écrire un autre écrivain que mon ami Zola. N'importe, il y a dans ce livre des parties de génie, d'abord tout le caractère d'Archangias, et la fin, le retour au Paradou. » Mallarmé confie à Zola qu'il a été séduit par « les magnificences » du récit. Huysmans, tout en critiquant les invraisemblances et les excès de ce « poème d'amour », y trouve « des pages véritablement sublimes ». Et Maupassant, subjugué par *La Faute de l'abbé Mouret*, adresse à Zola une lettre étincelante : « Peu de lectures m'ont causé une aussi forte impression… J'ai éprouvé, d'un bout à l'autre de ce livre, une singulière sensation ; en même temps que je voyais ce que vous écriviez, je le respirais ; il se dégage de chaque page comme une odeur forte et continue ; vous nous faites tellement sentir la terre, les arbres, les fermentations et les germes, vous nous plongez dans un tel débordement de reproduction que cela finit par monter à la tête, et j'avoue qu'en terminant, après avoir aspiré coup sur coup et " les arômes puissants de dormeuse en sueur… de cette campagne de passion séchée, pâmée au soleil dans un vautrement de femme ardente et stérile ", et l'Ève du Paradou, qui était " comme un grand bouquet d'une odeur forte ", et les senteurs du parc, " solitude nuptiale toute peuplée d'êtres embrassés ", et jusqu'au *magnifique* Archangias " puant lui-même l'odeur du bouc qui ne serait jamais satisfait ", je me suis aperçu que votre livre m'avait absolument grisé, et, de plus, fortement excité. »

Si Zola a si « fortement excité » Maupassant, c'est que lui-même, en rédigeant *La Faute de l'abbé Mouret,* a connu une jouissance qu'Alexandrine ne lui procure plus que rarement. Mais Maupassant, quand il est « excité », va à la femme, alors que Zola, dans le même cas, retourne à son bureau. Écrire, écrire…, le bonheur est là !

Quelques jours plus tard, lors d'une réunion dominicale chez Flaubert, les amis discutent de « la sève fornicante et coïtante » répandue dans *La Faute de l'abbé Mouret*. Du roman on remonte au romancier. Interrogé sur ses habitudes amoureuses, Zola se confesse avec complaisance. Rentré chez lui, Goncourt, jubilant, note dans son *Journal* : « Zola nous raconte que, pendant qu'il était étudiant, il lui était arrivé plusieurs fois de rester huit jours couché avec une femme, ou du moins vivant en chemise avec elle. La chambre *sentait le sperme* : c'est son expression. Il nous avoue qu'à la suite de ces huitaines, il s'en allait dans la rue avec des pieds qui lui semblaient de coton et s'aidant, le long des murs, de l'appui que ses mains prenaient en s'accrochant aux tourniquets des volets. Il est devenu, dit-il, très sage maintenant et n'a plus de commerce maintenant avec sa femme que tous les dix jours. Il confesse quelques curieuses dispositions nerveuses de son individu relativement au coït. Il y a deux ou trois ans, quand il a commencé la série des *Rougon,* le lendemain d'un épanchement conjugal, il ne s'asseyait pas à sa table, sachant d'avance l'impossibilité de construire une phrase, d'écrire une ligne. Maintenant, chez lui, c'est le contraire : quand il a eu huit ou dix jours d'un travail médiocre, le coït lui donne, le lendemain, une petite fièvre très favorable à la rédaction. Il nous parle enfin d'un singulier phénomène se passant en lui au commencement de sa carrière. Dans le temps où il avait les plus grandes difficultés à écrire, il lui arrivait, après une demi-heure de bûchage sur une phrase, d'avoir une éjaculation sans érection[1]. »

En se déculottant ainsi devant ses confrères, Zola obéit au sentiment que rien n'est condamnable dans les manifestations de la nature. Il tient à honneur de déballer ses misères et ses victoires, en homme pour qui littérature et science ne font qu'un. Sa théorie du réalisme lui impose, pense-t-il, la franchise et la simplicité. Tant pis si les invités de Flaubert s'en tapent les cuisses.

Une autre fois, les mêmes compagnons égrillards s'étant réunis dans une taverne pour se régaler d'une bouillabaisse, la conversation revient sur les particularités de chacun dans les ébats amoureux, et Zola, le sang aux joues, s'écrie sur un ton de gloriole : « J'ai fait minette à la femme avec laquelle j'ai perdu mon pucelage avant de la baiser ! Non, non, je vous le dis, je n'ai aucun sens moral. J'ai couché avec les femmes de mes meilleurs amis. Positivement en amour, je n'ai aucun sens moral[2] ! »

Sans doute y a-t-il une part d'exagération dans cette prétendue confidence. Zola ne veut pas paraître plus chaste que ses confrères. Puisqu'il parle crûment de l'amour dans ses livres, il doit affirmer qu'il a une certaine connaissance de la chose. Son imagination est telle que, même s'il n'a fait que désirer en secret la femme d'un ami (lequel, grand Dieu ?), il a l'impression de l'avoir vraiment possédée. Et, cette idée ne s'accompagnant d'aucun remords, il se dit cyniquement amoral.

Mais, alors qu'il prétend à des instincts de faune, il est d'une complexion si fragile que ses troubles nerveux s'aggravent. Il croit entendre son cœur qui bat dans sa tête, dans ses bras, dans son ventre. Inquiet, il cesse de fumer. Son état ne s'améliorant pas, le médecin ordonne la mer. Comme Alexandrine est elle-même souffrante, toute la famille s'installe à Saint-Aubin, entre l'embouchure de l'Orne et Courseulles.

1. Note du 4 avril 1875.
2. Goncourt : *Journal*, 5 mai 1876.

Au début, Zola, le Méridional, grogne contre cet exil dans un pays aux longues plages désertes et aux flots écumants. Pourtant, très vite, il en subit le charme sauvage. « Il souffle ici un vent de tempête qui pousse les vagues à quelques mètres de notre porte, écrit-il à Marius Roux. Rien de plus grandiose, la nuit surtout. C'est autre chose que la Méditerranée, c'est à la fois très laid et très grand... [1] » Quand il fait beau, il se trempe dans l'eau avec Alexandrine, se promène à petits pas, ramasse des goémons et les respire pour sa santé, pousse un havenet sur le sable et se réjouit d'attraper quelques crevettes. Mais, tout en goûtant le calme des lieux, il peste contre la perturbation que ces vacances apportent dans sa vie. Il ne peut s'habituer à sa nouvelle table de travail, au bruit lancinant des vagues, au passage des voiliers à l'horizon. Tout cela le dérange dans son rêve. Car il s'est remis à un roman : *Son Excellence Eugène Rougon.* Ce personnage, dont le lecteur a fait la connaissance dans *La Conquête de Plassans,* est devenu ministre de l'Empire. Aimant le pouvoir pour le pouvoir, il se heurte aux exigences sentimentales de Clorinde, une belle aventurière, qui voudrait être épousée par lui. Or, ce qui attire Eugène Rougon, ce ne sont pas les plaisirs de la chair, ce sont ceux de la domination intellectuelle. Zola a mis en son héros sa propre chasteté et son désir d'arriver coûte que coûte. Repoussée par Eugène Rougon, Clorinde se venge en devenant la maîtresse de l'empereur, puis en brisant la carrière de l'homme qui l'a dédaignée. Mais, ce qui importe dans le livre, c'est moins la trame amoureuse que la peinture du monde politique du Second Empire, avec ses ministres, ses députés, ses bals à la Cour, ses fêtes à Compiègne, ses intrigues de couloir, ses trafics d'influence, toute la foire aux vanités d'un régime scintillant au-dehors et pourri au-dedans. Pour évoquer cet univers officiel qu'il n'a guère connu, Zola s'est

1. Lettre du 5 août 1875.

servi, une fois de plus, des notes qu'il a prises en fouillant dans la bibliothèque du Palais-Bourbon ou en interrogeant ceux qui ont fréquenté la haute société de l'époque.

Tourgueniev ayant recommandé Zola à Stassiouliévitch, directeur de la revue russe *Le Messager de l'Europe*, toute la Russie s'est brusquement passionnée pour cet écrivain, si original dans sa brutalité et si mal apprécié par le public timoré de France. Les traductions des œuvres de Zola connaissent en Russie un retentissement qui le ravit et lui rapportent plus de cent francs par feuille imprimée. Il écrit à l'intention du même périodique des articles sur Flaubert, sur Goncourt, sur Chateaubriand... À peine a-t-il achevé la correction de *Son Excellence Eugène Rougon* qu'il propose à Stassiouliévitch de le publier en feuilleton. « Je viens de terminer un roman, *Son Excellence Eugène Rougon*, le sixième de ma série des *Rougon-Macquart*... Je crois que ce livre est un des plus curieux que j'aie encore écrits, par le côté essentiellement moderne et naturaliste des peintures... Je m'attends à un grand bruit autour de sa publication [1]. »

Ce « grand bruit » se borne, dans la presse parisienne, à un faible murmure. Zola publie trop et trop vite au gré de la critique. Il aurait intérêt à se restreindre. Fécondité et qualité ne peuvent, c'est bien connu, aller de pair. Un véritable écrivain ne doit pas comme le pommier donner des pommes à profusion, mais, comme l'huître, sécréter lentement, patiemment sa perle unique.

À Saint-Aubin cependant, le froid et l'humidité de l'automne pénètrent la petite maison au bord de l'eau. « Depuis hier, nous avons les grandes marées d'équinoxe, une houle formidable du plus tragique effet, écrit Zola à Paul Alexis. Nous avons failli, l'autre soir, être trempés jusqu'aux genoux... Il a fallu opérer le sauve-

1. Lettre du 3 septembre 1875.

tage de Raton[1] qui se noyait... À part ces événements mémorables, la paix est immense. Il y a beaucoup de monde parti, la plage est presque vide. Le matin, je vais voir vendre le poisson, à la pierre[2], puis je fais ma lettre pour *Le Sémaphore*; puis je travaille à la correspondance russe; et, le soir, je vais, en compagnie de ces dames, m'asseoir sur le sable et regarder la mer monter. C'est stupide et charmant. Je ne vois pas pourquoi cela ne durerait pas toujours... Quant à mon prochain roman, il dort et dormira sans doute jusqu'à Paris. J'ai les grandes lignes, j'ai besoin de Paris pour fouiller les détails. D'ailleurs, je suis décidé pour un tableau très large et très simple; je veux une banalité de faits extraordinaires, la vie au jour le jour. Reste le style qui sera dur à trouver. Mais j'ai besoin de ne plus entendre le tonnerre de cette diablesse de mer qui m'empêche de penser[3]. »

À présent, face à l'horizon marin, il rêve avec délices de rues étroites, de maisons fouettées par la pluie, de réverbères éclairant des recoins sordides. Il se hâte de rentrer à Paris, comme s'il y avait rendez-vous avec une maîtresse. Elle s'appelle Gervaise. Et elle est l'humble et pitoyable héroïne de son futur roman : *L'Assommoir*.

1. Le nouveau chien de Zola.
2. C'est-à-dire « à la criée ».
3. Lettre du 17 septembre 1875.

XII

LE NATURALISME

Depuis longtemps, Zola caressait le projet d'un livre dont l'action se déroulerait parmi les ouvriers des faubourgs. Il en avait noté l'idée dans son dossier préparatoire, *Ébauche* : « Montrer le milieu peuple et expliquer par ce milieu les mœurs peuple : comme quoi à Paris la soûlerie, la débandade de la famille, les coups, l'acceptation de toutes les hontes et de toutes les misères viennent des conditions mêmes de l'existence ouvrière, des travaux durs, des promiscuités, des laisser-aller, etc. En un mot, tableau très exact de la vie du peuple, avec ses ordures, sa vie lâchée, son langage grossier, etc. Un effroyable tableau qui portera sa morale en soi. »

Cette vision générale, il la précise dans son *Plan complet* : « Des chapitres de vingt pages en moyenne — inégaux —, les plus courts de dix pages, les plus longs de quarante pages. Le style, à toute volée. Le roman est la déchéance de Gervaise et de Coupeau, celui-ci entraînant celle-là dans le milieu ouvrier. Expliquer les mœurs du peuple, les vices, les chutes, la laideur morale et physique par ce milieu, par la condition faite à l'ouvrier dans notre société. »

À partir de cette indication, voici Zola lancé. Le roman sera avant tout l'histoire de la douce et misérable Gervaise. « Elle doit être une figure sympathique..., poursuit-il dans l'*Ébauche*. Elle est d'un tempérament tendre et passionné... Une bête de somme au travail... Chacune de ses qualités tourne contre elle... Le travail l'abrutit, sa tendresse la conduit à des faiblesses extraordinaires. » Peu à peu, autour d'elle, naissent les autres personnages de *L'Assommoir* : Coupeau, l'ouvrier zingueur droit et honnête qui l'épouse, mais qui, s'étant cassé une jambe en tombant d'un toit, sombre dans l'alcoolisme, et Lantier, le bellâtre, dont elle a eu deux enfants et qui, après l'avoir abandonnée, revient à elle, s'installe chez le couple et pousse Coupeau à boire jusqu'à la déchéance.

Rentré à Paris le 4 octobre 1875, Zola écrit à Paul Alexis : « Dès le lendemain de mon arrivée, j'ai dû me mettre en campagne pour mon roman, chercher un quartier, visiter des ouvriers[1]. » Certes, il a connu lui-même des coins pauvres de la capitale, mais les logis minables où il a vécu dans sa jeunesse sont ceux de la bohème estudiantine, non ceux de la population ouvrière, livrée à l'ignorance, à la fatigue et à l'ivrognerie. Déjà, dans *Germinie Lacerteux*, les Goncourt se sont demandé si « le peuple doit rester sous le coup de l'interdit littéraire ». Décidé à relever le gant, Zola parcourt, un carnet à la main, le secteur de la rue de la Goutte-d'Or et de la rue des Poissonniers[2]. Bourgeois des Batignolles égaré chez les sauvages, il prend des croquis, décrit avec minutie l'aspect des maisons, des boutiques, remarque au passage une femme en cheveux qui boitille, une ceinture rouge autour des reins d'un ouvrier, une envolée de blanchisseuses hors d'un atelier à la vitrine garnie de bonnets de dentelle pendus sur des fils de laiton. Dévoré de curiosité, il entre chez un mastroquet, observe les consommateurs avachis, l'œil terne, la lippe baveuse, hume l'odeur de la vinasse et ressort avec la sensation d'avoir passé toute son existence dans ce lieu de perdition et de veulerie. Il lui faut

1. Lettre du 20 octobre 1875.
2. Aujourd'hui boulevard Barbès.

plus de courage, sans doute, pour s'aventurer dans un lavoir, peuplé de femmes dépoitraillées et suantes, qui s'interpellent grossièrement et battent le linge dans un nuage de vapeur. Mais, là aussi, il note tout : les réservoirs de zinc, les baquets d'eau chaude, les barres à égoutter, le prix de l'eau de Javel (deux sous le litre) et celui de l'eau de lessive (un sou le seau). Quand il regagne son coquet pavillon des Batignolles, après ces randonnées hallucinantes au pays de la mouise, il se replonge avec un regain d'intérêt dans *Le Sublime* de Denis Poulot, ouvrage où l'auteur, analysant le sort des travailleurs, préconise la création de syndicats pour s'opposer aux patrons. Il lit aussi le *Dictionnaire de la langue verte* d'Alfred Delvau et y relève plus de six cents mots qui l'enchantent par leurs sonorités brutales. Chaque fois qu'il en utilisera un dans son livre, il le barrera sur sa liste. « Chier la colonne », « boire un canon », « faire sa Sophie », « s'endormir sur le rôti », il se grise de ces expressions imagées et, assis à son bureau, les pieds dans ses pantoufles et le ventre à l'aise, jouit d'être à la fois si proche des petites gens et si préservé de leurs malheurs.

Reste le problème du style. Par une intuition éblouissante, Zola décide de ne pas limiter l'emploi du parler populaire au dialogue des personnages. Il estime que tout le récit doit être conduit sur le même ton âpre et argotique. Ainsi, la narration sera comme imprégnée de l'essence même de la Goutte-d'Or. Le lecteur n'aura pas l'impression de voir ce quartier de l'extérieur, en curieux, en intrus, mais de participer à la fois au langage et à l'esprit de ses habitants. Il ne regardera pas les poissons du vivier à travers une vitre, il sera plongé dans leur jus.

Cette écriture volontairement plébéienne donne un relief de cauchemar aux grandes scènes du livre : la noce, la bataille des femmes au lavoir, l'enterrement, la crise de delirium tremens de Coupeau... À un journaliste, Albert Millaud, qui lui reproche d'utiliser « le langage de la rue », il va répondre : « Vous me concédez que je puis donner à mes personnages leur langue accoutumée. Faites encore un effort, comprenez que des raisons d'équilibre et d'harmonie générale m'ont seules décidé à adopter un style uniforme... D'ailleurs, ce langage de la rue vous gêne donc beaucoup ? Il est un peu gros, sans doute, mais quelle verdeur, quelle force et quel imprévu d'images, quel amusement continu pour un grammairien fureteur [1] ! »

Au vrai, alors même qu'il se glorifie d'avoir écrit un roman qui rampe au ras du trottoir, Zola n'a pas grande confiance en l'avenir de *L'Assommoir*. Il prévoit déjà que le public élégant se bouchera le nez devant ce déballage. N'est-il pas allé trop loin en peignant un univers à l'horizon fermé, aux maisons lépreuses, aux odeurs pestilentielles, hanté par des malheureux dont pas un n'ose relever le front ? N'a-t-il pas eu tort de refuser que le moindre rayon de lumière traverse ces ténèbres, où l'individu, réduit à l'état de bête, marche pas à pas, sans espérance, vers l'abattoir ? Ne va-t-on pas l'accuser d'avoir simplifié à l'extrême la psychologie de ses personnages pour les transformer en marionnettes, tout juste bonnes à appuyer sa théorie de l'hérédité ? Tant pis ! Il est trop tard pour corriger quoi que ce soit dans ce livre de sincérité et de courage.

Ayant soumis le manuscrit à Yves Guyot, rédacteur en chef du *Bien public,* journal républicain radical dont le chocolatier Menier assure le financement, Zola se résigne néanmoins à voir pratiquer quelques coupures dans son texte pour ménager la pudibonderie des lecteurs. Or, les coupures ne suffisent pas à transformer *L'Assommoir* en une prose acceptable par les honnêtes gens. La publication commence le 30 avril 1876. Immédiatement, les abonnés se hérissent. Devant le flot des lettres de protestation, Yves Guyot capitule. Le feuilleton est arrêté. Indigné, Catulle Mendès offre à Zola de

1. Lettre du 9 septembre 1876.

faire paraître la suite de son roman dans la revue littéraire qu'il dirige : *La République des lettres.* Après un mois de pénitence, Gervaise, Coupeau et Lantier reprennent du service dans la presse. Et les incidents recommencent. Dès septembre 1876, Albert Millaud, le critique du *Figaro,* plante la première banderille : « On pouvait espérer que M. Zola, quoique trop réaliste, marquerait sa place et fournirait une bonne carrière dans l'art difficile du roman contemporain. Soudain M. Zola s'arrête en route. Il publie en ce moment, dans une petite revue, un roman intitulé *L'Assommoir,* qui nous fait l'effet de devoir être réellement *l'assommoir* de son talent naissant. Ce n'est pas du réalisme, c'est de la malpropreté, ce n'est pas de la crudité, c'est de la pornographie. »

Quand il lit cet article, Zola se trouve en vacances, avec Alexandrine et la famille Charpentier, à Piriac, en Bretagne, où il pêche la crevette et, dit-il, « [s']empiffre de coquillages du matin au soir[1] ». Aux attaques de Millaud, il réplique que nul ne saurait juger la portée morale d'une œuvre en cours de publication. Cette mise au point lui ayant attiré une nouvelle diatribe de Millaud qui le taxe d'être un écrivain « démocratique et quelque peu socialiste », Zola prend la mouche : « J'entends être un romancier tout court, sans épithète ; si vous tenez à me qualifier, dites que je suis un romancier naturaliste, ce qui ne me chagrinera pas... Ah ! si vous saviez comme mes amis s'égayent de la légende stupéfiante dont on régale la foule chaque fois que mon nom paraît dans un journal ! Si vous saviez combien le buveur de sang, le romancier féroce est un honnête bourgeois, un homme d'étude et d'art, vivant sagement dans son coin, tout entier à ses convictions !... Quant à ma peinture d'une certaine classe ouvrière, elle est telle que je l'ai voulue, sans une ombre, sans un adoucissement. Je dis ce que je vois, je verbalise simplement, et je laisse

1. Lettre à Marius Roux du 11 août 1876.

aux moralistes le soin de tirer la leçon... Je me défends de conclure dans mes romans, parce que, selon moi, la conclusion échappe à l'artiste. Pourtant, si vous désirez connaître la leçon qui, d'elle-même, sortira de *L'Assommoir,* je la formulerai à peu près en ces termes : instruisez l'ouvrier pour le moraliser, dégagez-le de la misère où il vit, combattez l'entassement et la promiscuité des faubourgs où l'air s'épaissit et s'empeste, surtout empêchez l'ivrognerie qui décime le peuple en tuant l'intelligence et le corps[1]. »

Le Figaro renonce à publier cette lettre et *Le Gaulois* se joint à la bande des détracteurs : « C'est le recueil le plus complet que je connaisse de turpitudes sans compensations, sans correctifs, sans pudeur, écrit Foucauld. Le romancier ne nous fait pas grâce d'un vomissement d'ivrogne... Le style..., je le caractériserai d'un mot de M. Zola, qui ne pourra se fâcher de la citation : " Il pue ferme. " »

Bien que férocement égratigné, Zola se dit que cette polémique est une excellente publicité pour le roman. « Quant à moi, je suis très satisfait, écrit-il au peintre Antoine Guillemet. *L'Assommoir* continue à me faire couvrir d'injures... Je crois que, lorsque le livre paraîtra, en janvier, on en vendra beaucoup. D'ailleurs, je suis déjà content du succès de bruit[2]. » Ce qui l'étonne pourtant, c'est que les journaux de gauche, eux aussi, sont contre lui. Arthur Ranc, dans *La République française,* lui reproche son « mépris néronien » pour le peuple. Victor Hugo et l'équipe du *Rappel* l'accusent d'insulter les ouvriers en donnant d'eux une image trop noire. Flaubert écrit à Tourgueniev : « J'ai lu comme vous quelques fragments de *L'Assommoir.* Ils m'ont déplu. Zola devient une précieuse *à l'inverse.* Il croit qu'il y a des mots énergiques, comme Cathos et Madelon croyaient qu'il en existait de nobles. Le

1. Lettre du 9 septembre 1876.
2. Lettre du 17 octobre 1876.

système l'égare. Il a des *principes* qui lui rétrécissent la cervelle [1]. » Pour la première fois, les caricaturistes s'en prennent à Zola. C'est la gloire sous les crachats.

Lorsque *L'Assommoir* paraît en volume chez Charpentier, à la fin de janvier 1877, le débat rebondit. Aucun lecteur ne peut rester indifférent à ce livre. On est pour ou on est contre. Le Service de la presse, au ministère de l'Intérieur, commence par interdire la vente de l'ouvrage dans les gares, étant donné « l'obscénité grossière et continuelle des détails ». En revanche, parmi les laudateurs, il y a Anatole France qui écrit le 27 juin, dans *Le Temps* : « *L'Assommoir* n'est certes pas un livre aimable, mais c'est un livre puissant. La vie y est rendue d'une façon immédiate et directe... Les personnages, fort nombreux, y parlent le langage des faubourgs. Quand l'auteur, sans les faire parler, achève leur pensée ou décrit leur état d'esprit, il emploie lui-même leur langage. On l'en a blâmé. Je l'en loue. Vous ne pouvez traduire fidèlement les pensées et les sensations d'un être que dans sa langue. » Paul Bourget affirme à Zola : « C'est votre meilleur roman. La fureur même des attaques le prouve. Vous êtes absolument sur une terre à vous. Ah ! vous êtes un terrible homme ! Les jeunes gens que je vois, nous tous, nous vous mettons au premier rang [2]. » Et Mallarmé renchérit : « Voilà une bien grande œuvre ; et digne d'une époque où la vérité devient la forme populaire de la beauté. »

Dans l'autre camp, les adversaires de *L'Assommoir* le vouent aux gémonies pour des raisons diverses. Les uns condamnent le roman pour son « écœurante malpropreté », d'autres à cause de son mépris du peuple, d'autres encore parce qu'ils y voient une simple étude pathologique, d'autres enfin sous le fallacieux prétexte que l'auteur s'est trop inspiré du *Sublime* de Denis Poulot. A la fois plagiaire, ennemi des humbles, provo-

1. Lettre du 14 décembre 1876.
2. Lettre du 2 février 1877.

cateur de la bourgeoisie et faux carabin aux lectures mal digérées, Zola se pourlèche en consultant les comptes d'auteur. *L'Assommoir* s'enlève avec une rapidité et une régularité stupéfiantes. Les piles de volumes fondent chez les libraires. On sort en quelques mois jusqu'à trente-cinq éditions. Hugo chancelle sur son socle. Le bruit qu'ont fait *Les Misérables,* quinze ans plus tôt, est étouffé par le vacarme autour de *L'Assommoir.* Alors que, dans *Les Misérables,* la lutte entre le Bien et le Mal avait des accents encore romantiques, dans *L'Assommoir* aucun souffle d'air pur ne traverse la fétidité des bas-fonds. Zola a, sur le vieux maître, l'avantage de regarder le monde sans illusions. Il peint l'enfer et chacun a envie d'y aller voir.

Avec une générosité et une élégance exceptionnelles, Charpentier déchire le contrat qui le liait à son auteur, l'associe aux bénéfices de la vente et lui verse d'emblée dix-huit mille cinq cents francs. Dans la rue, on chante des couplets célébrant les malheurs de Gervaise. Au cirque Franconi, *L'Assommoir* devient une pantomime parodique. Pour le public huppé, le roman de Zola est une « nouveauté » qu'il faut avoir lue coûte que coûte, afin de pouvoir donner son avis dans un salon. La bourgeoisie frissonne, à la fois choquée par l'outrance du propos et satisfaite de l'image horrible que Zola présente du milieu ouvrier. Mais voici que le milieu ouvrier lui-même s'intéresse au livre. Des lecteurs d'une classe modeste reconnaissent la vérité cruelle des descriptions. La clientèle de Zola englobe maintenant toutes les couches de la société. Il s'en rend compte et la tête lui tourne. L'argent afflue, avec la notoriété et la haine. Aurait-il enfin atteint son but ?

Jaloux de ce brusque succès, Edmond de Goncourt reproche à Zola, dans son *Journal,* de s'être inspiré trop évidemment de son propre roman *La Fille Élisa* pour certains passages de *L'Assommoir.* Il ne comprend pas pourquoi ce n'est pas lui mais cet « Italianasse » qui soulève tant de passions. Le 16 avril 1877, lors d'un dîner au restaurant Trapp, de jeunes écrivains, dont Huysmans, Céard, Hennique, Paul Alexis, Octave Mirbeau, Guy de Maupassant, « la jeunesse des lettres réalistes, naturalistes », acclament Flaubert, Zola et Goncourt, et les sacrent maîtres de l'heure présente. « Voici l'armée nouvelle en train de se former », note Goncourt. Il devrait être rassuré. Mais, un an plus tard, il laisse de nouveau éclater sa hargne : Zola gagne décidément trop avec ses livres. « Je n'ai jamais vu un homme plus exigeant, moins satisfait de l'énormité de sa fortune que le nommé Zola », écrit Goncourt [1].

Au fond, il en veut surtout à l'auteur de *L'Assommoir* de s'être saisi du mot « naturalisme » et de s'en faire à présent un drapeau. Comme Flaubert, au cours d'une réunion amicale, plaisante Zola sur son goût pour les préfaces et les professions de foi naturalistes dont il se sert pour assurer le lancement de ses livres, celui-ci rétorque, d'après Goncourt : « Vous, vous avez eu une petite fortune qui vous a permis de vous affranchir de beaucoup de choses. Moi, qui ai gagné ma vie absolument avec ma plume, qui ai été obligé de passer par toutes sortes d'écritures honteuses, par le journalisme, j'en ai conservé, comment vous dirai-je cela ? un peu de *banquisme*… Oui, c'est vrai, je me moque comme vous de ce mot *naturalisme* : et cependant je le répéterai sans cesse, parce qu'il faut un baptême aux choses pour que le public les croie neuves… J'ai d'abord posé un clou et d'un coup de marteau je l'ai fait entrer d'un centimètre dans la cervelle du public ; puis, d'un second coup, je l'ai fait entrer de deux centimètres… Eh bien, mon marteau, c'est le journalisme que je fais moi-même autour de mes œuvres. » Et Goncourt conclut : « Zola, dans le triomphe, a quelque chose d'un parvenu arrivé à une fortune inespérée [2]. »

Il est vrai que Zola étale volontiers sa réussite. Il s'est

1. *Journal*, 30 mars 1878.
2. *Journal*, 19 février 1877.

découvert une passion : les bibelots. Depuis qu'il a touché le pactole, il en achète à profusion chez les brocanteurs. « Le moins qu'on puisse dire, c'est que son cabinet-salon ne produit pas une impression d'élégance et de classicisme, note le journaliste russe Boborykine. Il ressemble à un petit magasin de bric-à-brac. » Alexandrine participe à cette rage de décoration. « Ma femme est dans une besogne formidable, écrit Zola à Mme Charpentier. Elle fait mes rideaux, des appliques de vieilles fleurs de soie sur du velours et je vous affirme que c'est un joli travail[1]. » C'est que les Zola ont encore déménagé, et il s'agit d'orner dignement la nouvelle demeure du maître. Ils habitent maintenant un appartement situé 23, rue de Boulogne[2], au deuxième étage, avec antichambre, cuisine, cabinet de toilette, salle à manger, salon, chambre à coucher. Le style gothique domine dans l'ameublement. En entrant dans la chambre du couple, Flaubert s'écrie : « J'ai toujours rêvé de dormir dans un lit pareil !... C'est la chambre de saint Julien l'Hospitalier ! » Convié à la pendaison de la crémaillère, Goncourt ricane : « Un cabinet de travail où le jeune maître travaille sur un trône de palissandre massif portugais. Une chambre avec un lit sculpté à colonnes, des vitraux du XIIe siècle à la fenêtre, des tapisseries de saintes verdâtres aux murs et aux plafonds, des devants d'autel au-dessus des portes, tout un mobilier fabriqué d'antiquailleries ecclésiastiques fait un entour un peu excentrique à l'écrivain de *L'Assommoir*[3]. » En revanche, le dîner arrache des cris d'admiration aux convives. Daudet, très en verve, compare la chair parfumée des gélinottes à « la chair de vieilles courtisanes marinée dans un bidet ». Flaubert, échauffé par le vin et la bonne chère, tonne contre les stupides bourgeois et truffe ses propos de jurons orduriers, ce qui

1. Lettre du 21 août 1877.
2. Aujourd'hui rue Ballu.
3. *Journal*, 3 avril 1878.

offusque Mme Daudet, qui ne s'attendait pas à « ce gros et intempérant déboutonnage ». Zola, de son côté, parle d'abondance, les yeux étincelants derrière son lorgnon, les joues rouges, coupe la parole à ses amis, gesticule, et Charpentier, qui a la grippe, murmure en regardant son auteur : « Il est étonnant, il voudrait qu'il n'y eût que lui, lui tout seul dans le salon [1]. »

Pendant le dernier été, Zola s'est rendu à L'Estaque avec Alexandrine et y a fait une large cure de bouillabaisse. Mais, malgré ses lourdeurs d'estomac, il a trouvé le courage d'écrire là-bas, au soleil du Midi, dans le chant des cigales, le huitième roman du cycle, intitulé *Une page d'amour,* de participer à l'adaptation théâtrale, par William Busnach et Octave Gastineau, de *L'Assommoir* et de corriger sa comédie sur le cocuage, *Le Bouton de Rose.* Refusé à l'époque parce que l'auteur était inconnu, ce vaudeville va être monté, à la rentrée, parce que Zola s'est imposé depuis à grand fracas. Le public attend avec impatience cette farce qui ne peut être que « naturaliste ». Comment Zola, après avoir fait pleurer, s'y prendra-t-il pour faire rire ?

La première, qui a lieu le 6 mai 1878, est un désastre. Au fur et à mesure que les scènes se succèdent, la salle, consternée par la platitude et la vulgarité du spectacle, devient plus houleuse. Au troisième acte, le rideau tombe sous les huées. Quand un comédien veut, selon l'usage, annoncer le nom de l'auteur, on hurle du parterre : « Il n'y a pas d'auteur ! » « Je ne comprends pas comment un garçon qui a l'ambition d'être un chef d'école a pu — et cela sans être poussé par le besoin d'argent — laisser représenter une chose si ordinaire et si pareille à ce que les derniers des vaudevillistes fabriquent », écrit Goncourt. Les amis de Zola tentent de minimiser l'échec. Abasourdi de chagrin, il veut néanmoins les réunir pour un souper au Véfour. « Le malheureux, complètement bouleversé, poursuit Gon-

1. *Ibid.*

court, laisse sa femme commander le souper et, absent, étranger aux choses qui se disent, le front tout pâle, penché sur son assiette, fait tourner machinalement dans son poing fermé son couteau de table, la lame en l'air. » De temps en temps, comme se parlant à lui-même, Zola grogne : « Non, ça m'est égal, mais ça change tout mon plan de travail... Je vais être obligé de faire *Nana*... Au fond, ça dégoûte, les insuccès au théâtre..., je vais faire du roman... » En face de lui, Alexandrine mange avec appétit et, entre deux gorgées de vin, reproche à son mari de n'avoir pas opéré certaines coupures dans le texte comme elle le lui avait conseillé. Enfin, la compagnie se lève de table. Descendant l'escalier du restaurant derrière Mme Charpentier, dont la traîne de la robe glisse sur les marches, Zola marmonne : « Ah ! prenez garde, je n'ai pas les jambes fortes, ce soir[1] ! »

Rentré chez lui, il embrasse du regard tous les objets qu'il a pu se payer avec ses « droits » de romancier, et sa confiance renaît. Ils sont les témoins de sa réussite passée et les garants de son triomphe futur. Les sifflets du public se heurtent à leur rempart. Quelques jours plus tard, à un dîner chez les Charpentier, il affirmera même que l'échec du *Bouton de Rose* le comble d'aise. « Cela me rajeunit ! s'écrie-t-il. Cela me donne vingt ans ! Le succès de *L'Assommoir* m'avait avachi. Vraiment, quand je pense à l'enfilade de romans qui me restent à fabriquer, je sens qu'il n'y a qu'un état de lutte et de colère qui puisse me les faire faire ! » Puis on parle du bal des Cernuschi. Zola se prétend trop fatigué pour y aller. Mais Alexandrine intervient, avec, dit Goncourt, « l'aigreur d'une harengère maigre ». « Il faut qu'il y aille, déclare-t-elle. Il a des notes à prendre ! » Et Goncourt écrit ironiquement : « L'observa-

1. Goncourt : *Journal*, 6 mai 1878.

tion spontanée et faite presque en dépit de soi, bon ! je veux bien ; mais de l'observation comme on se rend à son ministère, merci [1] ! »

Malgré l'insuccès du *Bouton de Rose*, retiré de l'affiche après sept représentations, Zola n'hésite pas à en publier le texte dans un recueil agrémenté d'une fière préface : « On a bien fini par lire mes romans, on finira par écouter mes pièces. » Mais, dans son for intérieur, il n'est plus très sûr d'être aussi un homme de théâtre.

Entre-temps, il a fait paraître *Une page d'amour*, dont il dit que c'est une histoire « un peu popote ». Jugement simpliste, car en fait il s'agit du drame d'une femme, Hélène Grandjean, veuve et belle, en proie au remords parce que, tandis qu'elle se pâmait dans les bras de son amant, le docteur Deberle, sa fille Jeanne est morte de phtisie galopante. Après une terrible crise de conscience, elle surmontera son chagrin, se mariera avec un vieil ami et retrouvera son calme et son honnêteté de matrone raisonnable, bien plantée sur ses pieds dans un univers de convention parisienne. « Je dois étudier l'amour naissant et grandissime comme j'ai étudié l'ivrognerie », notait Zola dans son *Ébauche*, et il s'écriait devant le critique italien Edmondo De Amicis : « Je ferai pleurer tout Paris ! »

En tête du volume, figure l'arbre généalogique des Rougon-Macquart. Un superbe dessin, comportant, sur chacune des feuilles de l'arbre, le nom d'un personnage avec sa date de naissance et les caractères cliniques de son hérédité. L'ensemble est impressionnant. Zola le contemple avec l'émotion du Booz endormi de Victor Hugo, à qui Dieu envoie en songe la révélation de sa future descendance. Ses confrères, cependant, se gaussent de cette innovation. Daudet assure que, s'il avait imaginé un tel arbre, il se serait pendu à la branche la plus haute. Avec une gravité professionnelle, Zola se justifie dans une préface : « Aujourd'hui, j'ai simple-

1. *Ibid.*, 17 mai 1878.

ment le désir de prouver que les romans publiés par moi, depuis bientôt neuf ans, dépendent d'un vaste ensemble, dont le plan a été arrêté d'un coup et à l'avance, et que l'on doit par conséquent, tout en jugeant chaque roman à part, tenir compte de la place harmonique qu'il occupera dans cet ensemble. » Maintenant, ce n'est pas dix romans qu'il prévoit pour le cycle des *Rougon-Macquart,* mais vingt ! Et il espère vivre assez longtemps pour parachever son œuvre. S'il veut arriver au bout, il doit surveiller sa santé afin d'être toujours en forme, à l'exemple des « sportsmen ». N'est-il pas un athlète de l'écriture ?

Après la violence de *L'Assommoir,* il ambitionne de séduire les âmes sensibles par la délicatesse, toute en demi-teintes, de son nouveau livre. Mais, malgré des critiques aimables dans les journaux et les lettres enthousiastes d'amis et de confrères, l'aventure d'Hélène passionne moins le public que celle de Gervaise. La vente est moyenne. Faut-il en conclure que les lecteurs, à leur insu même, sont friands de littérature épicée ? Incontestablement, tout en dénigrant Zola, ils attendent de lui une cuisine qui leur emporte la bouche. Il se le tient pour dit et, sans désemparer, met le cap sur *Nana.*

XIII

LES PLAISIRS D'UN CHASTE

Si Zola aime l'argent, c'est pour le plaisir de le dépenser. L'achat de bibelots ne lui suffit plus. Il rêve de dénicher, dans les environs de Paris, une villa où il pourra se cloîtrer pour achever, au calme, ses *Rougon-Macquart*. Sa mère, qui depuis quelque temps ne vit plus auprès de lui, y trouverait aussi un refuge, car elle est très fatiguée et a besoin de surveillance et d'affection. Certes, Mme François Zola juge que sa bru est trop autoritaire, qu'elle a le verbe criard, que ses manières, faussement bourgeoises, sentent le peuple, mais elle reconnaît qu'Alexandrine tient bien le ménage de son fils, et c'est l'essentiel. Quant à Alexandrine, elle supporte mieux sa belle-mère malade, dolente, passive que vaillante et se mêlant des affaires de la maison. Zola en conclut que la cohabitation entre les deux femmes ne posera pas de problèmes et loue une voiture pour visiter les propriétés à louer en Seine-et-Oise. Au départ, il ne songe pas à un achat. Or, le pavillon qui retient son attention, à Médan [1], au bord de la grand-route, porte l'écriteau *À vendre*. On se rend chez le propriétaire pour le convaincre d'accepter une location. Il se montre intraitable. Zola consulte sa femme : nulle part ailleurs

---

1. À l'époque, le nom du village s'écrivait Medan ; c'est Zola qui par la suite imposa l'orthographe Médan.

ils ne trouveront un coin aussi paisible que dans cette vallée que traverse la Seine. Déjà, il caresse des projets de jardinage, de canotage, de baignade, de réunions amicales sous une tonnelle. Le prix, neuf mille francs, n'est pas un obstacle. En crevant de pauvreté, Gervaise a fait de Zola un homme riche. Le 28 mai 1878, il signe l'acte chez le notaire. On s'installe avec enthousiasme dans la villa et, aussitôt, Zola lance les travaux d'aménagement. Il y a de quoi s'occuper, car le plancher est pourri et les murs suintent. Recrutés dans la région, les ouvriers s'affairent et Zola, ravi de ce remue-ménage, écrit à Flaubert : « J'ai acheté une maison, une cabane à lapins, entre Poissy et Triel, dans un trou charmant, au bord de la Seine, neuf mille francs. Je vous dis le prix pour que vous n'ayez pas trop de respect. La littérature a payé ce modeste asile champêtre, qui a le mérite d'être loin de toute station et de ne pas compter un seul bourgeois dans son voisinage. Je suis seul, absolument seul ; depuis un mois, je n'ai pas vu une face humaine. Seulement mon installation m'a beaucoup dérangé [1]. »

À la demande de Zola, Maupassant se charge de l'achat d'un bateau à rames. Il en trouve un tout neuf, du type chasse-canard, long de cinq mètres, et dont il garantit la solidité. Coût : soixante-dix francs. Zola saute sur l'occasion et Maupassant, assisté de Hennique qui tire avec lui sur les avirons, parcourt les quarante-neuf kilomètres qui séparent Bezons de Médan. Le nom de la barque est vite trouvé. Elle s'appellera *Nana*, parce que, déclare Maupassant, « tout le monde grimpera dessus ! ».

Dès les premiers jours, Zola constate que le pavillon est trop exigu pour la vie large et laborieuse qu'il compte y mener. Immédiatement, il ordonne d'élever, tout contre la banale villa dont il a fait l'acquisition, une énorme tour carrée, comprenant : au rez-de-chaussée, une salle à manger et une cuisine ; au premier étage, la

1. Lettre du 9 août 1878.

chambre conjugale, flanquée d'une salle de bains ; au second étage, une pièce immense, haute de plafond, dont la vaste baie découvre un panorama bucolique jusqu'à l'Hautil et au confluent de l'Oise. Décrivant le sanctuaire du maître, Paul Alexis précise : « Cinq mètres de hauteur, sur neuf mètres de largeur et dix de profondeur. Une cheminée colossale, où un arbre rôtirait un mouton tout entier. Au fond, une sorte d'alcôve, grande à elle seule comme une de nos petites chambres parisiennes, complètement occupée par un divan unique où six dormeurs seraient à l'aise... Je ne parle pas d'une sorte de tribune, à laquelle on parvient par un escalier tournant. » Partout, des bibelots japonais et chinois, des jardinières de cuivre, des statuettes d'ivoire, des armures médiévales, des vitraux multicolores. Peinte sur la hotte de la cheminée géante, la devise de Balzac : *Nulla dies sine linea*[1]. Au plafond, des poutres fleurdelisées. Derrière la table de travail, un fauteuil seigneurial, à haut dossier, frappé de l'inscription : « Si Dieu le veut, je veux. » Cette baroquerie ostentatoire et naïve se retrouve dans les autres pièces de la maison. Ainsi le plafond de la salle à manger est-il, lui aussi, envahi par les fleurs de lis, tandis que les murs sont tendus de faux cuir de Cordoue, qu'égaient des bandes de carreaux de Delft, et que les fenêtres sont garnies de vitraux aux mille couleurs : Zola en a lui-même surveillé la fabrication. Mais le décor dont il sera le plus fier est celui de la salle de billard qu'il installera dans une seconde tour, hexagonale celle-là, construite en 1885, de l'autre côté du bâtiment d'origine. Cette salle de billard sera, à ses yeux, le signe éclatant de sa réussite. Le sol en est constitué par une mosaïque et le plafond de poutrelles s'orne d'une série de blasons : Zola a tenu à représenter, au-dessus de sa tête, les armoiries des villes dont ses ancêtres sont issus. Là également se dresse une cheminée monumentale,

---

1. « Pas un jour sans une ligne. »

avec par terre, devant l'âtre, la silhouette d'une salamandre crachant le feu, agrémentée des initiales du patron : E.Z. Le billard mastoc est entouré d'un piano droit, d'un harmonium, d'un palmier en pot, de nombreuses figurines en bois, de chasubles et d'objets du culte. Le tout baigne dans la lumière des vitraux à motifs de paons, d'oiseaux aquatiques et de fleurs aux pétales contournés.

Dans cette installation somptueuse, Zola n'oublie pas ses amis : pour les recevoir, il fait édifier dans le jardin, près de la tour carrée, une annexe de briques roses, tout en longueur, comportant quatre chambres, et la baptise, du nom de son éditeur : « pavillon Charpentier ». De même, ayant agrandi son domaine par des achats successifs, il procède à la construction d'une maison de jardinier, d'une serre modèle et d'une ferme, avec écurie pour le cheval Bonhomme, étable pour la vache Mouquette et son veau, laiterie, poulailler, lavoir... On achète aussi l'île de Médan afin d'y bâtir un chalet, dont Alexandrine posera la première pierre. La propriété est une véritable ruche où tout le monde s'affaire. Du maçon à l'écrivain, en passant par les domestiques, chacun travaille dans sa spécialité. Par moments, il n'y a pas moins de vingt-cinq ouvriers au milieu du terrain. Zola règne sur ce chantier comme autrefois le père ingénieur sur le sien. À la tombée du soir, debout sur son balcon, il contemple fièrement son œuvre. Lors de l'achat initial, le jardin comptait mille deux cents mètres carrés. Après vingt-quatre acquisitions successives, il en mesure quarante et un mille neuf cents. Le domaine est coupé à la fois par la Seine et par la ligne du chemin de fer de l'Ouest. Le grondement des trains qui passent fait vibrer les vitraux du cabinet de travail de Zola. Ce vacarme et cette fumée, loin de le déranger, l'inspirent. C'est la vie moderne qui bat les murs de celui qui s'enorgueillit de la célébrer dans ses livres. Il ne peut en vouloir, lui l'homme de demain, à cette manifestation du progrès mécanique.

Son activité débordante ne connaît de repos que lors des visites de ses amis. Quand ils sont là, il distribue sagement ses heures entre l'écriture et les loisirs. Il a besoin de sentir à ses côtés ce groupe d'écrivains chaleureux, ralliés avec plus ou moins de conviction au naturalisme et qui ont été affublés, dans la presse, du sobriquet dédaigneux de « Messieurs Zola ». Il y a là, entre autres, le jeune Guy de Maupassant au cou de taureau, fier de ses muscles, de l'amitié de Flaubert et de ses bonnes fortunes auprès des grisettes ; le brave Paul Alexis, éperdument dévoué au maître, mais soupe au lait, gaffeur et d'un talent incertain ; Henry Céard, étrange citoyen, soigneux et monoclé, à la fois pessimiste et pince-sans-rire, toujours prêt à rendre service aux camarades de combat ; Léon Hennique, lequel, tout en admirant Zola, n'a pas vraiment l'intention, dit-il, de « chausser ses bottes » ; Huysmans, au fin visage et au regard tendre, qui, malgré sa profession de foi naturaliste, est un petit bourgeois hépatique, critiquant le monde actuel et démontrant l'absurdité de la destinée humaine à travers des personnages ternes, voués aux humbles désespoirs de la vie quotidienne. Autour de ces adeptes de la première heure, s'agitent de nouveaux venus qui acceptent l' « étiquette Zola » pour arriver. Alexandrine règne, en parfaite hôtesse, sur ce clan affamé de littérature et de bonne cuisine. Les menus sont recherchés, les vins capiteux, les conversations capricantes. Zola et son épouse siègent chacun à une extrémité de la table, dans leurs fauteuils attitrés. Pour boire, ils utilisent des gobelets d'argent.

Mais Alexandrine ne se contente pas de présider ces agapes gastronomiques et littéraires. C'est à elle que, durant les travaux, incombe chaque samedi la paie des ouvriers. Ils défilent devant « la patronne », dans la cuisine, et elle aligne l'argent, après avoir consigné la somme dans un registre. Toute la marche de la maison repose sur ses fortes épaules. On ne déplace pas un meuble, on ne cuit pas un poulet, on ne plante pas une salade sans qu'elle ait donné son avis. Tôt levée, elle se rend d'abord dans l'immense pièce qui, au premier étage de la tour hexagonale, sert de lingerie. Là, elle coud et brode avec volupté pendant que les autres dorment encore. On se croirait dans la salle des coffres d'une banque. De nombreux placards en sapin de Norvège abritent le linge rangé en piles et noué avec des faveurs. Chemises, caleçons, draps, taies d'oreiller, nappes, napperons, serviettes, essuie-mains, rien ne manque, tout est propre, net, pratique et catalogué. Médan, c'est l'anti-*Assommoir*.

Tandis que le maître travaille dans son bureau, le seul compagnon dont il tolère la présence, c'est le vieux terre-neuve Bertrand. L'autre chien, le petit Raton, est trop agité et trop aboyeur. Zola aime les bêtes et les bêtes l'aiment. Il ne peut se passer de leur regard confiant. Parfois, il se dit qu'elles le comprennent mieux que les humains. Dans cet asile clos et douillet, il arrive qu'une sotte contrariété provoque chez lui une colère d'enfant gâté. Ainsi est-il irrité lorsqu'il apprend que le ministre de l'Instruction publique, Agénor Bardoux, malgré sa promesse de le décorer de la Légion d'honneur, a finalement donné la croix à Ferdinand Fabre. « Vous savez que votre ami Bardoux vient de me jouer un tour indigne, écrit-il à Flaubert. Après avoir crié pendant cinq mois, dans tous les mondes, qu'il allait me décorer, il m'a remplacé au dernier moment sur sa liste par Ferdinand Fabre ; de sorte que me voilà candidat perpétuel à la décoration, moi qui n'avais rien demandé et qui me souciais de cela comme un âne d'une rose... Les journaux ont discuté de la chose, et aujourd'hui ils pleurent sur mon sort : c'est intolérable... Si vous voyez Bardoux, dites-lui que j'ai déjà avalé pas mal de crapauds dans ma vie d'écrivain, mais que cette décoration offerte, promenée dans les journaux, puis retirée au dernier moment, est le crapaud le plus désagréable que j'aie encore digéré[1]. »

Gêné par le bruit que soulève cette affaire, Bardoux promet de réparer l'injustice et de décorer Zola en janvier 1879. Mais, entre-temps, Zola a l'outrecuidance de publier *Les Romanciers contemporains,* une étude qui déchaîne un tollé parmi les gens de lettres. Dans ce texte critique, rédigé pour la revue russe *Le Messager de l'Europe* et qui a paru ensuite dans *Le Figaro,* il déclare avec aplomb ses préférences et traite sans ménagements certains auteurs célèbres. « Tout le monde se passe *Le Figaro* et votre article, écrit Céard à Zola. Et il y a des gens qui bisquent : les uns parce qu'ils sont nommés, et les autres parce qu'ils ne sont pas cités... Daudet tremble pour votre décoration. Les portraits de Claretie et d'Ulbach sont surtout remarqués : beaucoup trouvent là l'expression d'un mépris qu'ils n'avaient pas le courage d'avouer[2]. » Nombre de journaux protestent. Edmond About lance ses foudres contre l'impudent, Albert Wolff se moque de lui, prétendant qu'il est en proie à un rêve mirifique et qu'il veut éteindre toutes les gloires littéraires pour rester seul au firmament. « Alors, mon cher confrère, lui répond Zola, vous pensez que je suis très vaniteux ? C'est mon orgueil qui me dicte ce que je pense, et j'extermine mes confrères pour faire table rase autour de moi ? Voilà une belle légende que vous lancez dans le public. Raisonnez donc un peu. Est-ce que ma franchise est d'un ambitieux ? Me croyez-vous assez naïf pour ne pas prévoir que je me ferme toutes les portes, en disant tout haut ce que les autres se contentent de murmurer ?... Quand on veut régner, il est nécessaire d'avoir plus de souplesse... Je ne suis que le soldat d'une idée, d'une idée fixe, si vous voulez. J'ai jugé les peintres, les auteurs dramatiques, les romanciers d'après une même théorie, et de là les

1. Lettre du 9 août 1878.
2. Lettre du 23 décembre 1878.

cris qu'on a poussés [1]. » Ces cris arrivent aux oreilles de Bardoux et le perturbent dans ses intentions premières. Lorsqu'il avance timidement le nom de Zola pour une décoration, son chef de cabinet change de visage et s'exclame : « Monsieur le ministre, ce n'est pas possible ! Il y va de votre portefeuille ! » Bardoux s'incline et Zola, furieux une fois de plus, se résigne à ne pas voir de ruban à la boutonnière de sa veste.

D'ailleurs, il a pour le moment d'autres raisons de se réjouir et d'espérer. Il travaille d'arrache-pied à la mise en route de son nouveau roman : *Nana*. Mais l'affaire est délicate, car son héroïne est une courtisane et il n'a aucune connaissance de ce milieu frelaté. Avec une curiosité de puceau, il interroge ses amis sur leurs bonnes fortunes. Pas un instant il ne songe à payer de sa personne pour se faire une idée originale de ce genre d'aventure. Pourtant, il demande à Ludovic Halévy, auteur d'opérettes mises en musique par Offenbach, de l'emmener dans les coulisses des Variétés, le théâtre qui doit servir de cadre à son récit. On y joue *Niniche*. Engoncé dans son frac, Zola reluque les jolies figurantes qui passent devant lui en riant, détaille les pots de maquillage sur la coiffeuse d'une loge, respire l'odeur de la femme chaude et prend des notes en rêvant à sa Nana, impudique, cupide et désirable, qui affole les hommes par la seule idée de son sexe ouvert au plus offrant. Elle les soumettra, les ruinera, les réduira à l'état de bêtes. Ce sera plus terrible encore que *L'Assommoir* : les ravages de l'alcool remplacés par ceux de la chair vénale.

Pour élargir le champ de manœuvre de son héroïne, Zola déjeune au café Anglais, en tête-à-tête, dans un cabinet particulier, avec un homme du monde, ami de Flaubert et réputé coureur de filles. Celui-ci, fouillant dans ses souvenirs, raconte à son vis-à-vis tout ce qu'il a pu observer chez ses maîtresses au cours de sa carrière

---

1. Lettre datée également du 23 décembre 1878.

de viveur : l'emploi du temps des grandes cocottes, leurs goûts en matière de mode, la façon dont elles traitent leurs amants et dont elles parlent à leurs domestiques… Zola, fiévreusement, consigne tous les détails. Son appétit est insatiable. Quelques jours plus tard, il obtient de visiter l'hôtel particulier d'une de ces dames, Valtesse de La Bigne, au 98, boulevard Malesherbes. Il peut voir, dans ce palais de la prostitution élégante, la serre débordante de fleurs exotiques, le cabinet de toilette aux dimensions de laboratoire, les écuries, et surtout la chambre à coucher avec son lit de parade amoureuse. Ce sera le royaume de Nana. Enfin, lui qui ne sort jamais, il se fait inviter à un souper galant chez une demi-mondaine. Bien que gourmand, il oublie de manger pour mieux observer les convives. Connaissant son mari, Alexandrine est tranquille. Quelle que soit l'habileté de ces rouées, Émile ne succombera pas.

Pour peu qu'ils aient ou aient eu une vie sentimentale turbulente, les amis qui viennent à Médan sont, eux aussi, mis à contribution. L'un d'eux donne à Zola des précisions croustillantes sur la fameuse table d'hôte des lesbiennes de la rue des Martyrs, où les jolies clientes, en entrant, baisent la patronne sur la bouche ; un autre évoque l'arrivée d'une cohorte de messieurs éméchés et déchaînés, dans leurs habits noirs très stricts, au milieu d'un dîner de filles qui piaillent de joie ; un autre encore parle des bouteilles de champagne vidées dans un piano sous les applaudissements de l'assistance ; un autre enfin fournit l'adresse et les conditions d'une maison d'entremetteuse. Et Zola écoute, inscrit, engrange, avec gratitude. Dans le dossier *Ébauche,* il résume crûment le sens du livre qu'il veut écrire : « Le sujet philosophique est celui-ci : toute une société se ruant sur le cul. Une meute derrière une chienne qui n'est pas en chaleur et qui se moque des chiens qui la suivent. *Le poème des désirs du mâle,* le grand levier qui remue le monde. Il n'y a que le cul et la religion. »

Les documents rassemblés, le plan dressé, il commence son premier chapitre. Très vite, le récit l'entraîne. Il est amoureux de Nana, la gourgandine, au point de la préférer à Gervaise. Cette femme-sexe, cette croqueuse d'hommes, cette destructrice de foyers le fascine plus que s'il l'avait réellement fréquentée. Et là se situe le miracle. C'est parce que Zola est un chaste que son livre exhale un tel fumet d'érotisme. L'imagination, chez lui, prend le pas sur la vie, si bien qu'il est davantage inspiré par ce qu'il ne connaît pas que par ses propres expériences. Oui, enfermé dans son cabinet de travail, il se livre à des fantasmes d'autant plus violents qu'ils ne correspondent pour lui à aucun souvenir. Sa sagesse, son ignorance, loin de le paralyser, lui servent de tremplin. Il est dans le délire comme un collégien sobre avalant son premier verre d'alcool. Sa tête flambe. Des élans le secouent du cerveau au bas-ventre, aussi intensément que s'il avait une créature de chair entre les bras. Peut-être même serait-il gêné par une présence féminine à l'instant du rut. Rien ne l'excite davantage que la solitude, le vide qui laisse le champ libre aux mirages les plus fous. C'est en ermite qu'il goûte les délicieux poisons du stupre. Assis à son bureau, le regard extasié, les mains moites, il est à la fois la fille qui se vend et le mâle avachi qui se prosterne devant elle. Il décrit, avec un plaisir masturbatoire, les « pointes roses des seins » de Nana, « ses cuisses de blonde grasse », « les poils d'or de ses aisselles » brillant aux feux de la rampe ; il évoque l'espèce d'appétit primitif qui, de cette femelle énervée, gagne toute la salle de théâtre ; il la montre fouettant un de ses amants, le poursuivant à coups de pied, le traitant comme un chien afin de mieux le faire jouir. Venant du peuple, elle venge le peuple en précipitant dans une horrible déchéance les richards qui ont l'imprudence de l'aimer. Elle est l'incarnation du mal absolu et inconscient, de la fatalité à visage d'ange, de tous les vices de la société du Second Empire sur le point de s'écrouler. Quand elle meurt, atteinte de la vérole, la guerre est imminente.

Une foule enthousiaste s'assemble dans la rue, sous ses fenêtres, à la lueur des becs de gaz. Des cris montent jusqu'à la chambre où elle repose, inerte, défigurée : « À Berlin ! À Berlin ! » Au châtiment de Nana répond le châtiment de la France.

Avant même que Zola ait fini d'écrire son livre, *Le Voltaire* annonce sa publication en feuilleton pour le mois d'octobre 1879. Immédiatement, la curiosité des lecteurs s'éveille. On colporte que *Nana* sera un roman à clefs sur les mœurs du demi-monde. Prenant les devants, Zola explique, dans un article sur Sainte-Beuve, l'état d'esprit d'un auteur dominé par son sujet jusqu'au vertige : « L'écrivain chaste se reconnaît tout de suite à la virilité exacerbée de sa touche. Il désire en écrivant... Dans cette solitude, dans cette continence, on devine quel ardent foyer s'allume... Le corps entier, avec ses sens, passe dans l'œuvre... Les créations fortes et originales naissent de cette étreinte passionnée des chastes fécondant leurs œuvres. » Sans doute Alexandrine est-elle quelque peu choquée par l'aveu des amours d'Émile avec une grue née de son cerveau. Mais elle respecte trop le travail de son mari pour lui en faire le reproche. Déjà *Le Voltaire* déclenche la campagne de publicité. Des affiches apparaissent sur les murs de Paris et sur les panneaux des hommes-sandwiches. Dans les bureaux de tabac, à l'extrémité du tuyau de caoutchouc qui sert à prendre du feu pour la cigarette, une étiquette proclame : « Lisez Nana ! Nana !! Nana !!! » Aucun des romans antérieurs de Zola n'a bénéficié d'une réclame aussi tapageuse. Les lecteurs se ruent sur le premier épisode du feuilleton et, aussitôt, le tohu-bohu commence. Le scandale fait autour de *Nana* est aussi virulent que celui qui a salué *L'Assommoir*. Reproches, injures et moqueries déferlent sur la tête de Zola. *Le Charivari* accuse l'auteur d'avoir « confondu la chiennerie avec l'humanité ». Pontmartin, dans *La Gazette de France*, déclare que le programme littéraire de Zola est « un égout collecteur », « un cloaque », et qu'il faut, avant de le lire, chausser des bottes de vidangeur et se placer sous le nez un flacon de sels anglais.

À la publication en volume, le ton monte encore. « Zola nous donne cette gueuse subalterne pour le seul type authentique et vrai d'un monde si complexe et si mélangé », écrit Paul de Saint-Victor. « Une oie comme Nana ferait bien mal ses affaires et serait promptement quittée par ses amants », affirme Georges Ohnet. Aurélien Scholl décrète, dans *L'Événement* : « *Nana* est un roman parisien pour les provinciaux, mais c'est un roman provincial pour les Parisiens. » Quant à Louis Ulbach, que Zola a malmené dans son essai *Les Romanciers contemporains,* il prend sa revanche dans le *Gil Blas* : « Le marquis de Sade, dans ses livres immondes..., croyait, à ce qu'on assure, entreprendre une œuvre morale. Cette manie le fit enfermer à Charenton. La manie de Zola n'est pas aussi aiguë, et, de nos jours, on laisse souvent la pudeur se venger seule. Mais *Nana,* comme *Justine,* relève de la pathologie... C'est l'éréthisme commençant d'un cerveau ambitieux et impuissant qui s'affole de ses visions sensuelles. » Abasourdi par cette avalanche d'insultes, Zola se plaint, dans une lettre du 21 février 1880, à Émile Bergerat : « Aujourd'hui, j'en suis réduit à compter comme des amis audacieux les critiques qui veulent bien me croire un honnête homme. »

Heureusement, le petit groupe de ses partisans est dans la joie. Flaubert, qui n'avait pas beaucoup aimé *L'Assommoir,* a, cette fois, le compliment hyperbolique : « J'ai passé hier toute la journée, jusqu'à onze heures et demie du soir, à lire *Nana,* je n'en ai pas dormi cette nuit et j'en demeure stupide. S'il fallait noter tout ce qui s'y trouve de rare et de fort, je ferais un commentaire à toutes les pages ! Les caractères sont merveilleux de vérité. Les mots *nature* foisonnent ; à la fin, la mort de Nana est michelangélesque ! Un livre énorme, mon bon ! » Et Huysmans : « Je sors de *Nana* ébouriffé. Cristi, lu ainsi à la suite, ça décuple furieusement l'odeur. Le beau livre et le livre neuf, absolument neuf dans votre série et dans tout ce qu'on a jusqu'à ce jour écrit. Je ne crois pas en effet que vous ayez jamais eu un pareil bon enfant et une puissance moins apprêtée et plus ample... Ce que la scène entre Zizi et Nana, à la campagne, est adorable ! Et les coulisses si férocement embaumées, et les cabots !... Et la table d'hôte, et les courses et l'admirable scène, la merveilleuse scène de Muffat apprenant son cocuage, et la divine Satin qui me trouble fort, je l'avoue, tout comme le bon Chouard, et tout, pardieu ! est superbe [1] ! »

Au vrai, l'opinion chaleureuse des amis de Zola n'arrive pas à couvrir les criailleries de ses adversaires. Mais plus les critiques de journaux sont acerbes, plus on répand de caricatures haineuses sur l'auteur et son héroïne, et plus les clients affluent dans les librairies. Croyant démolir l'écrivain, la presse lui construit un piédestal. En lisant un tel roman, pense le public bourgeois, on s'encanaille sans quitter son fauteuil et on garde bonne conscience. Les maris, les épouses, les jeunes filles, tous veulent fourrer leur nez sous les jupes de Nana. Elle n'était qu'un personnage de fiction, elle devient un symbole. Celui du sexe de la femme présenté dans un tabernacle diabolique. « Nana tourne au mythe sans cesser d'être réelle ! » s'écrie Flaubert. Dès le premier jour, Charpentier vend à compte ferme cinquante-cinq mille exemplaires et ordonne de tirer dix éditions supplémentaires.

Ce succès de librairie vient après le succès de l'adaptation théâtrale de *L'Assommoir* par Busnach, à l'Ambigu. La pièce en neuf tableaux, qui est, au dire de Zola, « un mélodrame idiot » en comparaison de son roman, remporte un triomphe. « Personne ne croyait au succès, écrit-il à Flaubert, pas même moi. Aussi, vous pensez, quel coup de foudre... Maintenant, sera-ce un

---

1. La lettre de Flaubert et celle de Huysmans sont toutes deux datées du 15 février 1880.

gros succès d'argent[1] ? » C'en est un et Zola se frotte les mains, cependant que Goncourt, pincé, note dans son *Journal* : « La pièce est fabriquée avec toutes les ficelles, les couplets et les rengaines sentimentales du boulevard du Temple. » Et encore : « Zola est triomphant, il remplit le monde, il gagne des charretées d'argent ; mais tout ce gros bruit et toute cette monnaie ne le font ni gai ni aimable[2]. »

Le 14 avril, la centième représentation de *L'Assommoir* est offerte gratuitement à la population parisienne. Excellente propagande ! La queue devant le guichet se forme dès sept heures du matin et, à midi, elle déborde du trottoir sur la chaussée. « Les spectateurs à l'œil s'en sont donné pour leur pas d'argent, commente le chroniqueur du *Voltaire*. Depuis le début jusqu'à la fin, ce n'a été qu'une même salve d'applaudissements. Quant aux larmes répandues par la partie féminine de l'assistance, je n'essaierai pas de les nombrer. » Quinze jours plus tard, pour célébrer l'événement, un souper et un bal sont donnés par le directeur de l'Ambigu à l'Élysée-Montmartre. Tous les invités ont reçu l'ordre de se déguiser en ouvriers et en blanchisseuses. Les serveurs du buffet portent la casquette. Or, à la surprise générale, Zola et ses amis arrivent au bal en habit noir, cravate et gants blancs. Ils sont hués comme des « lâcheurs », comme des traîtres à la cause. Zola a l'impression que ses personnages le rejettent. Mais bientôt les habits et les bourgerons fraternisent. On danse et on mange jusqu'à trois heures du matin. Le chroniqueur du *Figaro* prétend avoir compté mille huit cents participants.

En tout cas, le mélodrame tiré de *L'Assommoir* relance la vente du roman. Zola est porté en avant par un superbe attelage de deux femmes : Gervaise et Nana trottent pour lui côte à côte.

1. Lettre du 22 janvier 1879.
2. Notes des 18 janvier et 25 février 1879.

XIV

LE GROUPE DE MÉDAN

Médan, lieu de travail intense, est aussi un lieu de franche amitié. Tantôt des peintres, tantôt des écrivains y viennent, attirés par la douceur du paysage et la personnalité du maître de maison. Ils y vivent dans la bonne humeur, la liberté et l'abondance, à condition de respecter les heures de bureau de leur hôte. Pour donner un meilleur éclat à son gîte, Zola décide de changer le nom un peu sourd de Medan pour celui plus sonore de Médan. « On mettra un accent aigu qui passera dans l'histoire », déclare-t-il avec fierté à Paul Alexis.

Un beau matin, Cézanne débarque à Médan, avec chevalet et boîte à peinture. Zola ne l'a pas vu depuis longtemps. Ils ont vieilli l'un et l'autre et pouffent de rire en retrouvant leurs visages d'adolescents sous les rides et les bouffissures de l'âge. Mais tout les sépare. Quadragénaire glorieux et cousu d'or, Zola n'a plus rien de commun avec ce peintre famélique, obstiné, méconnu et qui, malgré ses allures de débardeur, n'a pas osé avouer à son père qu'il s'est marié en cachette et qu'il a un enfant. En découvrant Médan, Cézanne est immédiatement séduit par le charme verdoyant du site et incommodé par le luxe ostentatoire de la maison. Ayant connu un Zola pauvre, habitué des garnis et des gargotes, il accepte difficilement de le voir épanoui dans le bien-être et la notoriété. Pour lui, un génie ne peut qu'avoir le ventre creux et les poches vides. D'ailleurs, il ne se fait pas faute de critiquer l'œuvre de son ami. Avec son franc-parler habituel, il lui reproche la psychologie rudimentaire de ses personnages, la longueur de ses descriptions et son obstination à vouloir tout lier au système « naturaliste ». Quant à Zola, il ne comprend pas que Cézanne s'acharne à imposer une architecture massive à ses tableaux au lieu de s'occuper des jeux subtils de la lumière sur les formes qu'elle pénètre. Imperméables l'un à l'autre, ils poursuivent des routes divergentes, et seule leur lointaine enfance garantit entre eux un reste d'affection.

Choyé comme un coq en pâte, Cézanne navigue sur la Seine dans le chasse-canard *Nana,* plante son chevalet sur l'île et peint avec fougue la rive d'en face et la maison derrière son rideau d'arbres. Zola apprécie peu cette image brute de son aimable paradis. Cézanne entreprend également de représenter Alexandrine servant le thé à l'ombre des feuillages. Mais, pendant qu'il travaille au portrait, Antoine Guillemet surgit dans son dos et hasarde une réflexion sur l'œuvre en cours. Saisi de rage devant ce peintre élégant et conventionnel qui se permet de l'interpeller, Cézanne brise ses brosses, troue sa toile et fonce vers la Seine, tandis qu'on s'efforce en vain de le rappeler.

Zola est consterné. Décidément, Cézanne est insupportable. Seul un artiste parvenu au zénith peut se permettre de tels écarts. Lui-même, malgré sa renommée, est plus prudent, plus poli. En vérité, ce sont tous ses amis peintres qui le déçoivent. Lors de l'Exposition universelle de 1878, qu'il a jugée superbe, avec son hommage aux progrès de la science et au pacifisme démocratique de la France, il a fait paraître un article désenchanté sur la peinture française, dont le meilleur représentant serait, selon lui, Bonnat. Pas un mot sur les impressionnistes. En 1880, Claude Monet et Auguste Renoir sont admis au Salon officiel. Sollicité par eux,

Zola accepte d'écrire quatre chroniques sur « Le Naturalisme au Salon ». Mais sa plume est molle. Après avoir salué l'héroïsme de ces « martyrs de leurs croyances », il ajoute : « Le grand malheur, c'est que pas un artiste de ce groupe n'a réalisé puissamment et définitivement la formule nouvelle qu'ils apportent tous, éparse, dans leurs œuvres. La formule est là, divisée à l'infini ; mais nulle part, dans aucun d'entre eux, on ne la trouve appliquée par un maître. Ce sont tous des précurseurs. L'homme de génie n'est pas né. » Sous-entendu : « Il n'y a pas, en peinture, de chef de file comme moi en littérature. Moi, j'ai su imposer le naturalisme, eux pataugent encore dans l'impressionnisme. » Les peintres du groupe n'apprécient qu'à demi cette leçon qui leur est donnée de haut, avec une sympathie condescendante. Mais Zola est persuadé d'avoir raison. L'idéologie naturaliste, dont il se considère comme le porte-parole, englobe pour lui tous les domaines. Emporté par son élan, il publie un essai, *Le Roman expérimental,* où il se pose en prophète d'une philosophie nouvelle : « Le Naturalisme, c'est l'évolution même de l'intelligence moderne... C'est le Naturalisme qui emporte le siècle et le Romantisme de 1830 n'a été que la courte période de l'impulsion première... L'heure est venue de mettre la République et la littérature face à face, de voir ce que celle-ci doit attendre de celle-là, d'examiner si nous autres analystes, anatomistes, collectionneurs de documents humains, savants qui n'admettons que l'autorité du fait, nous trouverons dans les républicains de l'heure actuelle des amis ou des adversaires. La République vivra ou la République ne vivra pas, selon qu'elle acceptera ou qu'elle rejettera notre méthode : la République sera naturaliste ou elle ne sera pas. »

Les caricaturistes exultent. Zola est ridicule. Il a la tête enflée jusqu'à l'éclatement. On va le fustiger pour qu'il tombe de son socle. Or, les charges des dessinateurs comme les moqueries des journalistes rendent le nom de Zola plus populaire encore. Quant aux amis du groupe de Médan, ils estiment que leur maître ne brandit jamais assez haut la bannière du « Naturalisme ». Au cours d'une conversation, un soir, on évoque le projet d'une revue qui mènerait le « bon combat ». Mais où trouver les capitaux pour une entreprise aussi peu alléchante que la défense de théories esthétiques ? Alors, Hennique propose de réunir en volume des nouvelles écrites par chacun des membres du clan, toutes étant caractérisées par « la recherche de la vérité ». L'idée sourit d'autant plus à Zola qu'il a dans ses tiroirs un récit publié jadis, en Russie, par *Le Messager de l'Europe* : *L'Attaque du moulin*. Par ailleurs, *La Saignée*, de Céard, a paru elle aussi en Russie, et *Sac au dos*, de Huysmans, à Bruxelles. Hennique vient de terminer *L'Affaire du grand 7*, Alexis met la dernière main à *Après la bataille* et Maupassant se propose de rédiger rapidement *Boule de suif*. Tous ces contes ont trait à la guerre de 1870. Et tous sont destinés à démontrer l'absurdité de cette tuerie, l'héroïsme du peuple et l'incompétence des généraux. Mais il faut un titre au recueil. Huysmans suggère *L'Invasion comique*. Même les plus enragés parmi les auteurs trouvent l'appellation un peu trop provocante. Alors Céard propose *Les Soirées de Médan*. Cet hommage indirect au pape du naturalisme est adopté d'enthousiasme. Au cours du mois de janvier 1880, le petit cénacle se réunit à plusieurs reprises, chacun lisant son ouvrage aux autres et écoutant critiques et compliments. La palme revient à *Boule de suif* de Maupassant, dont Zola loue le style coloré et l'humour féroce. Il faut aussi une préface au recueil. Sans doute est-ce Zola qui l'inspire. Mais tous y mettent leur grain de sel. Le ton en est résolument agressif : « Nous nous attendons à toutes les attaques, à la mauvaise foi et à l'ignorance dont la critique courante nous a déjà donné tant de preuves. Notre seul souci a été d'affirmer publiquement nos véritables amitiés et, en même temps, nos tendances littéraires. »

Les journalistes, que les auteurs ont voulu piquer au vif pour les faire réagir promptement et durement, ne sont pas dupes de la manœuvre. « Cette petite bande de jeunes gens présomptueux, dans une préface d'une rare insolence, jette le gant à la critique, écrit Albert Wolff dans *Le Figaro*. Cette rouerie est cousue de fil blanc ; le fond de leur pensée est : tâchons de nous faire éreinter, cela fera vendre le volume. *Les Soirées de Médan* ne valent pas une ligne de critique. Sauf la nouvelle de Zola qui ouvre le volume, c'est de la dernière médiocrité. » Et Léon Chapron, dans *L'Événement,* vitupère à son tour les impudents : « MM. les naturalistes sont naturellement enfiévrés de vanité. Ils viennent de publier un volume, *Les Soirées de Médan*. Une vingtaine de lignes s'étalent en manière de préface. Cette préface est purement et simplement une grossièreté. » Malgré cette douche froide, le public achète le livre, à cause du nom de Zola qui figure sur la couverture. En moins d'une quinzaine de jours, il faut effectuer huit tirages du recueil. Pourtant, le grand triomphateur de l'opération, ce n'est ni Zola ni le naturalisme, mais le jeune Guy de Maupassant que personne ne connaissait hier encore et qui, aujourd'hui, entre dans la cour des grands. Flaubert écrit à son protégé : « Il me tarde de vous dire que je considère *Boule de suif* comme un *chef-d'œuvre.* Oui, jeune homme ! Ni plus, ni moins, c'est d'un maître... Ce petit conte restera, soyez-en sûr... Rebravo ! nom de Dieu[1] ! »

Ennemi des écoles en littérature, Flaubert juge avec une ironie désabusée les pompeuses déclarations de Zola sur la nécessité du naturalisme en art, en politique et même dans la vie courante. Cependant, il se réjouit que tous ces novateurs le considèrent comme le précurseur involontaire de leur mouvement. À son âge, être reconnu et soutenu par la jeunesse est la plus enviable des récompenses.

---

1. Lettre du 1er février 1880.

Au printemps de 1880, le jour de Pâques, il reçoit dans sa maison de Croisset Zola, Goncourt, Daudet, Huysmans, Charpentier, accourus en pèlerinage amical. Maupassant, qui est déjà sur place, vient les chercher en voiture à la gare de Rouen. On se récrie d'admiration devant la propriété ensoleillée, avec ses allées sages et ses pommiers en fleur, face à la Seine paisible où glissent de lents bateaux. Le dîner est, de bout en bout, un régal. Goncourt note une sauce à la crème nappant un turbot de belle taille et apprécie la qualité des vins. Ces messieurs boivent beaucoup et racontent, à qui mieux mieux, de grasses histoires « qui, dit Goncourt, font éclater Flaubert en ces rires qui ont le *pouffant* des rires de l'enfance ». Excité par la nourriture et la joyeuse compagnie, Flaubert disserte, d'une voix claironnante, sur la bêtise de ses contemporains, dont il veut faire un monument avec le livre auquel il travaille : *Bouvard et Pécuchet*. Mais il se refuse à lire des passages de son roman. Il n'en peut plus, il est « esquinté ». Les invités se séparent et vont se coucher « dans des chambres assez froides et peuplées de bustes de famille ».

Revenu à Médan, Zola est envahi d'un profond désenchantement. S'agit-il d'un pressentiment ou des premiers symptômes d'une maladie ? Moins d'un mois plus tard, Goncourt, dînant à sa table avec Busnach, constate l'air douloureux et comme absent de son hôte. « Zola est triste, triste, d'une tristesse qui donne à son rôle de maître de maison quelque chose de somnambulesque », note-t-il. Au milieu de la conversation, Zola soupire : « Ah ! si j'avais été mieux portant, j'aurais été cet hiver n'importe où... J'avais besoin de m'en aller d'ici. » Et Goncourt s'interroge : « Pourquoi ce navrement au milieu de cet immense succès[1] ? »

Pendant deux semaines, Zola continue à se plaindre sans raison. Et soudain, c'est le choc. Le 9 mai, un

1. *Journal*, 22 avril 1880.

télégraphiste apporte une dépêche à Médan. Zola a un serrement de cœur. Ce ne peut être qu'une mauvaise nouvelle. Il ouvre le papier bleu, et son front se couvre de sueur. Maupassant lui annonce la mort de Flaubert, survenue la veille, à Croisset. Terrassé par le chagrin, Zola a l'impression d'avoir perdu un membre de sa famille. « Votre dépêche est un coup de foudre, écrit-il à Maupassant. Je n'ai pu dormir de la nuit[1]. » Le souvenir de Flaubert le hante au point qu'il se réveille en sursaut, dans son lit, en proie à des hallucinations funèbres. Le mort se dresse à son chevet, gigantesque dans sa robe brune, gesticulant et parlant avec force. Ayant appris que son ami a succombé à une attaque d'apoplexie, Zola écrira encore : « Belle mort, coup de massue enviable et qui m'a fait souhaiter pour moi et pour tous ceux que j'aime cet anéantissement d'insecte écrasé sous un doigt géant. »

Le 11 mai 1880, Zola se rend à Rouen pour les obsèques. Derrière le corbillard, quelques rares amis, Daudet, Goncourt, Maupassant, José Maria de Heredia, un représentant du préfet, le maire de Rouen, deux ou trois journalistes en mal de copie, des étudiants. Le soleil tape dur sur les nuques. Visages cramoisis et suants, le cortège se traîne lentement sur la route poussiéreuse. Dans la petite église, quatre paysans se pendent à la corde pour sonner le glas. Zola se trouve placé, dans le chœur, face aux chantres qui « braillent du latin qu'ils ne comprennent même pas ». Dans l'assistance, les figures sont indifférentes. On se repose de la longue marche. Personne n'a l'air de se rendre compte qu'un très grand esprit vient de disparaître.

Au cimetière Monumental de Rouen, c'est pis encore. Les fossoyeurs n'ont pas tenu compte des dimensions de la bière. Le trou qu'ils ont creusé est trop petit pour y descendre la caisse de bois. En vain essaient-ils de la manipuler en tirant sur les cordes. Il

1. Lettre du 9 mai 1880.

leur faut agrandir la fosse. On le fera plus tard, après la cérémonie. Zola s'étrangle de colère et crie : « Assez ! Assez ! » Un prêtre asperge d'eau bénite le cercueil qui reste bloqué de travers, la tête en bas. La foule se disperse, gênée. « Nous sommes partis, écrira Zola, abandonnant là notre " Vieux ", entré de biais dans la terre. »

L'image de cet enterrement « naturaliste » obsède Zola. Il découvre soudain la vanité de la gloire, l'inutilité de la vie. Ses troubles nerveux s'accentuent. Céard et Hennique lui ayant fait lire les œuvres de Schopenhauer, il estime que le pessimisme de ce philosophe germanique est la seule attitude possible, face à un univers dénué de sens. Alors qu'il est sur le point de reprendre le dessus, de nouveaux soucis l'assaillent. C'est sa mère, à présent, qui l'inquiète. Elle est de plus en plus faible. Arthritique, elle a parfois la sensation qu'une boule se forme dans sa gorge et qu'elle va mourir étouffée. Jadis, il lui arrivait de recopier soigneusement les manuscrits de son fils. Maintenant, elle peut à peine tenir une plume et s'en désole. Les disputes entre elle et Alexandrine se multiplient pour les motifs les plus futiles. Comme l'atmosphère à la maison s'alourdit, elle se rend pour un bref séjour chez son frère, à Vaux-devant-Damloup (Meuse). Elle y tombe malade : une crise cardiaque, avec œdème généralisé et asystolie. Son idée fixe est de retourner au plus vite chez son fils. Le voyage en chemin de fer, *via* Paris, est pour elle une torture. L'enflure de ses jambes l'empêche de marcher. À Villennes, on doit la transporter du wagon jusqu'à la voiture. Elle a la figure bleuie de suffocation. En la retrouvant mourante, délirante, Zola sombre dans un désarroi d'enfant. Il fuit le spectacle de sa mère à l'agonie, évite d'entrer dans sa chambre, erre, l'esprit en désordre, à travers la campagne ou s'enferme, frissonnant, dans son bureau, sans pouvoir ni lire ni écrire. Alexandrine, en revanche, fait front avec son énergie habituelle. Du matin au soir, elle prodigue des soins à cette belle-mère qui la déteste et qui, chaque fois qu'elle lui présente un médicament, l'accuse de vouloir l'empoisonner.

La mort survient le 17 octobre 1880. Comme l'escalier est trop étroit, il faut descendre le cercueil par la fenêtre. Zola est déchiré entre le désespoir et l'horreur. Un premier office religieux a lieu dans la petite église de campagne. « Mme Zola [Alexandrine] est soutenue par sa bonne et le domestique, la figure crispée dans une effrayante contraction de douleur, raconte Céard. Zola s'affaisse sur le prie-Dieu et reste là, pendant toute la longue, toute l'interminable cérémonie, prostré au milieu des notes fausses d'un alto qui lit mal, des braillements d'une demi-douzaine de chantres, car le clergé de Médan a demandé, pour la circonstance, du renfort à Vernouillet. »

Zola et sa femme accompagnent le corps à Aix, où la défunte doit être enterrée aux côtés de son mari. Une foule les attend, sur le quai de la gare, à leur descente du train. La ville, qui a honoré le père, constructeur du canal, en donnant récemment son nom à un boulevard, honore maintenant le fils en le recevant comme un héros des lettres. Zola en est à la fois flatté et agacé. L'heure est mal choisie. Le chagrin emporte tout. À peine installé à l'hôtel, il écrit à Céard : « Il me faut subir encore une fois l'effroyable douleur d'une cérémonie religieuse. On m'affirme que je ne puis éviter cela. Ce qui me console, c'est que le caveau est dans un état parfait de conservation et que tout sera fini demain. Mais ma femme est tellement brisée que nous ne reviendrons sans doute qu'à petites journées[1]. »

Lors de son retour à Médan, le souvenir de sa mère l'accueille dès le seuil de la maison. Il déambule dans les pièces vides et le remords le ronge. N'a-t-il pas été souvent un peu trop brusque avec elle ? Ne lui a-t-il pas manqué d'égards dans ses moments d'irritation ? Ne

1. Lettre du 20 octobre 1880.

s'est-elle pas éteinte avec le sentiment que son absence soulagerait son fils et sa belle-fille ? Il se remémore les querelles entre sa mère et Alexandrine et, chaque fois, il donne tort à sa femme. Il lui reproche, en secret, de n'avoir pas su aimer la morte ni se faire aimer d'elle. Dans son désarroi, il songe même à regagner Paris pour échapper à cette obsession. « Notre intention, écrit-il à Hennique, était d'abord de fuir notre pauvre maison, et nous y voilà revenus, bouleversés de la revoir et pourtant ne pouvant nous décider à la quitter. Nous allons y rester quelque temps encore[1] ! » Et, à Mme Charpentier : « Notre première idée était de fuir Médan ; puis cela nous a semblé lâche, car c'était fuir notre douleur. Nous resterons donc ici un mois encore pour que notre maison ne nous semble pas maudite... Ma femme a été bien souffrante. Nous sommes comme hébétés maintenant. Il faut attendre, car, c'est une chose affreuse à dire, le temps guérit les plus profondes douleurs. Pour mon compte, je vais tâcher de m'anéantir dans le travail[2]. »

Mais le travail, cette drogue qui, d'habitude, le console de tout, ne lui apporte pas la paix désirée. Il ne peut retrouver la tranquillité qu'en écrivant et il a besoin de la tranquillité pour écrire. La double disparition de Flaubert et de sa mère l'a secoué jusqu'aux racines. « Cette année a été une rude année pour moi, une année vraiment noire qui me pèsera longtemps encore, dit-il au critique italien De Amicis venu le voir. Je ne travaille plus comme autrefois ; je ne suis plus le même... Pour écrire, il faut avoir de l'espace et de l'air devant soi ; il faut croire à la vie. »

Quelques jours plus tard, lors d'un passage à Paris, il rend visite à Goncourt et celui-ci lui trouve l'air « lugubre et hagard ». « Vraiment, cet homme de quarante ans fait peine, écrit-il. Il a l'air plus vieux que

1. Lettre du 26 octobre 1880.
2. Lettre du 30 octobre 1880.

moi. » Affalé dans un fauteuil, Zola lui confie ses chagrins, ses angoisses, ses malaises : maux de reins, palpitations de cœur... « Puis, note Goncourt, il parle de la mort de sa mère, du trou que cela fait dans leur intérieur, et il en parle avec un attendrissement concentré et, en même temps, un rien de peur pour lui-même. Et, quand il vient à causer littérature, de ce qu'il veut faire, il laisse échapper la crainte de n'avoir pas le temps pour le faire. La vie est vraiment bien habilement arrangée pour que personne ne soit heureux. Voici un homme qui remplit le monde de son nom, dont les livres se vendent à cent mille, qui a peut-être, de tous les auteurs, fait le plus de bruit de son vivant ; eh bien, par cet état maladif, par la tendance hypocondriaque de son esprit, il est plus désolé, il est plus noir que le plus déshérité des fruits secs[1]. »

À présent, Zola tente de s'étourdir dans des besognes. Il envisage à nouveau la création d'un « journal de combat » avec les amis du groupe de Médan[2], prend des notes pour un futur roman, *Pot-Bouille*, continue de publier dans les revues et les gazettes, travaille avec Busnach à l'adaptation théâtrale de *Nana*. Il compte sur l'agitation fiévreuse des répétitions pour le tirer de sa morne apathie.

La première a lieu le 29 janvier 1881. Les sept tableaux du début se déroulent devant une salle aux réactions médiocres. À l'entracte, Goncourt se rend prudemment dans la loge de l'auteur et y découvre Alexandrine en larmes. Confus, il bredouille qu'à son avis le public n'est, somme toute, pas trop méchant. Dressant la tête, Alexandrine lui réplique d'une voix sifflante : « Vous trouvez ce public bon, vous ? Eh bien, vous n'êtes pas difficile ! » Il s'éclipse sur la pointe des pieds et la pièce continue, avec des hauts et des bas.

---

1. *Journal*, 14 décembre 1880.
2. Cette publication, portant comme titre *La Comédie humaine*, ne verra jamais le jour.

Vers la fin cependant, les spectateurs se réchauffent et applaudissent correctement. L'ultime tableau, celui de l'agonie de Nana, soulève même des exclamations d'enthousiasme. La partie est gagnée. Alexandrine sourit aux compliments, et tous les amis « naturalistes » se réunissent pour un souper chez Brébant. Lorsque Chabrillat, directeur de l'Ambigu, pénètre dans la salle du restaurant, Zola l'interroge : « Avons-nous sauvé la caisse ? » Puis, ce dernier l'ayant rassuré, il se remet à manger avec appétit. Mais le scintillement fallacieux de la scène, la promesse de belles rentrées d'argent ne sont pour lui que des consolations secondaires. Avec angoisse, il se demande quand il retrouvera enfin la liberté d'esprit et la foi en lui-même qui lui permettront de se replonger, la tête la première, dans son œuvre de romancier, la seule qui compte à ses yeux.

XV

DÉLICES DE LA PROVOCATION

Médan est fier de compter parmi ses habitants un homme aussi célèbre que Zola. Le 16 janvier 1881, on l'élit conseiller municipal. Ses nouvelles fonctions ne lui prennent pas trop de temps et l'amusent. Toute expérience, pense-t-il, est bonne pour un romancier. Mais, romancier, l'est-il encore ? Pour le moment, le journalisme le dévore vivant. Ses chroniques du lundi dans *Le Voltaire* sont de plus en plus virulentes. Leur prétexte est certes, très souvent, la littérature, mais l'auteur la confond volontiers avec la politique. Depuis que des chefs aux prétentions démocratiques ont pris le pouvoir en 1877, il va de déception en déception. La République, qu'il a appelée de tous ses vœux, l'indigne parce que aucun de ses représentants ne comprend l'importance du mouvement naturaliste. Soi-disant élus du peuple, ils ne veulent pas admettre que le premier champion du peuple, c'est lui, avec sa théorie de la vérité scientifique. On jurerait qu'il fait peur aux dirigeants républicains comme il a fait peur aux dirigeants de l'Empire. Alors il se déchaîne, dans *Le Voltaire*, contre les prétendus serviteurs de la cause prolétarienne. Jugeant qu'il franchit les bornes de la raison et même de la simple courtoisie, le directeur du *Voltaire*, Jules Laffitte, décide de renoncer à la collaboration de ce journaliste républicain qui prend plaisir à attaquer les journaux républicains. Aussitôt, Zola se tourne vers Francis Magnard, directeur du *Figaro*, qui lui propose un salaire triple : dix-huit mille francs par an. Certes, *Le Figaro* est une feuille conservatrice qui a soutenu Mac-Mahon, mais Zola a reçu l'assurance que, dans ses colonnes, il aurait la plume libre. Dès son premier article, il ouvre le feu contre la médiocrité et l'hypocrisie des faux grands hommes qui gouvernent la France. Même Gambetta a droit à ses foudres. Il s'attaque aussi aux gloires usurpées de la littérature et s'efforce de dégonfler la baudruche Hugo. En revanche, il organise un fraternel battage autour de ses amis du groupe de Médan. Une chronique où il porte aux nues Céard et Huysmans fait tiquer Magnard par son côté publicitaire. Quand le directeur du *Figaro* reçoit un deuxième papier, prônant cette fois le talent d'Alexis et de Maupassant, il réagit avec force : « Laissez-moi vous dire, écrit-il à Zola, qu'un article solennel, en tête du *Figaro*, sur MM. de Maupassant et Alexis, après celui que vous avez consacré à MM. Céard et Huysmans, dépasse vraiment la mesure... Nos lecteurs auraient le droit de trouver la plaisanterie un peu amère[1]. »

Furieux, Zola reprend son article, l'envoie en Russie, à Stassioulievitch, pour *Le Messager de l'Europe* et écrit à Céard : « Un dégoût violent me prend de mes articles au *Figaro*. Je rêve, quand j'aurai lâché ça, un plongeon dans de longs travaux où je pourrai disparaître pendant des mois[2]. » Toutefois, pour ne pas laisser perdre ses textes sur le théâtre et la littérature, il les réunit en cinq volumes que publiera Charpentier : *Le Naturalisme au théâtre, Nos auteurs dramatiques, Les Romanciers naturalistes, Une campagne* et *Documents littéraires*. L'ouvrage intitulé *Les Romanciers naturalistes* est accueilli par une volée de flèches. Charles Monselet, dans

1. Lettre du 29 avril 1881.
2. Lettre du 6 mai 1881.

L'Événement, reproche à Zola de « traîner la littérature par tous les trottoirs immondes » et de « ramasser de l'argent et de la notoriété là où personne ne s'était encore avisé de les chercher ». Révolté par cette campagne de dénigrement, Paul Alexis décide de répliquer, coup pour coup, dans le journal républicain *Le Henri IV*. Connaissant le tempérament fougueux de son ami, Zola approuve son projet, mais lui recommande, sur une carte de visite, d'être « *poliment méchant* : c'est la grande force[1] ». Or, Paul Alexis a la tête trop près du bonnet pour suivre ce conseil. Dans son article, il éreinte Aurélien Scholl et Albert Wolff avec tant de hargne que le premier exige une réparation par les armes. Cette querelle d'honneur va-t-elle s'achever dans le sang ? Le petit monde des lettres s'affole délicieusement. Après réflexion, Paul Alexis refuse d'aller sur le terrain, « le duel n'étant pas, dit-il, naturaliste ». Mais, maladroit à son habitude, il exhibe la carte par laquelle Zola lui a donné son accord. Du coup, Wolff s'en prend à Zola dans *Le Figaro*, dont il est, lui aussi, rédacteur, et l'accuse de « jouer des épaules pour faire le vide autour de lui ». Insulté, Zola veut répondre ; Francis Magnard l'en empêche afin d'éviter une bataille de chiffonniers entre deux collaborateurs de son journal. Puis il cède et l'article paraît. Cependant, Zola a déjà fait son choix ; le 22 septembre 1881, il adresse aux lecteurs du *Figaro* un texte intitulé *Adieux*, dans lequel il déclare qu'il renonce définitivement au journalisme : « Je l'ai souvent maudite [la presse], tellement ses blessures sont cuisantes... Le métier de journaliste était le dernier des métiers ; il aurait mieux valu ramasser la boue des chemins, casser des pierres, se donner à des besognes grossières et infâmes... » Et il écrit au publiciste Jules Troubat : « J'ai quitté la presse et j'espère n'y point rentrer. Dans les derniers temps, j'ai senti que je m'encanaillais. En

_____

1. Lettre du 18 juin 1881.

somme, je me suis assez battu, que d'autres me remplacent. Moi, je vais tâcher de créer[1]. »

Dans l'intervalle, Alexis s'est d'ailleurs pris de bec avec un autre journaliste, Albert Delpit, qui a publié dans *Le Paris* un article encore plus outrageant pour lui et pour Zola : « Le vrai coupable, ce n'est pas le gnome infortuné [Alexis], plus digne de pitié que de colère. En somme, c'est son patron, son chef de file, M. Émile Zola, concurrent de marchands de cartes obscènes, souteneur de filles et grand avilisseur d'âmes... Seulement, c'est un lâche qui aime à insulter, mais qui n'aime pas trop se montrer. » Cette fois, Alexis, obéissant au « code du Boulevard », a provoqué l'insolent en duel. La rencontre a eu lieu, quelque part « à la frontière française ». Alexis a été blessé au bras et l'honneur a été jugé sauf. « Cet écervelé d'Alexis s'est jeté dans un gâchis abominable, a écrit Zola à Édouard Rod. Heureusement, l'affaire est finie. Mais j'en sors tellement écœuré que j'ai fait le serment de quitter à jamais la presse[2]. »

Or, c'est de son métier de journaliste que lui vient brusquement le salut : entre autres articles de portée générale, il a écrit naguère, pour *Le Figaro*, une étude intitulée *L'Adultère dans la bourgeoisie*. Il y analysait le comportement de trois femmes : une détraquée « aux nerfs exaspérés » ; une autre qui, élevée par ses parents dans l'idée fixe d'un riche mariage et ayant épousé un homme de condition modeste, se met en quête d'un amant de haut vol pour satisfaire ses goûts de luxe ; enfin une troisième si foncièrement bornée qu'elle n'imagine même pas la solution de l'honnêteté. Tandis qu'il rédigeait ce texte, une brusque illumination s'est faite dans son cerveau. Il a découvert le thème de *Pot-Bouille*. Aussitôt, il se plonge dans la documentation et résume ainsi le roman qu'il se propose d'écrire : « Parler de la bourgeoisie, c'est faire l'acte d'accusation le

1. Lettre du 5 novembre 1881.
2. Lettre du 21 juillet 1881.

plus violent qu'on puisse lancer contre la société. Les trois adultères, sans passion sexuelle, par éducation, par détraquement physiologique et par bêtise. Une maison bourgeoise neuve, opposée à la maison de la rue de la Goutte-d'Or. Montrer la bourgeoisie à nu après avoir montré le peuple, et la montrer plus abominable, elle qui se dit l'ordre et l'honnêteté. »

Pour renforcer sa démonstration, Zola loge tous ses personnages dans le même immeuble cossu, aux « belles portes d'acajou luisant ». Mais, derrière ces belles portes, quelles turpitudes ! Ce ne sont que disputes sordides, ménage à trois, adultères, chasse au mari, liaisons honteuses, basses intrigues autour d'un héritage. La haine du bourgeois — n'en est-il pas un ? — donne à Zola une fièvre créatrice qui fait courir sa plume. Il abat chaque jour quatre pages de papier écolier grand format. Depuis le temps qu'il n'a pas écrit de roman, il se rattrape. C'est si bon de courber sous le fouet des personnages nés de sa tête ! Le monde des nantis ne se relèvera pas d'une telle correction. Curieusement, cette fureur vengeresse correspond, chez l'auteur, à une existence familiale des plus paisibles. « Ma vie se simplifie, confie Zola à Henry Céard ; il me semble que je vois très clair en ce moment ; je ne demande que cette bonne santé du cerveau pour écrire un livre très sobre et très net. En somme, je suis content[1]. » En déchargeant sa bile, Zola s'épanouit. Il mange beaucoup. Son ventre gonfle. Il faut élargir ses pantalons. Athlète gras aux nerfs fragiles, il s'apprête au combat que ne manquera pas de déclencher la publication de *Pot-Bouille*.

Pour préparer le terrain, Maupassant lance, coup sur coup, un grand article sur Zola et une étude sur le problème de l'adultère. La première livraison du feuilleton, préalablement expurgé, paraît le 23 janvier 1882 dans *Le Gaulois*. Et, dès le surlendemain, c'est l'inci-

1. Lettre du 1er octobre 1881.

dent. Un personnage du roman, conseiller à la cour d'appel, se nomme Duverdy. Or, il existe à Paris un Duverdy, avocat à la cour d'appel et rédacteur en chef de *La Gazette des tribunaux*. Considérant qu'il est diffamé par l'utilisation de son nom dans un ouvrage peu recommandable, le vrai Duverdy somme l'auteur de débaptiser le faux Duverdy. Zola refuse, affirmant qu'il n'y a eu là aucune mauvaise intention de sa part et qu'il prend tous ses noms « dans un vieux Bottin des départements ». N'ayant pu obtenir satisfaction, Duverdy assigne Zola à comparaître devant le tribunal civil de la Seine. L'avocat du plaignant, M⁰ Rousse, ancien bâtonnier, académicien, fait à la fois la critique du procédé et celle du naturalisme : « J'adjure ceux qui m'entendent... de se demander sérieusement, sincèrement, la main sur la conscience, ce qu'ils penseraient s'ils voyaient leur nom..., le nom de leur femme, de leur fille, de leur sœur, roulé, traîné dans une pareille fange, attaché à de pareils tableaux, accroché à de pareilles scènes. » Allant plus loin dans le ridicule, il affirme que certains particuliers pourraient consentir au prêt de leur nom « à M. Jules Sandeau, par exemple, à M. Octave Feuillet..., même à M. Alexandre Dumas !... Mais personne assurément n'aurait consenti à livrer son nom à M. Zola... pour se trouver précipité dans ce monde malhonnête, abject, malade et malsain, où toute apparence d'idéal disparaît pour faire place à une affectation de réalisme plus repoussant encore et plus désolant que la réalité ». En somme, pour M⁰ Rousse, Zola salit tout ce qu'il touche. Avec de grands effets de voix et de manches, il défend la société contre la gangrène de l'art nouveau. L'avocat du *Gaulois* et de Zola, M⁰ Davrillé des Essarts, s'efforce en vain de rappeler que ce procès n'est pas celui de la littérature naturaliste, mais celui de toute la littérature, car il est impossible à un romancier d'inventer un nom sans courir le risque de voir quelque homonyme protester en arguant de son honorabilité. Malgré cette objection de bon sens, Zola prévoit qu'il sera condamné. Le 11 février, avant même l'audience du jugement, il publie dans *Le Gaulois* un article indigné : « Toutes les passions que j'ai pu soulever en quinze ans de bataille littéraire sont exploitées méchamment. On ramasse les vilenies qui traînent sur mon compte dans la basse presse, on répète les sottises courantes. Et l'on va plus loin, on tâche d'ameuter la bourgeoisie, on insinue aux bourgeois qui détiennent le pouvoir : " Vous avez laissé dire la vérité sur le peuple et sur les filles ; la laisserez-vous dire sur votre compte ? " Et, ce qui est tout à fait odieux, on profite de ce qu'on est devant un tribunal pour exciter la magistrature à la rancune. »

Pour une fois, la liberté des écrivains étant menacée dans l'affaire, même les adversaires habituels de Zola lui donnent raison contre le grotesque Duverdy. Comme il le supposait, il est condamné à faire disparaître de son texte le nom litigieux. Mais quelle publicité pour *Pot-Bouille* ! Zola enrage et exulte tout ensemble. « Naturellement, j'ai perdu mon procès contre le Duverdy, écrit-il à Numa Coste. Je le savais à l'avance, car j'avais affaire à un gaillard qui couche avec la magistrature. Mais j'ai perdu en triomphateur et j'ai attaché un fameux grelot [1]. » Déjà, s'adressant à Élie de Cyon, directeur du *Gaulois,* il avait déclaré avec une ironie amère : « L'honorable M. Duverdy va disparaître de mon roman et nous le remplacerons par M. Trois-Étoiles. Je choisis ce nom en espérant qu'il n'est pas très porté. Cependant, s'il existait quelque vieille famille dont il fût l'honneur, je supplie cette vieille famille de m'adresser sa réclamation au plus tôt... Des amis me poussent à aller en appel. Je n'en ferai pourtant rien... Je suis trop seul. Il me suffit que l'honorable Mᵉ Rousse m'ait dénoncé aux tribunaux comme un écrivain dont la société devrait se débarrasser... J'estime que je serais un grand niais de jouer plus longtemps le rôle d'un Don

1. Lettre du 20 février 1882.

Quichotte littéraire. Je désirais faire régler une question de droit et l'on a répondu en voulant m'étrangler [1]. »

Il souhaiterait oublier cette mauvaise chicane. Mais voici que le bruit soulevé dans toute la presse par l'affaire Duverdy incite un certain Louis Vabre, officier de la Légion d'honneur, à demander à Zola de supprimer son nom dans *Pot-Bouille*. Puis ce sont trois Josserand et un Mouret qui se manifestent avec des exigences analogues. Débordé par les réclamations, Zola se fâche et publie une lettre ouverte dans *Le Gaulois* : « Je préviens les homonymes de mes personnages que je ne supprimerai leurs noms de mon roman que contraint par la justice. Ils peuvent m'envoyer du papier timbré. Autant de réclamations, autant de procès. En faisant cela, je cède au seul désir de voir enfin s'établir une jurisprudence nette [2]. » Il s'attend à de nouvelles empoignades. Cependant les plaignants renoncent. *Pot-Bouille* peut paraître en volume, avec la rectification exigée par le tribunal : un Duveyrier remplace le Duverdy.

Le titre, évoquant le pot-au-feu familial, est à lui seul un programme. Tenant le lecteur par la main, Zola l'introduit dans des intérieurs élégants aux odeurs suspectes. Rien que des monstres dans cette respectable maison de la rue de Choiseul. C'est le pendant bourgeois de *L'Assommoir*. D'un quartier à l'autre, les sentiments sont les mêmes. Cupidité, vice, veulerie, ordure, mais ici le tout est enrubanné et parfumé. Or, il y a dans cet étalage de perversité quelque chose de systématique qui diminue la portée de l'acte d'accusation. Il semble bizarrement que l'auteur soit moins à l'aise pour décrire une société qu'il a fréquentée que pour peindre le peuple des faubourgs dont il n'a fait qu'entrevoir les bas-fonds.

En tout cas, dès la publication du roman en feuilleton,

1. Lettre du 14 février 1882.
2. Lettre du 21 février 1882.

les chroniqueurs s'indignent. C'est le *Gil Blas* qui ouvre le feu : « Cette fois, êtes-vous contents, ô bourgeois et bourgeoises qui avez fait le succès de Zola lorsqu'il dépeignait le peuple ou le monde des filles ? Croyez-vous encore à sa soi-disant exactitude ? Est-ce vrai que vous êtes un ramassis d'imbéciles, parfois monstrueux, toujours ignobles, et grotesques même dans l'ignoble ? Est-ce bien votre maison, cette maison de *Pot-Bouille* qui ressemble à un quartier de Bicêtre, pleine de femmes hystériques ou détraquées, avec son idiot, ses gâteux, ses crétins, ses ramollis ? » Albert Wolff parle d'un ouvrage « faux comme un jeton, avec une visible recherche des obscénités et des gros mots ». Même les amis de Zola — le fidèle Alexis mis à part — trouvent que le livre, par sa violence, dépasse le but visé.

Or, Zola est déjà au travail sur un autre roman du cycle des *Rougon-Macquart* : *Au Bonheur des Dames*. Il y évoque la guerre sans merci que se livrent le petit commerce de détail et un grand magasin moderne, superbe, tentaculaire, qui s'étale, rafle la clientèle, dévore les immeubles proches et supprime, une à une, les boutiques traditionnelles du quartier. Pour décrire le fonctionnement et la faune d'un de ces temples du négoce parisien, l'auteur se renseigne auprès de la direction du Bon Marché et du Louvre, interroge le personnel, compulse les catalogues, sollicite les conseils d'un avoué sur les procédés d'expropriation. Après avoir aimablement initié Zola aux arcanes de la réussite du Bon Marché, le secrétaire de Mme Boucicaut, propriétaire de l'établissement, informe celle-ci de la visite « émerveillée » de l'écrivain et ajoute : « J'espère, s'il fait une description du magasin, qu'il n'y emploiera pas la plume avec laquelle il a écrit *Nana* ou *L'Assommoir*. » De son côté, Zola note dans le dossier *Ébauche* : « Je veux, dans *Au Bonheur des Dames*, faire le poème de l'activité moderne. Donc, changement complet de philosophie : plus de pessimisme d'abord, ne pas conclure à la bêtise et à la mélancolie de la vie, conclure au contraire à son continuel labeur, à la puissance et à la gaieté de son enfantement. En un mot, aller avec le siècle, exprimer le siècle, qui est un siècle d'action et de conquête, un siècle d'effort dans tous les sens. » Selon lui, *Au Bonheur des Dames* doit être un hymne à l'esprit d'entreprise de l'homme et au rayonnement de la femme qui apparaît comme la reine du grand magasin, sa raison d'être, son moteur sensuel. « L'odeur de la femme domine tout le magasin », précise-t-il. Le patron du Bonheur des Dames, Octave Mouret, est, au début, un aventurier du progrès commercial, qui ne voit dans ses clientes que des créatures de chair qu'on excite à acheter toujours davantage. Mais il tombe amoureux d'une de ses vendeuses, la douce et vertueuse Denise, qu'il épousera à la fin du récit et qui lui suggérera des mesures propres à améliorer le sort de ses employées.

À l'évidence, en composant ce livre, Zola entend faire une œuvre optimiste. Bien que refusant les étiquettes politiques, il s'inspire du socialisme d'un Guesde, d'un Fourier, d'un Proudhon, d'un Marx et l'accommode à la sauce romanesque. Le commerce à tout va, c'est, pour lui, l'avenir des masses populaires et le petit commerce l'encroûtement du monde ancien. Cependant, ce qui séduira le public dans *Au Bonheur des Dames*, ce ne sont pas les intentions moralisatrices de l'auteur, mais l'extraordinaire peinture du grand magasin avec ses clientes aux yeux brillants d'envie, aux mains fureteuses, aux parfums exacerbés par la chaleur et la convoitise. Ce grand magasin, antre de toutes les jouissances, de toutes les perditions, prend chez lui les proportions d'un paradis maléfique. Toute femme qui y pénètre perd une partie de sa raison.

Pour une fois, l'accueil de la presse est favorable à Zola. On loue l'exactitude de ses descriptions, la sérénité de sa philosophie et le dénouement « simple, vrai et attendrissant ». Mais Zola n'est pas convaincu. À la réflexion, il lui semble que son roman est conventionnel, traditionnel, qu'il ne se distingue pas assez de ce que publient ses confrères. Par chance, il a une autre idée en tête : *La Joie de vivre*. Il a hâte de retourner à la noirceur, au désespoir, au détraquement nerveux. Son inspiration lui est dictée par des lectures scientifiques, avec, en premier, l'œuvre de Charcot. Plongé dans les traités de médecine, il entend que son nouveau livre soit tout imprégné de notations psychiatriques. Il y voit une occasion de se délivrer de ses propres obsessions. Son héros, Lazare, dédaigne la jeune et riche orpheline Pauline Quenu, que son entourage s'emploie à dépouiller de sa fortune et qui se laisse faire, telle une sainte laïque dont la « joie de vivre » serait le dévouement à autrui, l'oubli de soi et l'acceptation des souffrances. Quant au personnage masculin, jamais Zola n'y a mis autant de lui-même. Il prête à Lazare ses hantises morbides, sa croyance superstitieuse en la signification de certains gestes quotidiens, sa timidité, ses répulsions, ses faiblesses d'enfant. Depuis la mort de sa mère, il ne cesse de penser au trou noir qui l'attend après le dernier hoquet. Couché dans son lit, il lui arrive de se croire cloué dans un cercueil. « Je tiendrai beaucoup à garder, pour avoir un type général, mon type de l'homme du monde moderne, et hanté par la mort », note-t-il dans l'*Ébauche* de *La Joie de vivre*. Son dérèglement psychologique, qu'il analyse la plume à la main, le réjouit comme s'il recevait la confidence d'un tiers. « Je suis toujours enfoncé dans mon bouquin qui marche d'un train convenable [1] », écrit-il à Céard.

Avant même qu'il ait achevé son livre, le *Gil Blas* annonce la publication prochaine du feuilleton, avec, à l'intention des lecteurs, une précision sur son contenu. Aussitôt, Goncourt s'affole, car il est lui-même en train d'écrire un roman, intitulé *Chérie,* dont l'héroïne est une jeune fille au caractère courageux et pur. « Ce Zola, le sacré assimilateur que c'est, et cela avec de la

1. Lettre du 22 juin 1883.

sournoiserie de vieux paysan, note-t-il dans son *Journal*. Avec moi, il ne s'était jamais bien nettement exprimé sur le roman qu'il voulait faire ; et jamais, au grand jamais, il n'avait été question d'une étude de jeune fille. Et moi, deux fois, il m'avait demandé de lui lire des passages de ma *Chérie*. Ces temps-ci, j'étais tombé sur l'annonce de son roman dans le *Gil Blas,* où j'avais lu cette phrase de la réclame : " On trouvera là une haute figure de jeune fille, d'une belle vaillance dans le combat de la vie. " Diable ! diable !... Heureusement que les lectures que je lui ai faites ont eu pour témoins Daudet, Huysmans, Geffroy et Céard [1]. »

Quand le début de *La Joie de vivre* paraît dans le *Gil Blas,* Goncourt manque s'étrangler de colère en lisant les pages consacrées à la puberté de Pauline Quenu. N'a-t-il pas décrit lui-même le trouble de sa jeune héroïne devant l'apparition de ses premières règles ? Il est sûr d'avoir lu ce passage à Zola. Pas de doute possible : l'Italien roublard l'a plagié !

Alerté par Daudet, Zola écrit à Goncourt : « De toute ma force, je proteste. Vous ne m'avez jamais lu ce chapitre, je l'ignore encore ; j'aurais évité tout rapprochement possible si je l'avais connu... J'espère que vous ferez un appel à votre mémoire. Souvenez-vous également, mon ami, que, depuis dix-huit années, je vous défends et vous aime [2]. » Embarrassé, mais non convaincu, Goncourt répond : « Mon cher ami, oui, je suis un peu embêté que vous ayez justement choisi le moment où je faisais une étude de jeune fille et de petite fille pour en faire une, et surtout cela : c'est que, comme vous travaillez beaucoup plus vite que moi, moi qui ai commencé un an avant vous, je puis passer près du public auprès duquel vous êtes plus en faveur que je ne le suis, je puis passer pour m'être inspiré de vous. Je suis un peu embêté, voilà tout. Quant au chapitre de

1. Note du 2 novembre 1883.
2. Lettre du 14 décembre 1883.

l'apparition des règles, Daudet s'est trompé, je me rappelle parfaitement le hasard et je n'accuse que le hasard de la similitude. »

À demi rassuré sur le sentiment de son confrère, Zola lui jure, dans une nouvelle lettre, qu'il a dressé le plan de *La Joie de vivre* avant même celui d'*Au Bonheur des Dames* et qu'il l'a laissé de côté parce que, frappé par la mort de sa mère, il n'a pas eu le courage de se consacrer à un livre aussi sombre. Ces explications ne suffisent pas à calmer la rancune de Goncourt qui note dans son *Journal*, à la date du 27 décembre 1883 : « C'est curieux le manque de pudeur de cœur chez Zola. Dans *La Joie de vivre*, il a fait de la copie avec l'agonie de sa mère. » Le 11 février 1884, il va plus loin dans l'opprobre et la critique : « Au fond, dans ce roman de *La Joie de vivre*, la Pauline en sa perfection extra-humaine est une héroïne de Feuillet dans de la merde, une héroïne de Feuillet qui, au lieu de n'avoir pas de règles, les a perpétuellement et, au lieu de faire la charité à des pauvres bien lessivés, la fait à des êtres-ordures. Rien de vraiment intéressant dans le livre, pour nous, que l'analyse que Zola a faite de lui-même, de sa peur de la mort, de son extraordinaire *coyonnade* morale sous le nom de Lazare. Car dans ce livre, comme dans les autres livres de ce singulier chef d'école, c'est toujours la créature de pure imagination, la créature fabriquée par les procédés de tous les auteurs qui l'ont précédé ! Oui, je le répète encore une fois, chez Zola, les *milieux* seulement sont faits d'après nature, et le personnage toujours fabriqué *de chic*. »

Les amis de Zola ont des réactions plus chaleureuses, mais avec quelques réticences. Ils voient en Lazare une incarnation désobligeante de leur propre pessimisme, la caricature de la jeunesse désenchantée de l'époque. Parmi eux, seul Maupassant affiche un enthousiasme sans réserve. Quant aux critiques professionnels, tout en reconnaissant la puissance du roman, ils déplorent l'abondance de « détails physiologiques » (Francisque Sarcey) et la peinture complaisante de toute une génération portée à exalter « le blafard et le morne » (Édouard Drumont).

Peu importe à Zola : avec ce livre, il croit s'être guéri d'un fantasme macabre. D'ailleurs, la vente marche bien. Aucune ombre n'obscurcit, devant lui, l'horizon. C'est avec stoïcisme qu'il supporte la mort d'Édouard Manet et celle d'Ivan Tourgueniev. De toutes ses forces, il veut vivre, inventer, créer et, si possible, achever le cycle des *Rougon-Macquart.* Son ami Paul Alexis lui consacre une longue étude, *Émile Zola, notes d'un ami.* Pour l'écrire, il a demandé au maître de lui raconter tout au long sa carrière. Cet ouvrage pieux semble à Zola une promesse de survie dans la postérité. Autre signe encourageant : Alfred Grévin lui a rendu visite et a sollicité l'honneur de faire figurer sa statue en cire dans le musée qu'il vient d'ouvrir, 10, boulevard Montmartre. Cette preuve supplémentaire de sa popularité réjouit Zola et il accepte de poser pour le sculpteur Ringel, chargé d'exécuter son effigie. Quand elle est prête, il admire le résultat : cet autre lui-même, figé à jamais, avec ses joues roses, ses yeux de verre et sa barbe sombre, striée de poils gris. À la demande d'Alfred Grévin, il prépare un paquet de vêtements, pris dans sa garde-robe, pour habiller le mannequin. Jusqu'à présent, c'était son œuvre qui appartenait au public ; désormais, ce sera aussi sa personne. Doit-il s'en réjouir ou s'en alarmer ?

À mesure que son audience grandit, il se rencogne plus jalousement dans son trou de Médan. Instruit par ses récents échecs au théâtre, avec une adaptation de *La Curée* intitulée *Renée,* qui a été refusée à la Comédie-Française, et une autre de *Pot-Bouille,* qui n'a fait qu'une cinquantaine de représentations, il ne veut plus rien savoir ni de Paris, ni du journalisme, ni de la scène : « Je ne suis plus qu'un romancier », a-t-il déclaré à

Numa Coste à la fin de 1881[1]. Depuis cette date, il a constaté un fléchissement parmi ses amis du groupe de Médan, qui un à un s'éloignent de lui, se dispersent, cherchent à voler de leurs propres ailes. Après avoir rêvé d'une bataille collective pour le triomphe du naturalisme, il se retrouve seul champion d'une cause dans laquelle, plus que jamais, il reconnaît la religion de la justice, de la science et du progrès. Et cette solitude, loin de l'inquiéter, le réconforte. Il a conscience d'être né pour écrire l'œuvre à laquelle il travaille, à l'écart de tous, indifférent aux clabauderies et aux éloges, comme son père, l'Italien visionnaire et têtu, était né pour construire le canal Zola.

1. Lettre du 5 novembre 1881.

XVI

ENQUÊTES SUR LE TERRAIN

Médan, c'est à la fois le grand air, le confort, la paix conjugale et le travail acharné. Refuge contre les importuns et usine à livres, cette maison champêtre représente pour Zola la justification et la récompense de toute une vie d'écrivain. Il y passe les trois quarts de l'année, en ours tournant dans sa fosse. Quand il se rend à Paris, il renoue avec ses habitudes et réunit, le jeudi soir, le groupe des jeunes naturalistes. En vérité, tous ces anciens « débutants » ont pris de la bouteille. Hennique, Maupassant et Céard ont trente-quatre ans, Huysmans trente-six et Alexis trente-sept. Chacun a suivi son chemin en s'efforçant d'affirmer sa personnalité hors du cénacle. Ils n'ont plus grand-chose de commun avec l'auteur de *L'Assommoir,* mais continuent à se rassembler autour de lui en souvenir de leurs premiers pas. Au cours de ces rencontres hebdomadaires, une respectueuse affection pour le maître a remplacé l'enthousiasme. Parfois, constatant à quel point certains de ses disciples se sont écartés de lui, Zola les rappelle à l'ordre. Ainsi, ayant lu *À rebours* de Huysmans, il voit dans l'histoire de ce névropathe raffiné et excentrique une rupture avec le naturalisme. L'œil noir, le verbe saccadé, il reproche à l'auteur de s'être éloigné des préceptes sacrés de la vérité scientifique pour se lancer dans une entreprise de folle invention. Et, comme Huysmans proteste qu'il a éprouvé le besoin d' « ouvrir une fenêtre », de « fuir un milieu où [il étouffait] », Zola, à bout d'arguments, s'écrie : « Je n'admets pas que l'on change de manière et d'avis ; je n'admets pas que l'on brûle ce que l'on a adoré ! » Puis il se radoucit et tous deux reconnaissent qu'en littérature les lois sont certes nécessaires, mais que, ce qui prime, c'est le talent.

Les rapports entre Zola et Goncourt, après l'accusation de plagiat, ont évolué vers une correcte sympathie. Daudet s'étant plaint, à son tour, de certaines ressemblances entre ses œuvres et celles de Zola, de ce côté-là aussi la polémique s'est apaisée. Zola congratule chaleureusement Daudet pour son roman *Sapho* et Goncourt pour son roman *Chérie,* publiés l'un et l'autre en 1884. Lorsque Daudet annonce, dans *Le Figaro,* que, contrairement aux rumeurs qui courent de-ci de-là, il ne se présentera jamais plus à l'Académie française, Zola le félicite en ces termes : « Ah ! la belle lettre, votre lettre de ce matin au *Figaro,* tombant dans la sale cuisine académique de l'heure présente ! J'en ai le cœur tout chaud[1]. » Son hostilité aux distinctions officielles le pousse de même à refuser d'être décoré de la Légion d'honneur. Au sénateur Charles d'Osmoy, qui sans le consulter a entrepris des démarches dans ce sens, il écrit vertement : « Ayez la bonté de défaire ce que vous avez fait[2]. » Fidèle à sa conception de la vraie grandeur, il estime qu'en acceptant un ruban, dont tant de médiocres tirent vanité, il se diminuerait à ses propres yeux. Son seul titre de gloire doit être le monument des *Rougon-Macquart,* auquel il travaille sans relâche.

Il accumule déjà des notations pour le treizième volume de la série, intitulé *Germinal,* et qui aura « pour cadre une mine de houille et pour sujet central une

1. Lettre du 1er novembre 1884.
2. Lettre du 9 juillet 1884.

grève [1] ». Or, il ne connaît rien à cet univers souterrain ni aux revendications des mineurs. Un voyage sur place s'impose. En février 1884, sur le conseil du député Alfred Giard, il se décide pour une expédition, carnet à la main, dans le bassin du Nord. Il y arrive au moment où les mineurs se mettent en grève. Une grève sauvage, qui durera cinquante-six jours et se terminera par un échec. Afin de mieux se documenter sur le « Pays noir », il se rend à Anzin, assiste à des meetings socialistes, s'informe sur la question ouvrière, descend, en compagnie d'un ingénieur, dans la fosse Renard à six cent soixante-quinze mètres sous terre. Ventripotent, le souffle court, le cœur faible, il erre dans les galeries obscures, avec le sentiment que plus jamais il ne reverra le jour. Ce malaise craintif ne l'empêche pas de noter au vol ses impressions de l'enfer : « La descente commence... Sensation d'enfoncement, de fuite sous vous, par la disparition rapide des objets. Puis, une fois dans le noir, plus rien. Monte-t-on, descend-on ?... La pluie commence à une certaine profondeur, d'abord faible, puis augmentant... On s'enfonce dans une galerie... D'abord, des muraillements, une galerie assez étroite... Entre les bois, les plaques de schiste se feuillettent... Des croisements de rails dans lesquels on bute... On entend brusquement un roulement lointain, c'est un train de berlines qui arrive. Si la galerie est droite, on aperçoit la petite lueur de la lampe au loin, une étoile rouge dans une nuit fumeuse. Le bruit se rapproche, on aperçoit vaguement le cheval blanc qui traîne. Un enfant est assis sur la première berline, c'est le conducteur... Enfin nous voici au fond de la galerie de roulage... Au fur et à mesure que les ouvriers avancent dans la houille, ils boisent derrière eux... Cette galerie est poussée par les piqueurs qui extraient le charbon de la veine... L'ouvrier se met sur le flanc et attaque la veine de biais. J'en ai vu un tout nu, avec la peau salie

1. Lettre à Antoine Guillemet du 3 avril 1884.

de poussière noire. Les yeux et les dents blanches. Quand ils rient, des Nègres. »

Les images que Zola reçoit de la mine sont si nombreuses et si vives qu'il redoute de succomber sous leur nombre. La difficulté, cette fois, sera de ne pas faire de *Germinal* un reportage pittoresque, mais d'y mêler des personnages solidement définis, des idées sociales simples et fortes, une intrigue qui tienne debout. Pour s'imprégner davantage de l'atmosphère du pays et des mœurs de ses habitants, Zola visite les petites maisons proprettes des corons, consulte des médecins au sujet des maladies professionnelles, interroge les mineurs sur leurs méthodes d'extraction de la houille, sur leur salaire, sur les dangers du grisou, sur leurs loisirs à l'air libre, boit avec eux de la bière et du genièvre dans les estaminets. À leur contact, il décide que le héros de son livre sera la foule de ceux qui exercent ce métier de taupes et qui en crèvent. En face d'eux, il animera les gens du niveau supérieur : ingénieurs, actionnaires, propriétaires d'un charbonnage. Mais il ne veut pas charger de tous les maux ces quelques privilégiés à cols blancs. Pour lui, ils ne font qu'appliquer une règle de vie. Ce n'est pas eux qui sont à condamner, c'est le système capitaliste actuel. Il sent que plus il se montrera impartial dans son tableau, plus il aura de chances d'apitoyer le public sur le sort des centaines de damnés qui triment dans les galeries obscures. Devant une telle misère, un simple constat aura plus de portée, pense-t-il, qu'un acte d'accusation aux exagérations mélodramatiques.

Après une huitaine de jours passés à Anzin, il rentre à Médan avec l'impression d'avoir derrière lui une longue carrière de mineur. Sa mémoire visuelle est prodigieuse. Tout ce qu'il a observé est non seulement noté dans ses carnets mais gravé dans son cerveau. Assis à son bureau, il suffit qu'il ferme les yeux pour que surgissent devant lui des visages noircis, des wagonnets brimbalant sur des rails, des lampes tempête dont la lueur oscille au milieu d'un brouillard sombre et étouffant. Le dossier de *Germinal* se gonfle peu à peu de précisions nouvelles : lectures, conversations édifiantes, notes sur un meeting du Parti ouvrier de la région parisienne auquel il s'est rendu avec Paul Alexis. Les bouillants Jules Guesde et Paul Lafargue y ont pris la parole, ainsi qu'un délégué des grévistes d'Anzin. Zola les a écoutés avec une attention de militant de la cause du peuple. Il est avec eux, mais il veut rester neutre. Sa tête est pleine à craquer. Enfin, le 2 avril 1884, il trace les premiers mots de *Germinal,* ce « grand coquin de roman », selon son expression. « Je crains qu'il ne me donne beaucoup de mal, confie-t-il à Antoine Guillemet. Mais que voulez-vous faire ? Il faut labourer son champ[1]. »

Le sujet l'inspire chaque jour davantage. Il écrit avec bonheur et facilité. Au mois de mai, il a déjà achevé la première partie du livre ; en juillet, c'est la deuxième partie qui est bouclée. Pourvu que sa santé ne le trahisse pas en cours de route ! Il pèse près d'un quintal, respire avec difficulté et craint d'avoir du diabète. Alexandrine, elle aussi, est souffrante. Des crises d'asthme. En août, ils partent tous les deux pour Le Mont-Dore. Arrivés par le train à Clermont-Ferrand, ils doivent ensuite parcourir en voiture, par des chemins escarpés, quarante-sept kilomètres jusqu'à la station. Un orage, avec éclairs et chute de grêle, les surprend et les chevaux s'arrêtent.

Au Mont-Dore, le panorama, que domine le puy de Sancy, déçoit les voyageurs. Zola n'y voit qu'un alignement de « bosses rondes ». Il est désorienté par la vie d'hôtel, agacé par les obligations de la cure. Néanmoins, il prend régulièrement des bains de vapeur et compte sur les promenades pour faire fondre son ventre. Le soir, il bavarde avec des clients de l'établissement thermal, et notamment avec Séverine et Vallès qui, eux aussi, suivent le traitement. Vallès, l'œil hagard, lui

1. Lettre du 3 avril 1884.

semble déjà à peine vivant. Tous ces malades acharnés à se soigner l'impressionnent comme des annonciateurs de sa propre fin. En revanche, il reconnaît que les inhalations et les eaux réussissent à Alexandrine. Constatant qu'elle va mieux, il l'entraîne dans une excursion, à cheval, au Sancy. Ni elle ni lui n'ont jamais posé leur derrière sur une selle. Le docteur Magitot, de Paris, les accompagne. Un guide les précède. Les haridelles sont équipées avec des débris de harnais. Le guide est sourd. On traverse la Dordogne aux eaux rapides et, à la hauteur de la cascade du Serpent, la rosse d'Alexandrine part au trot sur un sentier en pente raide. Affolée, elle crie et, lâchant les rênes, tombe à la renverse, la tête en bas, le pied pris dans l'étrier. Sautant de sa propre monture, Zola se précipite aussi vite que le lui permet sa corpulence et, avec l'aide du guide et du docteur Magitot, dégage sa femme tout endolorie. Après cet incident, les touristes refusent de continuer à cheval et font à pied les cinq kilomètres qui les séparent du Mont-Dore.

Zola est sévère pour le paysage. « Il faut vous dire, écrit-il à Henry Céard, que j'ai toujours mes sacrées montagnes du Midi dans la tête et que les verdures fleuries de ces pays auvergnats n'arrivent même pas à me désarmer. Je trouve ces bosses bêtes, l'horreur de leur Val d'Enfer et de leur gorge de Chaudefour me semble une horrible bergerie lorsque je me rappelle certains coins de là-bas [1]. » La vérité est qu'il en a assez de la cure, des vacances, et qu'il est pressé de retrouver son bureau. L'envie d'écrire le saisit au ventre comme une colique.

Rentré à Médan, il se replonge, avec délices, dans son labeur de forçat amoureux de ses chaînes. Le livre reprend sa course avec une aisance nouvelle. *Germinal,* c'est avant tout l'histoire d'une révolte du Travail contre le Capital. Le héros, Étienne Lantier, se fait engager

1. Lettre du 25 août 1884.

dans une mine et très vite, indigné par la condition inhumaine des ouvriers du fond, organise des réunions de protestation, crée une caisse de secours, déclenche une grève. Elle échouera après deux mois et demi de lutte, mais elle aura contribué à donner aux travailleurs le sentiment de leur fraternité dans le malheur et de la justesse de leurs revendications. Une intrigue amoureuse serpente à travers cette épopée. L'ensemble laisse au lecteur l'impression angoissante de se mouvoir, à tâtons, dans un labyrinthe noir, où la roche s'oppose à la chair humaine et la détresse des mineurs à l'égoïsme des possédants. Si, dans *Les Misérables,* Hugo a peint l'insurrection d'une folle jeunesse, en juin 1832, sur les barricades, il l'a fait avec des accents romantiques. Les mineurs de *Germinal,* eux, ne sont pas des intellectuels qui se battent pour des idées ; ils obéissent à un instinct animal, qui les oblige à réclamer plus de considération et plus d'équité. Leurs femmes, leurs enfants les poussent dans le dos. Ils avancent en troupeau dans un piétinement irrésistible vers ce qu'ils croient être la lumière. Et, cette marche têtue, Zola en traduit admirablement la progression par son style bâclé. La lourdeur, les maladresses, les répétitions qui surchargent son texte lui donnent une étrange puissance incantatoire. Ses descriptions à l'emporte-pièce font surgir la vie mieux que ne le ferait une prose léchée. En le lisant, on entend le halètement de la foule. Plus il écrit mal, plus il frappe fort. *Germinal* achevé, il dira à Céard : « J'ai l'hypertrophie du détail vrai, le saut dans les étoiles sur le tremplin de l'observation exacte. La vérité monte d'un coup d'aile jusqu'au symbole [1]. »

Le 23 janvier 1885, il trace les ultimes phrases du roman, se relit et éprouve la satisfaction du travail mené à bonne fin : « Je suis enchanté ! écrit-il à Charpentier en lui envoyant les deux derniers chapitres. Ah ! que j'ai

1. Lettre du 22 mars 1885.

besoin d'un peu de paresse[1] ! » À la réflexion, il ne croit pas que cette histoire de gueules noires dévorées par le Minotaure des houillères puisse passionner un large public. Or, il se trouve que le « thème social » est dans l'air du temps. Le 16 février 1885, l'enterrement de Jules Vallès est suivi par Rochefort, Jules Guesde, Clemenceau. Derrière eux, des milliers de manifestants ouvriers hurlent *L'Internationale,* au grand effroi des bourgeois massés sur le trottoir. Trois mois plus tard, c'est Hugo, le chantre des Misérables, dont la France entière pleure la disparition. Son « corbillard des pauvres » émeut les bonnes âmes. Après avoir été exposé sous l'Arc de Triomphe, sur un énorme catafalque, le cercueil, accompagné d'un long cortège où voisinent les pompiers de Paris, la Ligue des patriotes, les Loges, la Société des gens de lettres et la Société de gymnastique, est acheminé vers le Panthéon. Sur le passage du convoi funèbre, un million d'hommes et de femmes retiennent leurs sanglots. Zola assiste à ces obsèques nationales. Bien qu'il ait, depuis quelque temps, nié publiquement l'importance du vieux barde, il se croit obligé de lui rendre un dernier hommage en souvenir de ses admirations d'autrefois. « Victor Hugo a été ma jeunesse, écrit-il à Georges Hugo, petit-fils du défunt. Je me souviens de ce que je lui dois. Il n'y a plus de discussion possible en un pareil jour, toutes les mains doivent s'unir, tous les écrivains français doivent se lever pour honorer un Maître et pour affirmer l'absolu triomphe du génie littéraire[2]. » Toutefois, dans l'intimité, il montre moins d'exaltation. Lors d'une réunion chez Goncourt, il se contente de murmurer : « Je croyais qu'il nous enterrerait tous, oui, je le croyais. » « Et, note Goncourt, il se promène dans l'atelier comme dans un soulagement procuré par cette mort et

1. Lettre du 23 janvier 1885.
2. Lettre du 22 mai 1885.

comme s'il devait hériter de la papauté littéraire[1]. »

Dès la publication de *Germinal* en feuilleton dans le *Gil Blas,* les esprits s'échauffent. Parmi les critiques, les uns dénoncent, une fois de plus, le « parti pris d'ordures », les autres louent le courage de cette franche description du monde des travailleurs, d'autres encore reprochent à l'auteur de n'avoir choisi comme personnages que des ouvriers haineux, agressifs, alors qu'il eût fallu leur attirer la sympathie des lecteurs. Jules Lemaitre accuse Zola d'avoir écrit « une épopée pessimiste de l'animalité humaine ». Octave Mirbeau, tout en criant au génie, l'implore de « renoncer aux mots crus » et de laisser « ces procédés démodés » aux naturalistes de seconde zone, « qui barboteront toute leur vie dans la crotte ». Le public, lui, reçoit le livre comme un choc qui lui ouvrirait les yeux sur la souffrance du peuple. Certains s'étonnent qu'une telle misère puisse exister en France, au XIXe siècle. Ils ont l'illusion, en lisant ces pages amères, de visiter un pays étranger.

Sans atteindre le succès de *L'Assommoir, Germinal* se vend bien. Zola est devenu un éveilleur de consciences. Interrogé par un journaliste du *Matin,* il lui confie le fond de sa pensée : « Dût-on m'accuser d'être un socialiste, quand j'ai étudié la misère des travailleurs des mines, j'ai été pris d'une immense pitié. Mon livre, c'est une œuvre de pitié, pas autre chose, et, si quiconque en le lisant éprouve cette sensation, je serai heureux, j'aurai atteint mon but... Il y a un grand mouvement social qui se prépare, une aspiration de justice dont il faut tenir compte, sinon la vieille société sera balayée. Cependant, je ne pense pas que le mouvement commencera en France, notre race est trop amollie. C'est même pour cela que, dans mon roman, c'est dans un Russe que j'ai incarné le socialisme

1. *Journal,* 24 mai 1885.

violent [1]. Aurai-je réussi à faire comprendre, dans mon roman, les aspirations des misérables vers la justice ? Je ne sais. Mais j'ai voulu aussi bien établir que le bourgeois lui-même n'est pas coupable individuellement. C'est la collectivité qui a toute la responsabilité [2]. »

On pourrait croire que l'effort fourni pour mener à bien *Germinal* a épuisé Zola. Ce serait mal connaître son extraordinaire capacité de travail. À peine a-t-il fini de répondre aux lettres de félicitations de ses amis sur ce dernier roman qu'il envisage d'en entreprendre un autre : « *Germinal* m'a laissé réellement fatigué et souffrant, déclare-t-il au journaliste d'une revue portugaise [3]. Voilà pourquoi je veux écrire un roman en demi-teinte, un roman n'exigeant pas un gros effort... *L'Œuvre* est le titre choisi, mais ce titre n'est pas définitif, n'étant pas assez bon. » Déjà il griffonne des notes pour cette histoire qui doit se dérouler dans le milieu artistique. Mis au courant de son projet, Goncourt s'en amuse haineusement : « Dans un coin, Zola extirpe des renseignements à Frantz Jourdain [4] pour son volume futur sur les artistes. Je ris dans ma barbe de sa tentative de faire à nouveau une *Manette Salomon* [5]. C'est périlleux pour un homme complètement étranger à l'art de vouloir faire tout un volume sur l'art. Et Huysmans éprouve à l'avance le même sentiment ironique à l'égard de ce livre. Il disait dernièrement à Robert Caze [6], en se frottant les mains : " Je l'attends là ! " [7] »

Coiffé par son idée fixe, Zola croit que le monde entier guette avec impatience la prochaine production du maître de Médan. Comment se douterait-il que,

---

1. Ce personnage est l'anarchiste Souvarine.
2. *Le Matin*, 7 mars 1885.
3. *A Illustração*, 5 juin 1885.
4. Architecte, romancier et critique d'art.
5. Roman des frères Goncourt (1867).
6. Romancier et journaliste.
7. *Journal*, 19 avril 1885.

parmi tant de gens qui se prétendent ses amis, si peu soient sincères ? Il réussit trop bien pour être aimé de ses confrères moins chanceux. Même à l'étranger, il est l'auteur français le plus lu et le plus admiré. En Russie, en Italie, en Allemagne, en Autriche, en Hollande, en Angleterre, en Espagne, au Portugal, il passe pour un chef d'école. Son naturalisme fait tache d'huile au-delà des frontières. L'envie sournoise qui l'entoure est la rançon de sa notoriété qui grandit et de l'argent qu'il ramasse par brassées.

XVII

UN ROMAN À CLEFS

Pour une fois, en se lançant dans la préparation d'un roman, Zola n'éprouve pas le besoin de s'informer dans les bibliothèques et auprès des spécialistes de la question. Tout ce dont il a besoin pour construire *L'Œuvre*, il le trouve en interrogeant ses propres souvenirs. Il a connu tant d'artistes, visité tant d'ateliers, écumé tant d'expositions, entendu tant de commentaires sur la peinture et la sculpture contemporaines qu'il se sent de plain-pied avec son sujet. Même ses images d'enfance et de jeunesse entreront comme ingrédients émotionnels dans l'élaboration du livre. Ainsi, à l'âge de quarante-cinq ans, va-t-il nourrir de son passé un récit en apparence imaginaire.

Il préférerait commencer de l'écrire à Médan. Mais il est retenu à Paris parce qu'Alexandrine y suit un traitement pour ses douleurs rhumatismales. Tant pis, il ne peut plus attendre ! Le 12 mai 1885, il lâche la bride à son inspiration et, pendant un mois et demi, abat page sur page. Le 30 juin, de retour dans sa maison de campagne, il a la joie d'y recevoir Paul Cézanne. C'est le Ciel qui lui envoie ce vieux compagnon pour lui rafraîchir la mémoire ! Cézanne, chauve, désabusé, mais de nouveau amoureux, se plaint de ses échecs. Il trompe sa femme et patauge dans sa peinture. Méconnu, méprisé, il envie, lui aussi, la réussite phénoménale de

Zola. Dans son for intérieur, il ne comprend pas la faveur dont celui-ci jouit auprès du public, pas plus que Zola n'apprécie le talent de ce furieux barbouilleur de toiles. Ensemble, ils évoquent les claires journées d'Aix, la bohème famélique de Paris, tout ce qui les unit encore malgré la différence de leur état présent. Cézanne ne paraît nullement offusqué par l'idée du prochain roman de son ami sur l'univers des peintres. Cette indifférence bourrue encourage Zola à mettre beaucoup de Cézanne dans son héros, Claude Lantier. Il y ajoutera quelques traits de Manet et aussi de lui-même. « En un mot, j'y raconterai ma vie intime de production, note Zola dans ses dossiers, ce perpétuel accouchement si douloureux ; mais je grandirai le sujet par le drame, par Claude qui ne se contente jamais, qui s'exaspère de ne pouvoir accoucher de son génie, et qui se tue à la fin devant son œuvre irréalisée. »

Afin de mieux préciser tout ce qu'il compte emprunter à sa propre existence pour animer celle de ses personnages, il écrit encore : « Ma jeunesse au collège et dans les champs — Baille, Cézanne. Tous les souvenirs du collège : camarades, professeurs, quarantaine, amitié à trois. Dehors, chasses, baignades, promenades, lectures, familles des amis. À Paris, nouveaux amis. Collège. Arrivée de Baille et de Cézanne. Nos réunions du jeudi. Paris à conquérir, promenades. Les musées. Les divers logements... Les ateliers de Cézanne. » Autre indication : « Lutte de la femme contre l'œuvre, l'enfantement de l'œuvre contre l'enfantement de la vraie chair. Tout un groupe d'artistes. » Nourrie de son sang, L'Œuvre sera, pense-t-il, le plus personnel de ses romans. Le seul qui tiendra à lui par toutes les fibres de son passé. Il y apparaîtra déguisé, bien sûr, mais ceux qui le connaissent le démasqueront aisément.

Alors qu'il est en plein travail de rédaction et que pas une ligne de L'Œuvre n'a encore paru en feuilleton, un journaliste du Figaro, qui signe Parisis, annonce que la publication de ce livre risque de troubler la bonne entente existant entre les trois groupes d'écrivains ralliés autour des trois maîtres de l'heure : Zola, Goncourt et Daudet. « Jamais, écrit Parisis, les trois chefs de file n'avaient encore labouré le même champ, glané les mêmes sillons. C'était comme un mot d'ordre, une convention tacite. Or, voici que le mot d'ordre est méconnu, la convention violée : Zola met carrément le pied dans les plates-bandes du voisin ; le cadre de *L'Œuvre* est précisément ce monde des peintres si magistralement étudié dans *Manette Salomon*, le meilleur livre peut-être des frères de Goncourt. » Et, à l'appui de cette affirmation, Parisis cite une opinion désabusée de l'auteur soi-disant plagié.

Agacé, Zola écrit à un collaborateur du *Figaro*, Joseph Gayda, que son roman n'aura rien de commun avec celui des frères Goncourt : « *L'Œuvre* ne sera pas du tout ce qu'on a annoncé. Il ne s'agit nullement d'une suite de tableaux sur le monde des peintres, d'une collection d'eaux-fortes et d'aquarelles accrochées à la suite les unes des autres. Il s'agit simplement d'une étude de psychologie très fouillée et de profonde passion. » La lettre est reproduite le 25 juillet dans *Le Figaro*. En lisant ce jugement quelque peu dédaigneux de Zola sur *Manette Salomon*, Goncourt sent la moutarde lui monter au nez. « On laisse écrire ces choses aux éditeurs à la quatrième page, note-t-il dans son *Journal*, mais on ne les écrit pas soi-même, à moins d'avoir perdu toute pudeur. Va, va, mon gigantesque Zola, fais simplement une psychologie comme celle du ménage de Coriolis et de Manette[1] ! » Alerté par Goncourt, Daudet, de son côté, écrit à Zola pour lui signaler l'injustice de son opinion sur *Manette Salomon* et lui conseiller d'adresser un mot d'amitié à son irritable confrère. Mais Zola se rebiffe. « J'avoue que

---

1. Note du 2 août 1885. Coriolis et Manette sont les deux personnages principaux de *Manette Salomon*.

Goncourt commence à m'énerver avec sa manie maladive de crier au voleur, répond-il. Depuis longtemps, il va répétant partout que je lui prends ses idées. *L'Assommoir,* c'est *Germinie Lacerteux.* J'ai volé *La Faute de l'abbé Mouret* dans *Madame Gervaisais*. Dernièrement encore — et vous avez été mêlé à l'aventure —, n'a-t-il pas prétendu que j'avais écrit tout un passage de *La Joie de vivre* après avoir entendu la lecture d'un chapitre de *Chérie* ? Même, cette fois-là, j'ai dû me mettre en travers, il a fini par confesser qu'il ne m'avait jamais lu le chapitre en question. Et maintenant, avant que *L'Œuvre* paraisse, voici les plaisanteries qui recommencent. Non, non, mon bon ami, je suis un brave homme, mais il y en a assez !… Vous me demandez une lettre pour raccommoder les choses. D'abord, j'espère bien qu'il n'y a rien de cassé. Et puis, vraiment, je ne la sens pas, cette lettre. M'excuser, de quoi ? J'aime mieux que vous montriez celle-ci à Goncourt, si vous le jugez bon, car il saura au moins la vérité. Franchement, puisque vous parlez de lettre, ne croyez-vous pas que c'est Goncourt qui aurait dû m'en écrire une au lendemain de ce malheureux article [1] ? »

Alors qu'il s'apprête à envoyer ces lignes au vitriol, Zola reçoit un billet conciliant de la part de Goncourt. Se ravisant, il met de côté la missive rédigée dans un mouvement de colère et en expédie une autre à Daudet, d'une encre raisonnablement édulcorée : « Mon bon ami, je reçois une lettre de Goncourt, je lui réponds et voilà toute cette sotte affaire oubliée. Mais, en vérité, l'article du *Figaro* m'avait blessé au cœur. Me voyez-vous sur le point de me mettre un matin au travail et lisant cela ? J'étais un traître, on menaçait de rompre avec moi, et Goncourt était là qui avait l'air de crier au voleur parce que j'osais toucher au monde des peintres… Cela doit nous servir de leçon. Comme vous le

1. Lettre du 25 juillet 1885.

dites, serrons les rangs, ne nous laissons pas entamer[1]. »

Bien que l'armistice ait été rapidement conclu, cette affaire laisse dans la chair de Zola une cicatrice profonde. Il éprouve du mal à se remettre au travail sur *L'Œuvre*. Une diversion se présente. Il décide de participer activement à l'adaptation théâtrale de *Germinal* entreprise par Busnach. Ce sera lui qui écrira les dialogues. La chose est rondement menée et, le 6 août, Busnach écoute la lecture des sept premiers tableaux du drame. Les cinq autres sont rédigés au Mont-Dore, où Zola et Alexandrine font une nouvelle cure du 9 août au 3 septembre. Un seul point inquiète Busnach : la censure laissera-t-elle passer la scène où les grévistes affrontent les gendarmes ? Son appréhension se révèle justifiée. Sur avis d'une commission de quatre fonctionnaires, le ministre de l'Instruction publique, René Goblet, approuvé en Conseil des ministres, décide d'interdire *Germinal* à la représentation. Zola étouffe de rage et, dans une lettre à Francis Magnard, directeur du *Figaro,* accuse René Goblet d'avoir voulu ainsi « donner un gage aimable à la réaction ». Toute la presse de gauche prend parti pour l'auteur, victime d'une censure partisane. Refusant de s'incliner face au pouvoir, Zola s'emploie à porter l'affaire devant le Parlement. Le leader du groupe radical, Georges Clemenceau, le conseille sur la meilleure stratégie. Un amendement est déposé par le député Georges Laguerre devant la commission du Budget pour obtenir la suppression du traitement des fonctionnaires chargés de la censure théâtrale. L'amendement est adopté, mais la Chambre vote le maintien de la censure. Zola assiste à la séance et, de retour chez lui, écrit un article virulent destiné au *Figaro*. Il y dénonce la médiocrité des politiciens et la lâcheté de certains auteurs dramatiques qui, tels Meilhac et Halévy, Sardou, Augier, Dumas fils, ne l'ont pas soutenu dans son combat : « Aujourd'hui,

1. Lettre du 26 juillet 1885.

l'affaire est terminée. Vous avez voulu la censure, confrères, gardez-la... Moi, j'attends bien tranquillement, car je m'entête à croire que vous serez délivrés malgré vous. Quand ? Je l'ignore. Si ce n'est pas par le prochain ministère, ce sera par un autre. Dans un an, dans dix ans peut-être. Et comment ? Je ne saurais le dire davantage, projet de loi ou simple trait de plume au budget. Il est des questions qui mûrissent, qui cheminent sous terre. Un jour, on supprimera la censure, et tout le monde, pris de honte, s'étonnera qu'on n'ait pas étranglé la gueuse plus tôt. »

Entre-temps, malgré l'exaspération que lui cause sa vaine lutte contre la censure, Zola s'est remis au travail sur son roman. Avant même que *L'Œuvre* soit terminée, le *Gil Blas* en commence la publication dans son numéro du 23 décembre 1885. Talonné par le feuilleton qui menace de le rattraper, Zola accélère le rythme de sa rédaction journalière. Les six premiers chapitres ont été écrits en six mois ; les six autres sont enlevés en deux fois moins de temps. Et il doit encore corriger les placards destinés aux traducteurs qui le pressent de toutes parts. Le manuscrit est achevé le 23 février 1886 et Zola, exténué et triomphant, annonce à Céard : « Je n'ai fini *L'Œuvre* que ce matin. Ce roman, où mes souvenirs et mon cœur ont débordé, a pris une longueur inattendue. Il fera soixante-quinze à quatre-vingts feuilletons du *Gil Blas*. Mais m'en voici délivré, et je suis bien heureux, très content de la fin d'ailleurs. »

Le peintre Claude Lantier, figure centrale de *L'Œuvre,* a pour ami d'enfance le romancier Sandoz, auquel Zola a prêté ses idées, ses goûts et jusqu'à son aspect physique. Autour d'eux, s'agite un groupe de camarades, tous artistes, et tous plus ou moins copiés sur des familiers de l'auteur : Baille, Alexis, Solari, Guillemet, Pissarro, Monet... Quant à Claude Lantier (mélange de Cézanne et de Manet), il incarne la souffrance d'un créateur qui doute de lui-même. Rongé par une tare héréditaire qui lui vient de sa mère Gervaise, il désespère de ne pouvoir accoucher de l'œuvre géniale qu'il porte en lui. Sa recherche d'un style supérieur l'incline à la folie. Hésitant entre le vertige de l'ambition et la peur de l'impuissance, il se détache de sa femme, Christine, pour s'isoler dans l'art. Sa virilité, il veut la garder intacte pour en nourrir ses tableaux. Il finira par se pendre devant une immense toile inachevée.

Le public, friand de scandales, se persuade qu'il s'agit d'un roman à clefs sur les mœurs dissolues des rapins et les excès de l'impressionnisme. On cherche à découvrir le modèle du héros. Comme Cézanne est parfaitement inconnu de ses contemporains, un nom circule : Manet, le plus célèbre des impressionnistes, Manet qui vient de mourir. C'est de lui que Zola s'est inspiré, à coup sûr, pour peindre un raté du pinceau. Comment a-t-il osé écrire ce livre sacrilège en s'appuyant sur le cadavre d'un ami ? Même Van Gogh, qui connaît de près les impressionnistes, croit à cette parenté étrange. Renoir, lui, regrette : « Quel beau livre il aurait pu faire, dit-il, non seulement comme reconstitution historique d'un mouvement d'art très original, mais aussi comme " document humain " si, dans son *Œuvre*, il s'était donné la peine de raconter tout bonnement ce qu'il avait vu et entendu dans nos réunions et nos ateliers[1]. » Claude Monet écrit à Zola : « Vous avez pris soin, avec intention, que pas un seul de vos personnages ne ressemble à l'un de nous, mais, malgré cela, j'ai peur que, dans la presse et le public, nos ennemis ne prononcent le nom de Manet, ou tout au moins les nôtres pour en faire des ratés, ce qui n'est pas dans votre esprit, je ne veux pas le croire[2]. » Jusqu'à Guillemet, admirateur fervent de Zola, qui ne peut s'empêcher de se plaindre : « Très empoignant, mais très attristant livre, en somme. Tout le monde y est découragé, fait mauvais, pense mauvais. Gens doués de génie ou ratés

1. Cité par Ambroise Vollard dans *Renoir* (1920).
2. Lettre du 5 avril 1886.

finissent tous par faire mauvaise besogne... Pourvu, mon Dieu, que la petite bande, comme dit Mme Zola, n'aille pas vouloir se reconnaître dans vos héros si peu intéressants, car ils sont méchants par-dessus le marché[1]. »

Les craintes de Guillemet à propos de la « petite bande » stupéfient Zola. Il n'a jamais imaginé qu'en évoquant ses amis sous des noms d'emprunt, avec leurs qualités et leurs défauts, il leur porterait ombrage. Ainsi, les artistes sont aussi chatouilleux sur les questions d'honneur que les bourgeois. Amère déception ! Ce qu'il attend avec le plus d'appréhension, c'est la réaction du principal intéressé : Cézanne. Il est exact que Zola n'apprécie guère la peinture de son ami, qu'il le juge incapable de suivre une ligne droite, qu'il le plaint et le méprise même un peu. Quand il lui envoie *L'Œuvre* en volume, il ne peut se défendre d'un rien de remords. Cézanne lui répond, le 4 avril 1886, par un billet laconique : « Mon cher Émile, je viens de recevoir *L'Œuvre* que tu as bien voulu m'adresser. Je remercie l'auteur des *Rougon-Macquart* de ce bon témoignage de souvenir, et je lui demande de me permettre de lui serrer la main en songeant aux anciennes années. Tout à toi sous l'inspiration des temps écoulés. » Zola relit ces lignes et une chape de froid tombe sur ses épaules. Quel ton neutre, conventionnel pour saluer « l'auteur des *Rougon-Macquart* » ! Le doute n'est pas possible : Cézanne a été cruellement meurtri dans son orgueil. Une grande amitié vient de mourir. Pourtant Zola ne se sent pas coupable. L'art justifie tout à ses yeux. Que ne sacrifierait-il pour nourrir de chair et de sang un livre qui lui paraît nécessaire ? Furieux de constater que Cézanne s'est vexé pour peu de chose, il ne cherche même pas à renouer avec lui.

Plus susceptible encore que la majorité des peintres impressionnistes, Goncourt se rue sur *L'Œuvre* pour

1. Lettre du 4 avril 1886.

voir si le plagiat est patent et note dans son *Journal* :
« On sort de ce feuilleton fait à coups de *Nom de
Dieu !* avec l'espèce de triste écœurement qu'on rap-
porte de sa présence par hasard à une scène de basses
et crapuleuses gens. C'est particulier chez Zola, comme
le dialogue est toujours d'un manœuvre, jamais d'un
artiste. La langue de l'artiste peut être émaillée de
jurements, peut être canaille, mais elle a sous les
jurements, sous la canaillerie de l'expression, quelque
chose qui la distingue, qui la sépare, qui la relève de
la langue des charpentiers, et ce sont toujours des
charpentiers qui parlent dans *L'Œuvre*[1]. » Quelques
semaines plus tard, irrité par un article élogieux de
Gille, dans *Le Figaro,* sur le roman de Zola, le même
Goncourt s'en prend de nouveau à ce livre qu'il
abhorre : « Bonne construction du roman *vieux jeu,* du
roman fabriqué par un faiseur vulgaire... J'aime à
rencontrer Zola dans ses livres, c'est au moins un
humain qu'il a étudié — et il semble en avoir connu si
peu d'humains, hommes ou femmes ! Mais vraiment,
dans un seul roman, le trouver fabriquant de sa personnalité deux individus, Sandoz et Claude, c'est trop.
Bientôt, à l'instar de Hugo, tous les personnages des
livres de Zola seront des Zola et je ne désespère pas
que prochainement il s'introduise en personne dans ses
héroïnes... Des artistes, est-ce qu'il en a mis dans son
livre ? Ce sont des charpentiers, des zingueurs, des
égoutiers... Quant aux idées révolutionnaires en art de
Zola, c'est partout un rabâchement patent des tirades
et des *morceaux de bravoure* de Chassagnol[2] et des
autres. Et partout et plus qu'ailleurs, partout des
démarquages... Mais sacredieu ! c'est un roublard que
mon Zola, et il en sait un peu tirer parti de la folie de
l'œil qu'il m'a chipée... Au fond, Zola n'est qu'un
ressemeleur en littérature, et, maintenant qu'il a fini de

1. Note du 23 février 1886.
2. Personnage de l'esthète dans *Manette Salomon.*

rééditer *Manette Salomon,* il s'apprête à recommencer *Les Paysans* de Balzac[1]. »

Cinq jours après, dînant avec le ménage Zola chez les Daudet, Goncourt parle de *L'Œuvre* avec sympathie, mais en émettant de légères réserves, ce qui a pour effet de crisper le maître sur sa chaise. Quand on se lève de table, une discussion entre les deux confrères sur la primauté de l'esprit par rapport à la puissance s'envenime au point qu'Alexandrine répète d'une voix aigre : « Si ça continue, je vais pleurer... Si ça continue, je vais m'en aller ! » « Vraiment, s'indigne Goncourt, il existe chez cet homme vivant dans la solitude et qui n'a plus guère de contact qu'avec des domestiques de sa gloire, il existe un commencement de folie des grandeurs ; l'auteur ne peut plus supporter un blâme, une observation, la plus petite critique[2]. » Conclusion injuste, car, des critiques, Zola en a supporté un bon nombre, avec vaillance, dans sa longue carrière. Cette fois, d'ailleurs, les journaux sont plutôt aimables, tout en reprochant à l'écrivain la tristesse débilitante de sa vision du monde des artistes.

Ce qui garantit Zola contre les atteintes de la presse et la jalousie de ses prétendus amis, c'est le nouveau travail auquel il s'est déjà attelé. Comme le notait méchamment Goncourt, à peine s'est-il évadé de *L'Œuvre* qu'il a mis en chantier un roman dont l'action se déroule dans le monde des paysans. Son titre : *La Terre.* Certes, il a connu les problèmes ruraux à Médan, mais cela ne peut lui suffire. Accompagné d'Alexandrine, il va passer six jours en Beauce, dans le canton de Cloyes. Parcourant le pays en landau, il s'efforce de s'identifier à cette population de trimeurs du sol après s'être identifié, pour *Germinal,* à celle du sous-sol. Et l'habituelle quête des détails vrais recommence. Il note avec avidité : « Les fermes et les villages bleuâtres le matin,

1. *Journal,* 5 avril 1886.
2. *Ibid.,* 10 avril 1886.

par le beau temps... Les clochers qui émergent derrière les plis de terrain. Les routes sans arbres, très blanches, entre les champs verts ; plates, droites à l'infini, des lieues, et les poteaux télégraphiques... La terre labourée est jaune, grasse, forte, profonde. Des ondulations lentes et immenses se détachent sur le ciel, pareilles à celles de la mer par un temps à demi calme... Châteaudun, la ville, le marché... Les hommes sont en pantalon gris ou plutôt noir, de drap, en casquette de drap noir ou en chapeau de feutre rond noir, et grande blouse bleue très simple, foncée... La différence des bleus par le lavage... Les femmes sont toutes en petits bonnets blancs, en caraco noir, souvent bordé de velours, en jupe de couleur grise, bleu foncé, etc., et en grand tablier bleu. » Il inspecte des fermes, dénombre les domestiques (deux batteurs au fléau, trois charretiers, un berger, un porcher, deux vachers, une servante), questionne la fermière, se fait expliquer le fonctionnement de la batteuse à vapeur. Les vachers couchent dans l'étable, les autres dans l'écurie. Bientôt il n'ignore plus rien de la vie à la campagne et du travail des champs. On lui a conseillé de rendre visite à Jules Guesde pour s'initier aux questions sociales. Il déjeune avec le vieux doctrinaire qui lui démontre que la révolution de 89 a berné les paysans. Au cours d'une conversation avec son ami Gabriel Thyébaut, il griffonne dans son carnet : « La terre est toujours la terre. Il faudra toujours en revenir à la chose qu'on mange. Indifférent qui la détiendra. Le paysan commode, acceptant tout, n'importe quel régime tant qu'il mange ; se fâchant dès qu'il a trop de misère. La terre indifférente nourrissant ces insectes. »

L'idée générale, telle qu'il l'expose dans son dossier *Ébauche*, c'est l'appétit démesuré de l'agriculteur pour la terre, qui le conduit à la rapacité, à la cruauté, au cynisme. « Je veux faire le poème vivant de la terre, écrit-il, mais sans symbole, humainement. J'entends par là que je veux peindre d'abord, en bas, l'amour du paysan pour la terre, un amour immédiat, la possession de plus en plus de terre possible, la passion d'en avoir beaucoup parce qu'elle est à ses yeux la forme de la richesse ; puis, en m'élevant, l'amour de la terre nourricière, la terre dont nous tirons tout, notre être, notre substance, notre vie et où nous finissons par retourner. »

L'héroïne du livre, c'est, bien entendu, la terre. Aux mesquines disputes des hommes, qui ne font que passer à sa surface en l'égratignant, elle oppose son insensibilité et sa fécondité éternelles. Pour la posséder, les enfants du ménage Fouan se querellent, volent, tuent sans remords, tandis que se poursuivent autour d'eux labours, semailles, moissons, battages. Comme dans les autres romans de Zola, la violence, ici, éclate à chaque page. L'amour de la glèbe se conjugue avec l'amour de la chair. Inceste, adultère, manœuvres de captation, parricide, hantise de l'argent à amasser et de la propriété à élargir, tous ces ingrédients forment une soupe épicée et brûlante qui vous emporte le palais.

Interrogé par l'éditeur londonien Henry Vizetelly, qui lui a acheté, avant publication, les droits de *La Terre*, Zola lui expose ainsi la teneur du roman : « *La Terre* sera une étude du paysan français : son amour du sol, sa lutte séculaire pour le posséder, ses travaux écrasants, ses courtes joies et ses grandes misères... Même son avenir sera indiqué, c'est-à-dire le rôle qu'il pourrait jouer dans une révolution socialiste... En somme, je veux faire pour le paysan ce que j'ai fait dans *L'Assommoir* pour l'ouvrier parisien [1]. »

Comme d'habitude, il se prépare à essuyer une bordée d'injures, dès la sortie du feuilleton dans le *Gil Blas*. « On va m'accuser de faire un paysan de fantaisie, écrit-il au journaliste Arsène Alexandre. Cela est dans l'ordre et je m'y attends. Du moment que mon paysan, celui de la réalité, n'est pas le paysan chauvin et

---

1. Lettre du 24 mars 1887.

conservateur de l'opinion courante, il est évident que je dois l'inventer[1]. » Malgré cette crainte, il accepte de voir paraître les premiers chapitres dans le journal, alors qu'il lui en reste encore huit à écrire. De nouveau, c'est la course épuisante contre le *Gil Blas,* qui lui « dévore trois cents lignes par jour[2] » ! Il est obligé de « [se] décarcasser jusqu'à deux heures du matin sur des phrases, pour vouloir leur faire dire des choses qu'elles ne disent pas à [son] idée[3] ». Et pour quel résultat ?

Déjà les gazettes crient haro sur le livre. On accuse l'auteur d'avoir insulté le paysan français en le ravalant à l'état de bête. Octave Mirbeau, son admirateur habituel, trouve que « *La Terre* est une œuvre d'imagination douteuse ». Anatole France déclare qu'il y voit « *Les Géorgiques* de la crapule » et que « M. Zola est digne d'une profonde pitié ». Pour Brunetière, le roman qu'il vient de lire est une « rhapsodie détestable » et jamais l'auteur « n'a substitué aussi audacieusement à la réalité les visions obscènes ou grotesques de son imagination échauffée ».

Zola ne se soucie guère de ces aboiements. Il sait que le public, tout en se pinçant les narines, le lit avec gourmandise. En outre, il a le sentiment d'avoir derrière lui une armée de nouveaux écrivains séduits par le naturalisme scientifique. Pas une seconde il ne se dit que ses livres, aux exagérations hallucinantes, s'opposent à la vérité scrupuleuse, méticuleuse dont il a fait un dogme, qu'il est grand non parce qu'il obéit aux lois de son école, mais parce qu'il les transgresse en préférant à une reproduction exacte de la réalité un cauchemar dantesque. Cette attitude procède, chez lui, d'une énorme naïveté et d'un entêtement maniaque. Peu importe que son œuvre contredise sa théorie, il ne veut pas démordre de son enseignement professoral.

1. Lettre du 8 janvier 1887.
2. Lettre du 1er juin 1887.
3. Lettre du 26 mai 1887.

Or, voici que, le 18 août, au début de l'après-midi, le facteur de Médan lui apporte, avec le courrier, les journaux de Paris. Il ouvre *Le Figaro* et tombe sur une violente diatribe contre *La Terre* et contre lui-même. D'abord il court aux signatures : Paul Bonnetain, J.-H. Rosny, Lucien Descaves, Paul Margueritte, Gustave Guiches. Tous de jeunes écrivains dont il a encouragé les débuts. À mesure qu'il lit ce factum verbeux, l'étonnement de Zola se change en colère, en dégoût, en tristesse. Des phrases affreuses lui sautent aux yeux à travers son lorgnon embué : « Naguère encore, Émile Zola pouvait écrire, sans soulever de récriminations sérieuses, qu'il avait avec lui la jeunesse littéraire... Cependant, dès le lendemain de *L'Assommoir...,* il avait semblé aux jeunes que le Maître, après avoir donné le branle, lâchait pied... Zola, en effet, parjurait chaque jour davantage son programme. Incroyablement paresseux à l'expérimentation *personnelle,* armé de documents de pacotille ramassés par des tiers, plein d'une enflure hugolienne, d'autant plus énervante qu'il prêchait âprement la simplicité, croulant dans des rabâchages et des clichés perpétuels, il déconcertait les plus enthousiastes de ses disciples... La sensation nette, irrésistible, venait à chacun, devant telle page des *Rougon,* non plus d'une brutalité de document, mais d'un violent parti pris d'obscénité. Alors, tandis que les uns attribuaient la chose à une maladie des bas organes de l'écrivain, à des manies de moine solitaire, les autres y voyaient le développement *inconscient* d'une boulimie de vente, une habileté instinctive du romancier, percevant que le gros de son succès d'édition dépendait de ce fait que les imbéciles achèteraient *Les Rougon-Macquart,* entraînés non pas tant par leur qualité littéraire que par la réputation de pornographie que la *vox populi* y a attachée. »

Jamais encore Zola n'a subi un tel dénigrement de son œuvre, ni de telles accusations contre ses obsessions sexuelles. Étouffant d'indignation, il déboutonne son col et poursuit sa lecture : « Jeune, il fut très pauvre, très timide, et la femme, qu'il n'a point connue à l'âge où l'on doit la connaître, le hante d'une vision évidemment fausse. Puis le trouble d'équilibre qui résulte de sa maladie rénale contribue sans doute à l'inquiéter outre mesure de certaines fonctions, le pousse à grossir leur importance... Et, à ces mobiles morbides, ne faut-il pas ajouter l'inquiétude, si fréquemment observée chez les misogynes, de même que chez les tout jeunes gens, qu'on nie leur compétence en matière d'amour ? »

Parvenu à ce point de l'article, Zola s'interroge. Comment ces iconoclastes ont-ils osé s'attaquer à sa vie intime, le déshabiller, l'exhiber tout nu, dans sa misère physique, aux milliers de lecteurs d'un journal ? Tout ce qu'ils disent est vrai, malgré l'exagération de la polémique. Il est bien cet ermite littéraire qui se repaît de ses fantasmes, par timidité devant le corps de la femme. Mais il n'en a jamais parlé à personne. Si, peut-être, par inadvertance, à Daudet, à Goncourt. Un éclair traverse son cerveau : ce sont ces deux faux amis qui ont renseigné les cinq signataires du texte. Âgés de vingt et un à vingt-six ans, ces gamins insolents sont tous reçus qui chez Daudet, à Champrosay, qui chez Goncourt, à Auteuil. Le complot est évident. C'est à peine si Zola a la force de lire la fin du réquisitoire : « *La Terre* a paru. La déception a été profonde et douloureuse... Nous répudions énergiquement cette imposture de la littérature véridique, cet effort vers la gauloiserie mixte d'un cerveau en mal de succès. Nous répudions ces bonshommes de rhétorique zoliste, ces silhouettes énormes, surhumaines et biscornues, dénuées de complications, jetées brutalement, en masses lourdes, dans des milieux aperçus au hasard des portières d'express... Nous sommes persuadés que *La Terre* n'est pas la défaillance éphémère d'un grand homme, mais le reliquat de compte d'une série de chutes, l'irrémédiable dépravation morbide d'un chaste. »

Dès le lendemain de sa publication, ce pamphlet est

baptisé, dans le public, *Manifeste des Cinq*. Les vrais amis de Zola sont consternés. Tous penchent pour une machination ourdie par Goncourt et Daudet. Huysmans écrit à Zola : « C'est cet homme mal élevé, qui a nom Rosny, qui a rédigé ce factum, et c'est Bonnetain qui a imaginé et lancé l'affaire. Le rôle des autres se bornerait à avoir été bêtes. Maintenant Bonnetain, qui est une âme, certes, peu fraîche, a-t-il été incité par une personnalité que ces gens fréquentent tous ? Je le pense fort ; car ce me semble flairer fortement le hors Paris, ce coup-là. » Alors que Huysmans dénonce Daudet, Henry Bauër impute la responsabilité du *Manifeste* à Goncourt, « le fraternel pleurnicheur ».

Au lieu de protester, Zola préfère se draper dans un silence méprisant. « Comment avez-vous pu croire que je répondrais à cet imbécile et ignoble article ? écrit-il fièrement au journaliste Gustave Geffroy. Oubliez-vous donc que j'ai derrière moi vingt-cinq ans de travail et trente volumes, et que personne n'a le droit de douter de mon honneur d'écrivain[1] ? » Et, à Huysmans : « Merci de votre bonne lettre… J'avais bien reconnu le Rosny dans l'entortillage pédant des phrases et Bonnetain ne pouvait être que le lanceur. Tout cela est comique et sale. Vous savez ma philosophie au sujet des injures. Plus je vais et plus j'ai soif d'impopularité et de solitude[2]. »

Et, afin de se laver le cerveau de toute cette boue, il part avec Alexandrine pour Royan. À son retour, il apprend, par des amis communs, que Goncourt lui en veut de l'avoir soupçonné d'une collusion avec les auteurs du *Manifeste des Cinq*. Aussitôt, il se justifie. « Vous me croyez donc bête ? réplique-t-il à Goncourt. Faites-moi l'amitié de penser que je sais comment l'article a été écrit. Je suis convaincu, j'ai répété partout que, si vous en aviez eu connaissance, vous en auriez

1. Lettre du 21 août 1887.
2. Lettre datée également du 21 août 1887.

empêché la publication, autant pour vous que pour moi. Et moi qui m'étais imaginé que vous me deviez une marque de sympathie après cette niaiserie malpropre de cinq de vos familiers. Cette marque, je l'ai attendue, et c'est votre colère qui m'arrive. En vérité, cela dépasse toute mesure. Si je me décide à vous écrire, c'est que la situation n'est plus nette entre nous, et que votre dignité comme la mienne exigent que nous sachions à quoi nous en tenir sur nos rapports d'amis et de confrères [1]. »

Goncourt répond par une lettre mi-figue, mi-raisin, où se mêlent des protestations d'innocence et des rancœurs d'auteur incompris. Zola reprend sa plume pour aplanir l'incident : « La blessure de notre amitié n'est pas dans ces commérages. Elle est dans une prétendue rivalité que nos ennemis se plaisent à empoisonner. J'ai longtemps espéré, j'espère encore qu'on ne réussira pas à nous fâcher ensemble, car je vous sais un grand honnête homme et un cœur tendre au fond [2]. » En recevant cette offre de paix, Goncourt note dans son *Journal* : « On me remet une lettre de Zola, une lettre battant en retraite, une lettre tortueusement affectueuse que Daudet qualifie de lettre d'un *capon*... Après cette lettre, je ne puis que lui écrire : Embrassons-nous, Folleville [3] ! »

Quelques jours plus tard, Daudet, de son côté, rassure Zola : « Je tiens à vous dire aujourd'hui que, si j'avais connu ce projet de protestation publique, j'aurais supplié les auteurs, deux au moins pour lesquels j'ai de la sympathie et que je vois assez souvent, de ne pas publier cela, pour eux et surtout pour moi [4]. » Un dîner de « rapatriage » a lieu, chez les Charpentier, entre Edmond de Goncourt et les ménages Daudet et Zola. Atmosphère tendue, malgré des visages faussement

1. Lettre du 13 octobre 1887.
2. Lettre du 14 octobre 1887.
3. Note du 15 octobre 1887. *Embrassons-nous, Folleville* est le titre d'une comédie de Labiche et Lefranc.
4. Lettre du 15 novembre 1887.

cordiaux. Zola sent la haine de ses confrères sur sa peau, tel un souffle fétide. Pour eux, il est toujours, selon l'expression de Goncourt, « le vilain *Italianasse* ». Tout en faisant l'aimable, il n'a qu'une hâte : retourner dans sa tanière.

Le *Manifeste des Cinq,* quoiqu'il ait été largement reproduit et commenté dans la presse, est bientôt oublié par le public. Mais il a laissé une plaie sensible dans l'esprit de Zola. Il se demande si, pour confondre ses détracteurs, il ne devrait pas, à présent, inclure dans la série des *Rougon-Macquart* une histoire de bonheur et de pureté d'où les exigences du corps seraient exclues, montrer qu'il est aussi capable de se mouvoir dans le mirage le plus éthéré que dans la réalité la plus sordide. Le roman pourrait s'appeler *Le Rêve.*

Ce désir de renouvellement littéraire s'accompagne d'ailleurs, chez lui, d'un désir de renouvellement physique. Il est très gros, il a le cou gonflé, le ventre proéminent. Il pèse quatre-vingt-seize kilos et son tour de taille est de cent quatorze centimètres. Le 11 novembre 1887, à un spectacle du Théâtre-Libre récemment fondé, le peintre Jean-François Raffaëlli, voyant que Zola a du mal à se faufiler entre les fauteuils, lui conseille, s'il veut maigrir, de renoncer à boire pendant les repas. Le lendemain, Zola commence son régime, supprimant la boisson et les féculents, ne se nourrissant plus que de viandes grillées. La privation est pénible, mais le résultat est si encourageant qu'il persévère. Une sorte de complicité heureuse s'établit entre lui et la balance. Bientôt il ne peut plus se passer du verdict de cet instrument providentiel. Quelques semaines plus tard, Goncourt, ayant rencontré Zola, note dans son *Journal* : « Au régime de ne plus boire en mangeant et de ne plus manger de pain, Zola, en trois mois, est maigri de vingt-huit livres. C'est positif, son estomac est fondu, et son individu est comme allongé, étiré, et, ce qui est parfaitement curieux surtout, c'est que le fin modelage de sa figure passée, perdu, enfoui dans sa pleine et grosse face de ces dernières années, s'est retrouvé et que, vraiment, il recommence à ressembler à son portrait de Manet, avec une nuance de méchanceté dans la physionomie [1]. »

Grâce à cette diminution de poids, Zola a recouvré son souffle, la souplesse de ses jambes, la légèreté de son estomac. Il se regarde dans les glaces et se reconnaît à peine en ce personnage barbu, et comme évidé, qui lui fait face. Quel miraculeux retour de forme ! Comme il va bien travailler désormais ! Peut-être même, ayant été régénéré par la sagesse à table, s'accordera-t-il la permission de vivre davantage hors de son bureau ? Et si, après tant d'années de claustration, de digestions pesantes et de labeur intense, une nouvelle jeunesse lui était offerte en cadeau ?...

1. Note du 4 mars 1888.

XVIII

JEANNE

Hormis quelques incursions médiocres au théâtre pour des adaptations de *La Curée (Renée),* du *Ventre de Paris* et même de *Germinal,* enfin autorisé (dix-sept représentations au Châtelet), Zola est tout entier absorbé par la préparation de son nouveau roman : *Le Rêve.* Dès le 14 novembre 1887, il écrit à Van Santen Kolff, journaliste hollandais fixé à Berlin : « Mon prochain roman sera une bien grosse surprise, une fantaisie, une envolée que je médite depuis longtemps. » Et il note dans le dossier *Ébauche* : « Je voudrais faire un livre qu'on n'attende pas de moi. Il faudrait, pour première condition, qu'il pût être mis entre toutes les mains, même les mains des jeunes filles. Donc, pas de passion violente, rien qu'une idylle... Refaisons donc *Paul et Virginie.* D'autre part, puisqu'on m'accuse de ne pas faire de psychologie, je voudrais forcer les gens à confesser que je suis un psychologue... Enfin, je voudrais mettre dans le livre de l'au-delà, du rêve, toute une partie de rêve, *l'inconnu,* l'inconnaissable. »

Ce roman mystique doit se situer dans une vieille cité endormie, à l'ombre d'une cathédrale. Pour évoquer l'atmosphère de cette bourgade imaginaire, tout imprégnée de piété et vivant à l'écart de l'agitation du monde moderne, Zola compulse des livres d'architecture, pioche dans le dictionnaire de Pierre Larousse, charge ses amis de faire des recherches au musée Carnavalet, se plonge dans les deux volumes de la *Légende dorée* de Jacques de Voragine, demande à Henry Céard de lui procurer une documentation complète sur l'art des brodeurs... « Comme mon roman, cette fois, se déroule en pleine imagination, écrit-il encore à Van Santen Kolff qui le presse de questions, j'ai créé le milieu de toutes pièces. Beaumont-l'Église est de pure fantaisie, fabriqué avec des morceaux de Coucy-le-Château, mais haussé au rang de ville épiscopale... Tout cela est très étudié, très volontaire... En un mot, le milieu est à la fois tout d'invention et très vrai... Jamais on ne saura... les études que j'ai été obligé de faire pour ce livre si simple [1]. » Dans son esprit, *Le Rêve* est la réplique épurée de *La Faute de l'abbé Mouret*. L'intrigue en est sommaire. Mgr de Hautecœur, évêque de Beaumont-l'Église, est entré dans les ordres à la mort de sa femme qu'il a éperdument aimée. Son fils, Félicien, un artiste, travaille avec passion au vitrail de saint Georges. L'humble brodeuse Angélique s'éprend de lui, mais, malade, désespérée parce que le père du jeune homme s'oppose au mariage, elle meurt alors que l'évêque, enfin convaincu, donne son accord. En écrivant ce conte bleu, Zola est persuadé qu'il étonnera le public par sa faculté de passer de la poubelle à l'encensoir.

Lors de la publication, l'opinion est partagée. Si certains journalistes admirent Zola d'avoir renoncé à la violence pour célébrer la douceur, la virginité et la foi, d'autres lui reprochent son angélisme de verroterie, la faiblesse décadente de son histoire, la pâleur sucrée de ses personnages. La critique la plus acerbe lui vient d'Anatole France qui écrit dans *Le Temps* : « J'avoue que la pureté de M. Zola me semble fort méritoire : il l'a payée de tout son talent. On n'en trouve plus trace dans les trois cents pages du *Rêve*... S'il fallait absolu-

1. Lettre du 25 mai 1888.

ment choisir, à M. Zola ailé je préférerais encore M. Zola à quatre pattes... On ne saurait plaire, si on n'est plus soi-même... C'est un bon peintre quand il copie ce qu'il voit. Son tort est de vouloir tout peindre. Il se fatigue et s'épuise dans une entreprise démesurée. On l'avait déjà averti qu'il tombait dans le chimérique et le faux. Peine perdue ! Il se croit infaillible. »

Derrière le dos de Zola, on chuchote que, s'il a écrit cette fade légende, c'est pour gagner l'estime de la bonne société et troquer sa personnalité de casseur de vitres contre celle de notable des lettres. Comme pour donner raison à ces propos ironiques, il accepte d'être décoré de la Légion d'honneur — sa nomination est annoncée au Journal officiel le 14 juillet 1888 — et laisse entendre qu'il pourrait bien se présenter à l'Académie française. « Oui, mon cher ami, écrit-il à Maupassant, j'ai accepté après de longues réflexions... et cette acceptation va plus loin que la croix, elle va à toutes les récompenses, jusqu'à l'Académie : si l'Académie s'offre jamais à moi, comme la décoration s'est offerte, c'est-à-dire si un groupe d'académiciens veulent voter pour moi et me demandent de poser ma candidature, je la poserai simplement, en dehors de tout métier de candidat. Je crois cela bon, et cela ne serait d'ailleurs que le résultat logique du premier pas que je viens de faire [1]. »

Manifestement, Zola est embarrassé pour expliquer cette volte-face. Elle s'est opérée en lui presque à son insu. Tout à coup, il s'est rendu compte que sa gloire, bien que large, demeurait incomplète. Ayant reçu la consécration du public, il a besoin aujourd'hui, pour être pleinement heureux, de la reconnaissance solennelle des autorités. Il ne voit pas pourquoi lui, le premier romancier de son époque, devrait se passer des honneurs dont tant d'autres, moins célèbres, ont déjà bénéficié. Il ne se bat pas pour lui-même, mais pour la littérature de demain. Cette recherche d'une approba-

1. Lettre du 14 juillet 1888.

tion officielle lui semble soudain aussi légitime, aussi nécessaire que le fut son désir de voir le nom de Zola donné à un canal et à un boulevard en mémoire de son père. Lorsque le journaliste Blavet, qui signe Parisis, vient l'interviewer pour *Le Figaro* au sujet de ses rêves académiques, il lui dit qu'il a décidé de ne plus se révolter contre la hiérarchie de son pays et de son temps : « Pourquoi n'accepterais-je pas moi-même la hiérarchie, alors surtout qu'il y a tout avantage pour ma personne et pour mon œuvre ? » Il ajoute qu'il saura attendre l'occasion sans se planter à l'entrée de l'Académie comme un chacal guettant des cadavres et que, s'il se porte candidat, ce sera pour les mêmes raisons que celles qui lui ont fait accepter la croix : « Propagande pour mon œuvre, prosélytisme pour mes idées, désir de rompre avec des bouderies enfantines. »

On lui écrit pour le féliciter de son ruban rouge et il répond à tous, scrupuleusement. Les journaux louent le ministre Lockroy qui a eu le courage de décorer le pape du naturalisme. Quant à Goncourt, après avoir, lui aussi, congratulé Zola, il note dans son *Journal* : « Il n'a pas compris donc qu'il se diminue en devenant chevalier ! Mais le révolutionnaire littéraire sera un jour commandeur de la Légion d'honneur et secrétaire perpétuel de l'Académie et finira par écrire des livres si ennuyeusement vertueux qu'on reculera à les donner aux distributions de prix des pensionnats de demoiselles [1]. »

Ayant pris sa résolution, Zola se rend chez Halévy pour lui annoncer qu'il tourne désormais ses regards vers la coupole. Si, avec lui, le naturalisme entre à l'Académie française, quel éclat dans l'opinion ! Une telle victoire vaut bien quelques courbettes protocolaires. Le soir même de sa visite à Halévy, il explique fièrement à Mme Charpentier, la femme de son éditeur : « J'avais le choix entre deux voies à suivre : ou la

1. Note du 14 juillet 1888.

voie officielle ou l'autre. Je ne songeais point à la première. Vous m'y avez introduit. Je dois la parcourir jusqu'au bout. Un homme comme moi ne s'arrête pas à mi-côte. Ou il passe sans s'arrêter devant la montagne, ou il en gravit le faîte. Le sort en est jeté. Je serai grand-croix de la Légion d'honneur, je serai sénateur puisqu'il existe un Sénat. Et, puisqu'il existe une Académie, je serai académicien. »

Les prétentions académiques de Zola agacent de plus en plus Goncourt qui, recevant un jeune chroniqueur du *Gaulois,* ne peut s'empêcher de lui déclarer, en parlant de ces messieurs du quai de Conti : « Je pense qu'une assemblée qui a éliminé Balzac et Michelet est une assemblée parfaitement ridicule et démodée. Je vois avec peine M. Zola me quitter brusquement et abandonner, je ne dirai pas renier, ses convictions d'autrefois. Croit-il que cette double consécration de la croix et de l'Académie est nécessaire à son talent et à sa renommée ? Il le dit : moi, je trouve que cela l'amoindrit en tant que littérateur. »

Ulcéré par les termes de l'interview du *Gaulois*, Zola proteste auprès de Goncourt : « Je vous écris tout de suite après avoir lu l'article du *Gaulois* : " Zola jugé par Goncourt ", afin que vous sachiez que, s'il me chagrine, il n'atteint pas la grande amitié que j'ai pour vous depuis vingt ans. Seulement il n'est pas exact de dire que " je vous quitte brusquement ". Rappelez-vous et rétablissez les faits. Si les liens se sont relâchés un peu chaque jour, si aujourd'hui je finis par marcher seul, est-ce donc moi qui l'ai voulu ? D'autre part, pourquoi me blâmer d'avoir accepté la croix, lorsque je l'ai acceptée dans les mêmes conditions que vous ? J'ai eu la main affectueusement forcée par Lockroy, comme vous l'avez eue par la princesse Mathilde... Enfin soyez sûr que, si jamais je me présente à l'Académie, je le ferai dans des conditions où je n'aurai rien à abdiquer de ma fierté ni de mon indépendance. Et cela ne me banalisera pas, au contraire, et cela ne me discréditera pas aux yeux de ceux qui m'ont le plus aimé, parce qu'ils comprendront alors ce que j'ai voulu, pourquoi et comment je l'ai voulu[1]. »

En vérité, ce qui porte à son comble l'exaspération de Goncourt, c'est que Zola a proclamé ses ambitions académiques au moment même où leur ami Daudet publiait *L'Immortel,* charge féroce contre « la vieille institution » du quai de Conti. De plus, Goncourt, qui a jadis inscrit Zola sur la liste des membres de l'académie qu'il désire fonder, face à l'Académie française, ne peut pardonner à son correspondant de préférer les quarante aux dix. « Jusqu'à présent, lui écrit-il, des petites bêtises, des torts peut-être réciproques, nous avaient un peu séparés, mais le temps, les circonstances pouvaient refaire notre triumvirat littéraire, tandis que maintenant je nous vois, avec un véritable chagrin, aux deux pôles. » « Pourquoi dites-vous que cela nous placera aux deux pôles ? lui répond Zola. Je ne veux pas fermer l'avenir et j'espère toujours que, lorsque les obstacles et les malentendus qui nous ont un peu séparés n'existe-ront plus, nous pourrons nous retrouver comme par le passé, la main dans la main[2]. »

Une attaque plus violente encore lui vient d'Octave Mirbeau qui publie, dans *Le Figaro* du 9 août, un article intitulé « La fin d'un homme », l'accusant d'avoir trahi, par ses visées académiques, non seulement ses vieux amis, mais aussi ses propres principes. « Aujourd'hui, écrit Mirbeau, pour un bout de ruban que peut obtenir, en payant, le dernier des escrocs, pour une broderie verte que peut, en intriguant, coudre à son habit le plus navrant des imbéciles, M. Zola renie tout, luttes, amitiés anciennes, indépendance, œuvres. » Selon lui, si Zola brigue un fauteuil à l'Académie, c'est dans l'espoir que « l'amitié des académiciens comblera le vide laissé par les artistes, camarades... des premiers espoirs ».

1. Lettre du 30 juillet 1888.
2. Lettre du 8 août 1888.

Zola a l'habitude de ce déversement d'ignominies sur son dos. « Ah ! mon cher Mirbeau, se borne-t-il à répliquer à son détracteur, voici des années qu'on annonce ma fin, et je dure [1]. »

Comme toujours, la flagellation des critiques, venues de toutes parts, ravive la course de son sang. Il se redresse sous les coups. Jamais il ne s'est senti plus vaillant ni plus jeune. Il note avec satisfaction ses diminutions de poids hebdomadaires. En cet été 1888, il a presque l'allure d'un gandin, le ventre plat, la rotule leste. Pris de coquetterie, il porte des costumes blancs bien coupés et laisse pousser ses cheveux, les coiffant en arrière pour masquer sa calvitie. Il s'est rogné la barbe, jugeant qu'elle le vieillissait, et se contente d'une élégante barbiche. Alexandrine n'en revient pas de cette transformation. Elle suit le même régime que son mari, mais sa taille reste épaisse. Zola la soupçonne de grignoter entre les repas. Elle est très satisfaite d'une domestique qu'elle a embauchée au mois de mai dernier pour s'occuper du linge. Née le 14 avril 1867, la nouvelle recrue a tout juste vingt et un ans. Elle s'appelle Jeanne Rozerot ; elle a perdu sa mère ; son père, meunier de son état, s'est remarié ; ouvrière à Paris, elle a été tout heureuse d'être engagée dans une honnête maison bourgeoise. Très vite, Alexandrine ne peut plus se passer d'elle. Les deux femmes communient dans le culte du linge propre, des raccommodages invisibles et du rangement dans les armoires. Quant à Zola, il regarde avec attendrissement cette séduisante personne, grande, svelte, avec un doux visage aux joues fraîches et aux lèvres veloutées. Sa tête, portée par un cou gracile, s'orne d'une abondante couronne de cheveux noirs. Elle est toujours gaie, docile et modeste. Quelle différence avec Alexandrine, dont l'âge a accentué la dureté, le ton autoritaire, l'esprit étroit et la soif de respectabilité ! Avec Jeanne, une bouffée de jeunesse est entrée dans la

1. Lettre du 9 août 1888.

maison. Zola aime l'entendre chanter dans la lingerie. Il lui parle comme à une enfant. Et elle est stupéfaite que le maître daigne s'intéresser à elle. Parfois même, elle a l'impression que les regards de cet homme de quarante-huit ans caressent son corps avec une admiration à la fois paternelle et sournoise. Elle lui sourit en inclinant le front. Et ce sourire éblouit Zola. Est-il possible qu'une créature aussi neuve et aussi désirable n'ait aucune répugnance pour les attentions d'un écrivain usé par la vie et les travaux ? Il songe qu'il eût été bien heureux s'il l'avait rencontrée jadis, à la place d'Alexandrine. Avec quel élan il l'eût épousée alors ! Peut-être lui aurait-elle donné des enfants, ce qu'Alexandrine n'a pas su faire. En la voyant évoluer dans les chambres, il pense tristement que lui, qui a créé tant de personnages fictifs, n'a même pas un fils ou une fille nés de sa chair. Il contemple les hanches de Jeanne et un trouble misérable s'empare de lui. En passant près d'elle à dessein, il respire l'odeur saine de sa peau. Il se sent coupable sans avoir rien à se reprocher.

Quand Alexandrine décide d'emmener Jeanne à Royan pour l'été, afin de l'avoir constamment à son service, il éprouve une joie d'adolescent et a envie d'embrasser sa femme. Le séjour à Royan, dans la villa des Œillets, à proximité de celle des Charpentier, est une succession de flâneries au bord de l'eau, de dîners et de fêtes. On célèbre les fiançailles de la fille des Charpentier, Georgette, avec le jeune écrivain Abel Hermant ; on organise un souper antillais dont tous les convives ont le visage maquillé en noir et portent des toges romaines ; on taquine Zola qui s'est enflammé de passion pour la photographie et ne se déplace plus qu'avec un appareil Kodak en bandoulière. Dès qu'il le peut, il prend des clichés de Jeanne. L'œil au viseur, il la capte dans toutes ses attitudes avec la furtive illusion de la posséder. Elle se rend parfaitement compte des sentiments de Zola et ne lutte plus contre l'émotion qui la saisit quand il s'approche d'elle. Alexandrine se disant souvent trop fatiguée pour accompagner son mari en promenade, Émile et Jeanne vont déambuler sur la plage comme deux amoureux. Bien entendu, l'épouse ne voit là rien de répréhensible. Comment soupçonnerait-elle de mauvaises pensées un homme de cet âge, de cette complexion, et qui, depuis longtemps, ne vit que pour l'écriture ? Zola se montre de plus en plus gai à table. Il néglige son travail et renonce à la sieste, par crainte que ces repos de l'après-midi ne le fassent regrossir. Son intimité avec Jeanne devient si étroite que la jeune fille, arguant de convenances personnelles, quitte le service d'Alexandrine dès le retour du couple à Médan. En secret de sa femme, Zola installe celle qui n'est pas encore sa maîtresse dans un appartement loué à Paris, au numéro 66 de la rue Saint-Lazare. Encore quelques semaines de visites clandestines à la bien-aimée, de baisers fous, de caresses inachevées et, le 11 décembre 1888, Jeanne, avec scrupule et délectation, cède aux exigences d'Émile [1].

En rentrant chez lui après cet exploit, il est ivre d'orgueil mais ose à peine lever les yeux sur Alexandrine. À dater de ce jour, il se sent constamment déchiré entre son affectueuse pitié pour son épouse et l'émerveillement charnel qu'il éprouve dans le lit de Jeanne. Jamais encore il n'a connu une pareille fête des sens. La femme de sa jeunesse est vieille, la femme de sa vieillesse est jeune. Et il va de l'une à l'autre avec l'impression de prendre une revanche, lui le chaste, sur des dizaines d'années de non-vie, de non-amour. Mais qu'il est donc pénible de s'enfoncer dans le mensonge pour un champion de la vérité ! Comment tout cela finira-t-il ? À la grâce de Dieu ! N'osant parler à personne de sa bonne fortune, il avoue cependant à Goncourt, lors d'une réunion mondaine, qu'il a été tout au long de son existence « un martyr de la littérature »,

1. La date de cet événement est donnée dans une carte de vœux que Zola adressera, dix ans plus tard, à Jeanne.

« une foutue bête ». « Zola me confesse, écrit Goncourt, qu'en cette année où il touche presque à la cinquantaine, il est pris d'un regain de vie, d'un désir de jouissances matérielles, et, s'interrompant soudain : " Ma femme n'est pas là… Eh bien, je ne vois pas passer une jeune fille comme celle-ci [une invitée] sans me dire : Ça ne vaut-il pas mieux qu'un livre ? "[1] » De plus en plus imprudent, Zola s'affiche avec sa conquête. Léon Hennique le rencontre, à la tour Eiffel, en compagnie d'une ravissante créature « au chapeau rose ». Zola semble fier de l'exhiber au regard de tous. Certains doivent la prendre pour sa fille.

Mais voici que Jeanne est enceinte. Le bonheur de Zola est tel qu'il lui est difficile de tenir son secret. Est-il concevable qu'à quarante-neuf ans il devienne père ? Hosanna ! Il a un sexe. Il est un homme. Il peut procréer, lui aussi. Et pas seulement sur le papier : dans la vie. Hors du mariage, bien sûr. Mais ce qui compte, c'est l'acte, non les circonstances. Que faire à présent ? Avouer tout à Alexandrine, divorcer ?… Autant tuer la malheureuse qui, malgré son caractère rugueux, ne mérite pas un pareil affront. Rompre avec Jeanne : impossible puisqu'elle porte un enfant de lui. Force lui est de vivre avec deux femmes, deux foyers, deux remords. La charité l'oblige à jouer la comédie devant Alexandrine et le plaisir à continuer de fréquenter Jeanne. Par chance, Alexandrine ne met pas le nez dans les comptes de son mari. Autrement elle ne tarderait pas à constater qu'il dépense beaucoup d'argent loin de la maison. Mais combien de temps ce fragile équilibre résistera-t-il aux chocs de la réalité ? Zola redouble de prudence.

Le 20 septembre 1889, Jeanne accouche d'une fille : Denise. Pour Zola, c'est l'apothéose. Devant ce bébé vagissant, il se sent à la fois exaucé et condamné. Ce n'est plus *La Faute de l'abbé Mouret*, mais la faute du

---

1. *Journal*, 22 janvier 1889.

romancier Zola. Il doit se contraindre pour ne pas crier sa joie devant Alexandrine. Le 22 septembre, il écrit à Henry Céard : « Mon bon Céard, je m'adresse à vous, comme au plus sûr et au plus discret de mes amis, pour vous demander un service. Veuillez vous trouver demain lundi, à onze heures, dans la cour de la mairie du neuvième, rue Drouot. Il s'agit simplement d'une signature. » Intrigué, Céard se présente au rendez-vous et Zola lui apprend qu'il a fait appel à lui pour déclarer l'enfant de Jeanne, mais il se garde bien de lui révéler le nom du père. Le « bon Céard » signe l'acte de naissance avec le docteur Henri Delineau qui a accouché la jeune femme. Le 27 décembre, Jeanne signe à son tour, avec les mêmes témoins, l'acte de reconnaissance de sa fille, déclarée « de père non dénommé ».

Trois mois plus tard, Zola, incapable de se taire plus longtemps, convoque Céard dans un café situé en face de l'église de la Trinité, lui annonce à voix basse sa liaison et l'assure qu'il continue d'aimer Alexandrine mais que, « dans son goût de se reproduire, il a choisi auprès de lui une personne saine, une *tête droite* ». Certes, il prévoit des « embarras » si Alexandrine apprend la vérité. Cependant, il compte que « tout s'arrangera » d'une façon ou d'une autre. En attendant, il faut dissimuler, louvoyer. Paul Alexis est mis, à son tour, dans le secret. Ces révélations gênent fort les deux amis qui sont des familiers du ménage Zola. Les voici, eux aussi, obligés de feindre devant Alexandrine. Mais Alexis ne sait pas tenir sa langue. Il se laisse berner par la fausse gentillesse de Goncourt et mange le morceau. « Aujourd'hui, note Goncourt, Paul Alexis... me confirme dans la certitude que Zola a un *petit ménage*. Il lui aurait fait la confession que sa femme avait de grandes qualités de femme de ménage, mais bien des choses *réfrigérantes*, qui l'avaient poussé à chercher un peu de chaleur ailleurs. Et il parle de *revenez-y* de jeunesse, et de fureur de jouissances de toutes sortes, et de satisfactions de vanités mondaines chez ce vieux lettré, qui demandait dernièrement à Céard si en douze leçons il pourrait se tenir à cheval, de façon à faire un tour au Bois. Ah ! un Zola équestre, je ne le vois pas [1] ! »

Depuis des mois, la haine de Goncourt contre Zola éclate à chaque ligne ou presque de son *Journal* : « À l'heure qu'il est, Zola est le plus roublard de la littérature, il dégote les Juifs... » « Si personne, dans le journalisme, ne veut reconnaître que je suis le procréateur et le plagié de Zola, si personne n'a l'air de s'apercevoir que c'est le grossissement, la caricature, l'encanaillement de mes procédés qui ont fait son succès, quelque chose me console, c'est de penser que si Americ Vespuce a baptisé l'Amérique, toutes les études et tout l'intérêt du monde de maintenant sont autour de Christophe Colomb [2]. »

Les écarts amoureux de Zola suscitent l'envie de Goncourt, mais aussi son espoir d'un scandale. Tout ce qui peut nuire à son rival en littérature le réjouit comme un succès personnel. Zola, cependant, vit sur un nuage. De plus en plus souvent, il s'échappe du nid conjugal pour aller pouponner. Cette existence double perturbe certes son travail, mais il n'a pas conscience de trahir sa vocation de créateur en se penchant sur un berceau.

1. *Journal*, 21 novembre 1889.
2. Notes des 2 et 3 mai 1889.

XIX

LE VOYAGE EN LOCOMOTIVE

Tout en prenant, à la sauvette, le temps de vivre et d'aimer, Zola ne renonce pas à poursuivre son œuvre. Le prochain *Rougon-Macquart* bouge déjà dans sa cervelle. « Je vais sans doute mettre quelque drame terrible dans le cadre des chemins de fer, écrit-il à Van Santen Kolff; une étude du crime avec une échappée sur la magistrature. Mais, je le répète, tout cela reste bien confus [1]. » Depuis des années, l'idée de l'univers ferroviaire le hante. À Médan, au bas de son jardin en pente, derrière une haie, passe la ligne de Normandie. « Cent trains par jour montent ou descendent, note Paul Alexis, donnant un petit ébranlement aux vitraux de la large baie de son cabinet de travail : trains express vertigineux s'engouffrant sous le pont au-dessus duquel passe l'allée de beaux arbres qui conduit à la Seine ; trains omnibus que l'on entend venir de plus loin, puis dont le bruit se prolonge dans la vallée ; trains de marchandises, relativement si lents que l'on compterait presque les tours de roue. » À la tombée de la nuit, Zola aime voir venir, fonçant vers lui, la masse noire d'une locomotive couronnée de fumée floconneuse. Il suit du regard la lanterne rouge du dernier wagon. Et il songe à la vie de ces voyageurs inconnus emportés dans les

1. Lettre du 16 novembre 1888.

ténèbres, de ces mécaniciens, de ces chauffeurs au visage fouetté par le vent de la course, de ces gardes-barrière surgis de leur maisonnette et brandissant un drapeau vert au passage du convoi. Lors d'une visite de Paul Alexis à Médan, il lui confie, debout sur le balcon de son bureau : « Je rêve quelque drame bien simple, mais profondément humain, aboutissant à une catastrophe épouvantable, peut-être à un choc de deux trains volontairement causé pour assurer une vengeance personnelle... Ça ou autre chose ! Vous savez que l'affabulation d'une œuvre ne me gêne pas et m'importe peu... Mais ce qui m'importe, ce que je veux rendre vivant et palpable, c'est le perpétuel transit d'une grande ligne, entre deux gares colossales, avec stations intermédiaires, voie montante et voie descendante. Et je veux animer toute la population spéciale des chemins de fer[1] ! »

Aiguillonné par ce projet, Zola accumule pêle-mêle, dans un premier dossier, des coupures de presse sur les accidents ferroviaires et sur les faits divers passionnels. Très impressionné par la lecture de *Crime et châtiment*, il se démarque catégoriquement des théories du héros de Dostoïevski, Raskolnikov, qui a tué pour se prouver qu'il était de la race des forts ; son héros à lui, Jacques Lantier, accomplit son acte non pour obéir à une idéologie, mais parce qu'il cède à une pulsion morbide, ancestrale, celle d'un « criminel-né ». Le premier est un intellectuel névrosé qu'obsède le problème du péché et de la rédemption, le second est un malade victime de l'hérédité. Le premier a une interrogation métaphysique dans la tête, le second a le meurtre dans le sang. Ayant abouti à cette conclusion, Zola s'emploie, dans un deuxième temps, à se documenter sur l'existence des cheminots. Il veut que son roman soit secoué par les sonneries du télégraphe, le sifflement des locomotives, le roulement des trains, le tumulte des gares, les

---

1. Paul Alexis, *op. cit.*

chuintements de la vapeur, les tintements de la cloche. Pour évoquer ce monde, il doit, une fois de plus, s'y plonger tout entier, aux côtés d'un guide compétent. Il correspond avec Pol Lefèvre, administrateur de la ligne de l'Ouest, et avec le directeur de la Compagnie. Sur sa demande, il est autorisé à pénétrer dans des dépôts et à faire en locomotive le trajet entre Paris et Mantes. La lecture d'un livre de Pol Lefèvre, *Les Chemins de fer*, le prépare à ces expéditions. Il y puise des renseignements techniques sur l'organisation du travail dans cet univers mystérieux, le fonctionnement des machines, le service de la voie, les conditions de vie du personnel... Une fois initié à la terminologie ferroviaire, il se rend au Havre où un vieil employé lui raconte les occupations quotidiennes des cheminots, leurs luttes pour l'avancement, leurs rivalités pour obtenir un meilleur appartement dans la gare, leurs grandes fatigues et leurs petites joies. Puis il gagne Rouen, où il visite, au palais de justice, la salle des assises. Comme à Anzin, comme en Beauce, il consigne ses observations dans un cahier *ad hoc*.

Reste à accomplir le voyage en locomotive. Le 15 avril 1889, il va à Paris, revêt un bleu de chauffe et grimpe sur la plate-forme d'une machine en compagnie de l'ingénieur Clérault, qui est chargé de lui expliquer les différentes manœuvres. En cours de route, il note tout dans sa tête, pour le transcrire plus tard dans ses carnets : la trépidation qui vous casse les jambes, le vent furieux qui vous aveugle, le mélange de chaleur et de froid qui vous cuit la figure, le tonnerre des trains qu'on croise dans un fouettement d'ouragan, l'engloutissement subit dans la nuit d'un tunnel, les secousses au passage d'un aiguillage, le flamboiement féroce quand on ouvre la gueule du foyer... Cette locomotive qui le porte, il prévoit déjà que, dans son roman, elle deviendra un monstre d'acier avec ses manies et ses colères, plus vivant peut-être que les misérables homoncules qu'il traîne. Comme l'alambic de *L'Assommoir*, comme le grand magasin du *Bonheur des Dames*, comme la mine de *Germinal*, elle sera le moteur de son livre. Il lui donnera un nom de femme, la *Lison*, pour bien marquer qu'elle n'est pas une simple mécanique mais le symbole de la fatalité. Le titre est trouvé : *La Bête humaine*.

En débarquant de son voyage d'enfer, aller et retour, entre Paris et Mantes, Zola se précipite au Théâtre-Libre où on répète une de ses pièces de jeunesse, *Madeleine*, se laisse tomber, tout moulu, dans un fauteuil et soupire qu'il a eu les jarrets brisés par les vibrations. De nombreux journaux commentent l'exploit du romancier sur la locomotive. Goncourt ricane dans son coin. Mais Zola sait que cette expédition l'amènera au degré d'hallucination dont il a besoin pour nourrir son œuvre.

Dans *La Bête humaine*, il reprend le thème de *Thérèse Raquin*, mais en l'élargissant et l'approfondissant. Ce qui attire Jacques Lantier, mécanicien sur la *Lison*, vers Séverine, l'épouse du sous-chef de gare Roubaud, c'est que celle-ci a participé avec son mari à un assassinat. Jacques Lantier est lui-même sujet à des pulsions homicides qui lui viennent de ses ancêtres. Il ne peut posséder une femme sans avoir envie de l'immoler dans la jouissance du coït. Il tue Séverine dans un de ces moments où le spasme foudroie la raison. Ayant obéi à cette force obscure surgie du fond des âges, il n'éprouve nul remords mais un soulagement de l'âme et du corps incompréhensible à quiconque n'est pas atteint de l'obsession meurtrière. Cependant le désir renaît avec la soif du sang et tout s'achève dans la vision apocalyptique du train fou qui déraille. *La Bête humaine*, c'est un crime passionnel vieux comme le monde, accompli dans un univers de progrès industriel. Chair et acier, noirceur du charbon et pâleur de la peau féminine, vitesse mécanique et mouvements incontrôlés de l'âme se répondent dans cette œuvre aux fulgurances de cauchemar.

Or, le même homme qui décrit ce cataclysme psychologique avec la précision d'un observateur cruel et froid, le voici soudain désespéré par la mort de son chien Fanfan. Toute sa tendresse pour les bêtes lui remonte au cœur. Il ne peut être heureux sans avoir à ses côtés un petit animal dont le regard confiant le charme et le calme. « Mon pauvre petit Fanfan est mort dimanche, à la suite d'une crise affreuse, écrit-il à Céard. Depuis six mois, je le faisais manger et boire, je le soignais comme un enfant. Ce n'était qu'un chien, et sa mort m'a bouleversé. J'en suis resté tout frissonnant[1]. »

Malgré cet humble deuil, il se remet vite à écrire. *La Bête humaine*, publiée en feuilleton dans *La Vie populaire*, puis en volume chez Charpentier, connaît d'emblée un succès prodigieux. Jules Lemaitre, dans *Le Figaro*, estime que Zola est « le poète du fond ténébreux de l'homme », que ses personnages « ne sont point des caractères », mais des « instincts qui parlent, qui marchent, qui se meuvent », que « l'effet de ces simplifications est formidable et beau » et qu'il s'agit là d'une « épopée préhistorique sous la forme d'une histoire d'aujourd'hui ». Anatole France, qui naguère s'était montré sévère pour les œuvres de Zola, déclare maintenant : « Cet homme est un poète. Son génie, grand et simple, crée des symboles. Il fait naître des mythes nouveaux. Les Grecs avaient créé la Dryade, il a créé la Lison : ces deux créations se valent et toutes deux sont immortelles. Il est le grand lyrique de ce temps. » Seuls quelques critiques grincheux reprochent à l'auteur d'avoir concocté une histoire invraisemblable où l'on bute sur trop de cadavres. Goncourt, dans son *Journal*, sera tout fiel : « Un roman comme *La Bête humaine*, un roman comme en fabrique aujourd'hui Zola, où tout est invention, imagination, fabulation, où les êtres sont de pures et de sales sécrétions de sa cervelle, un roman sans un sou d'étude de la vraie humanité, n'a, à l'heure qu'il est, aucun intérêt pour moi. Je ne suis intéressé que par un roman où je sens,

1. Lettre du 5 juin 1889.

dans l'imprimé, pour ainsi dire, la transcription d'êtres en chair et en os, où je lis un peu ou beaucoup des mémoires d'une vie vécue[1]. » Ce violent réquisitoire n'empêchera pas le même Goncourt d'écrire dès le lendemain à Zola, d'une plume onctueuse : « Je n'ai qu'à vous répéter les compliments que tout le monde vous fait sur la puissance de vos créations, sur l'intervention de leurs curieux milieux, sur la poésie que vous dégagez des choses, enfin sur toutes les grandes et belles qualités d'imagination qui font de vous l'auteur le plus en faveur auprès du public[2]. »

Et, en effet, le public se jette, tel un affamé, sur ce morceau de littérature saignante. Les ventes grimpent à vue d'œil. Alexandrine et Jeanne s'en réjouissent, chacune de son côté. Congratulé à la fois par sa femme et par sa maîtresse, Zola a un peu honte de sa double chance. Excellent mari et amant exemplaire, il mange aux deux râteliers du bonheur masculin. Mais combien de temps ce confort sentimental pourra-t-il durer sans esclandre ?

En prévision d'une grosse rentrée d'argent, due à la vente du livre, Alexandrine a décidé que le couple quitterait son appartement parisien pour s'installer dans un hôtel particulier de trois étages, 21 *bis*, rue de Bruxelles. Cette nouvelle demeure, Zola veut en faire un sanctuaire digne de sa renommée. Rien ne lui paraît trop cher pour la meubler et l'orner. Il paie trois mille trois cents francs la décoration des murs et des portes du hall d'entrée, l'ensemble se composant de vingt-six panneaux de l'école gothique, à fond d'or, représentant des scènes du Nouveau Testament. Il achète également, pour mille six cent quinze francs, une grille de chœur en fer forgé, qu'il place dans sa chambre ; un retable en bois sculpté évoquant des sujets religieux et flanqué de deux statues de saints tenant à la main les livres de

1. Note du 17 avril 1890.
2. Lettre du 18 avril 1890.

l'Évangile (mille trois cent trente francs) ; un banc d'œuvre à trois places en noyer sculpté, de style gothique fleuronné (six cent soixante-six francs) ; des vitraux anciens (quatre cent cinq francs) ; un bandeau de cheminée en velours rouge, brodé de figures de saints (deux cent quarante-cinq francs) ; une chaise à porteurs, des tapisseries médiévales, des statuettes hindoues et birmanes, des calices, des ciboires, un crucifix en ivoire, une boîte à hosties, un énorme chapelet... Bien qu'agnostique, il a toujours aimé s'entourer d'objets de piété. Réfugié au centre de ce bric-à-brac hideux et coûteux, il éprouve, lui, l'homme de science, l'irrésistible attrait d'une dévotion qu'il condamne. Tout en se prétendant matérialiste, il prête l'oreille au murmure de l'au-delà. L'idée de la mort l'obsède dans ses rêveries éveillées. Et dire que les académiciens se baptisent « immortels » ! Quelle outrecuidance !

Or, voici que la disparition d'Émile Augier a ranimé ses ambitions académiques. Treize écrivains sont en piste. Zola bondit sur l'occasion. Le 1er mai 1890, après sept tours de scrutin, au cours desquels il recueille au maximum quatre voix, l'élection est ajournée, aucun candidat n'ayant obtenu la majorité absolue. Il n'aura pas plus de réussite le 11 décembre car ce sera Charles Freycinet qui accédera au fauteuil qu'il convoite.

Ces échecs répétés n'entament pas sa résolution. Il posera sa candidature aussi souvent qu'il le faudra pour forcer les portes de l'auguste assemblée, au nom du naturalisme triomphant. Par chance, un nouveau fauteuil est vacant. « La mort de Feuillet va me permettre de me représenter à l'Académie, sans aucun espoir d'ailleurs cette fois-ci encore [1] », écrit Zola à Paul Alexis. Ce sera Pierre Loti qui l'emportera dans cette compétition impitoyable. Comme compensation au camouflet que lui ont infligé les académiciens, Zola est bientôt élu président de la Société des gens de lettres. Il

1. Lettre du 30 décembre 1890.

voit là une invitation à poursuivre sa chasse aux consécrations officielles. Toutefois, malgré l'insistance d'un groupe de jeunes, il refuse de se présenter à la députation. « Le mandat de député est un des plus lourds que je connaisse, lorsqu'on ne veut pas être un député fainéant, écrit-il à Noël Clément-Janin. Et, comme je suis un homme de conscience et de travail, je préfère avant tout achever mon œuvre [1]. »

En effet, le chiffre toujours croissant de ses ventes encourage Zola à se cantonner dans la littérature. Il a largement les moyens d'entretenir deux ménages. À l'abri des préoccupations matérielles, il se dit qu'une élection à l'Académie française, tout en légitimant le succès de son œuvre, pourrait lui attirer encore plus de lecteurs. « Nous sommes d'une race où Paris vaudra toujours une messe [2] », avait-il déclaré pour justifier son acharnement à vouloir revêtir l'habit vert. D'ailleurs, il n'est pas pressé. Son tour viendra, il en est sûr, à condition de ne jamais faiblir dans sa production romanesque.

La Bête humaine est le dix-septième volume de la série des *Rougon-Macquart*. D'après le plan initial de Zola, il lui en resterait encore trois à faire. Il ne voudrait pas aller au-delà de vingt, car il se sent fatigué, essoufflé. Sa plume court trop vite. Par moments, son style lui semble relâché, incorrect, et il n'a plus la patience de le corriger. Comment ne pas retomber dans les mêmes phrases, les mêmes pensées quand on a tant écrit ? Dès le 6 mars 1889, il confesse sa lassitude à Huysmans : « Toute ma paresse refoulée s'épanouit. Je n'aurais qu'un tout petit effort à faire pour ne plus toucher une plume. C'est une crise d'indifférence, un sentiment de l'à quoi bon ! » Et, plus tard, à Jules Lemaitre : « Certes, oui, je commence à être las de ma série, ceci entre nous. Mais il faut bien que je la finisse

1. Lettre du 27 mai 1891.
2. Lettre du 5 mai 1890 à un destinataire inconnu.

sans trop changer mes procédés. Ensuite, je verrai, si je ne suis pas trop vieux, et si je ne crains pas qu'on m'accuse de retourner ma veste [1]. »

Sans jamais l'avouer, Zola se considère comme le seul à pouvoir égaler Balzac. Pour compléter l'architecture des *Rougon-Macquart*, il doit, à l'exemple de son prédécesseur, y faire figurer une étude féroce des milieux financiers. À peine évadé de *La Bête humaine*, il s'engouffre donc dans *L'Argent*. Pour commencer, il multiplie les lectures « utiles », les consultations d'experts sur la question des sociétés anonymes, du développement industriel, des augmentations de capital, des spéculations hasardeuses, des manœuvres bancaires. Il va voir des agents de change, visite la Bourse, gribouille des notes et écrit dans son dossier *Ébauche* : « Je voudrais, dans ce roman, ne pas conclure au dégoût de la vie (pessimisme). La vie telle qu'elle est, mais acceptée malgré tout, pour l'amour d'elle-même, dans sa force. Ce que je voudrais, en somme, qu'il sortît de toute ma série des *Rougon-Macquart*. » Cet acquiescement à « la vie telle qu'elle est » traduit son désir d'être heureux quoi qu'il arrive. Transposé sur le plan sentimental, il s'applique à sa liaison avec Jeanne, qu'il juge bénéfique, malgré les remords et la crainte d'être découvert. Grâce à sa jeune maîtresse, il se sent un appétit d'adolescent devant les fruits, fussent-ils amers, de l'existence. Peut-être même pourrait-il se passer d'écrire pour lui consacrer tout son temps ? On n'en est pas encore là !

Dès les premières lignes, *L'Argent* le passionne. Dans ce roman, il oppose la richesse domaniale, immobile, solide, assise sur ses terres, sur ses pierres, à la richesse moderne, fluide, rapide, instable, celle de la spéculation. Cette circulation de l'argent, qui passe de main en main, permet certes le développement du

1. Lettre du 9 mars 1890.

commerce et de l'industrie, mais pousse aussi à la ruine les imprudents. Plus tard, peut-être, ainsi que le souhaite l'utopiste du livre, Sigismond Busch, le peuple accédera à un état de justice et de bonheur social, où il n'y aura plus ni salaire, ni gain, ni riches, ni pauvres, mais une fraternité et une innocence paradisiaques. Le héros de *L'Argent,* le financier Saccard, qui a créé la Banque universelle, entre en conflit avec le banquier juif Gundermann, lequel, finalement, l'accule à la faillite, tandis qu'une foule de modestes épargnants se retrouvent ruinés. Cependant, cet aventurier subtil et avantageux a su attirer dans ses filets la séduisante Caroline Hamelin, qui devient sa maîtresse. Elle aime Saccard pour sa jeunesse de caractère, son ardeur à la lutte, sa foi en la vie malgré tous les désastres qu'il provoque. C'est elle qui, brisée par cent déconvenues, exprime la signification philosophique du récit, « Certes, écrit Zola, aucune illusion ne lui restait, la vie était décidément injuste et ignoble, comme la nature. Pourquoi donc cette déraison de l'aimer, de la vouloir... ? Ah ! la joie d'être, est-ce qu'au fond il en existe une autre ? »

La banque de Saccard est une banque catholique, conservatrice, réactionnaire ; celle de Gundermann est juive et protestante, avec une coloration républicaine. Pour décrire la lutte de ces deux temples de la finance, Zola s'est inspiré de la guerre secrète que se sont livrée le banquier Bontoux, de l'Union générale, et la famille Rothschild, guerre qui s'est terminée par le krach de 1882 et la déconfiture de centaines de petits porteurs. Bref, un roman à clefs. Tout ce que le public aime ! Pourtant Zola est inquiet : « Rien, selon moi, n'est plus réfractaire à l'art que les questions d'argent, que cette matière financière, dans laquelle je suis plongé jusqu'au cou, écrit-il à Van Santen Kolff. Vous me demandez si je suis content : jamais je ne le suis au milieu d'un livre, et, cette fois, le tour de force avec lequel je me bats est vraiment si dur que j'en ai, certains jours, les reins cassés. Enfin, nous verrons bien [1]. » À quelque temps de là, il rencontre Goncourt chez les Charpentier. « Il [Zola] est un peu remplumé et moins jaunâtre et moins ridé et moins macabre, et a sa voix mielleuse de fausse confraternité, note Goncourt. Il n'est pas tout à fait content de son livre, mais il ne faut pas le dire trop haut : ça pourrait nuire... Enfin l'Argent, c'est bon comme mobile d'une action, mais dans l'Argent pris comme étude..., il y a trop d'argent [2]. »

Le roman commence à paraître dans le *Gil Blas* du 30 novembre 1890. Ses amis félicitent Zola d'avoir su mettre un peu d'humanité dans un sujet si abstrait, louent la scène du krach, s'intéressent au caractère de tel ou tel personnage, mais, dans l'ensemble, le ton est mesuré. Les journalistes, de leur côté, ayant déjà trop souvent parlé des livres de l'auteur, cherchent en vain des formules inédites pour l'encenser ou l'abattre. Cependant Judith Gautier, dans *Le Rappel*, souligne que Zola semble acquis aux théories de Karl Marx, professées par son personnage de Sigismond Busch ; et Anatole France, dans *Le Temps,* conclut : « Le style, de plus en plus simple, est épaissi et négligé. Mais une puissance extraordinaire anime cette lourde machine. » Depuis longtemps habitué à acheter tous les romans de Zola, le public se presse chez les libraires. Voici Zola rassuré. Il est encore à la mode, même si certains confrères font la fine bouche devant son œuvre.

Invité à Rouen pour assister à l'inauguration d'un monument en l'honneur de Flaubert, il fait le voyage en train avec Goncourt, exagérément jovial, et Maupassant, décharné, ravagé, hagard. Sous la pluie et le vent qui balaient le jardin du Musée où a lieu la cérémonie, Goncourt prononce un discours exaltant le génie, la simplicité et la bonté de l'auteur de *Madame Bovary*. Sa voix déraille. Des bourrasques de pluie lui coupent, par

1. Lettre du 12 septembre 1890.
2. *Journal*, 16 octobre 1890.

instants, le souffle. Au milieu de cette tempête, le monument, dû au ciseau de Chapu, ressemble à un carré de saindoux. Quelle tristesse, songe Zola, cette réunion de notables provinciaux, de journalistes besogneux et de bourgeois indifférents, autour du souvenir d'un grand homme ! On se croirait aux comices agricoles. Il grelotte sous son pardessus au col relevé. L'esprit ailleurs, il revoit l'ermite de Croisset dans l'éclat de ses fureurs, de ses jugements à l'emporte-pièce, de ses rires énormes et, malgré lui, il compare leurs deux destinées : même acharnement au travail, même sacrifice de la vie à la littérature. Mais ne vaut-il pas mieux avoir écrit peu de livres, comme Flaubert, pour garder une chance de passer à la postérité ?

XX

PÈRE DE FAMILLE

C'est avec un mélange d'espoir et d'angoisse que Zola voit approcher la fin du cycle des *Rougon-Macquart*. Quel vide soudain dans sa vie quand il arrivera au bas de la dernière page du dernier volume de la série ! À quoi emploiera-t-il ses forces lorsqu'il se sera délivré de l' « Histoire naturelle et sociale d'une famille sous le Second Empire » ? « Et après, que ferez-vous ? » lui demande Paul Alexis. Zola réfléchit et répond évasivement : « Après ? mon ami, après ? Je ferai peut-être autre chose, quelque chose de tout différent... De l'histoire par exemple : oui, quelque chose comme une Histoire de la littérature française... Ou des contes pour les petits enfants... Ou peut-être rien... Je serai si vieux !... Je me reposerai... [1] »

Pour l'instant, il ne veut penser qu'à son prochain roman, *La Débâcle*, dans lequel il évoquera la folle guerre de 1870 et la défaite humiliante de la France devant l'orgueil allemand. N'ayant pas été mobilisé lui-même, il se documente auprès de ceux qui ont vécu cette horrible boucherie. Avec passion, il compulse les petits carnets où certains combattants ont noté leurs impressions au jour le jour, feuillette les gazettes de l'époque, dévore les livres consacrés au désastre de

---

1. Paul Alexis, *op. cit.*

l'armée française, étudie des cartes d'état-major et loue un landau, à Reims, pour suivre l'itinéraire du 7e corps de Courcelles jusqu'à Sedan. Sa femme l'accompagne dans ce voyage d'exploration. Le cocher est un ancien soldat, qui a fait le même trajet en 1870. Confortablement installé avec Alexandrine sur les coussins de la voiture, Zola contemple ce paysage indifférent et l'imagine peuplé d'un grouillement d'uniformes, voué au désordre et à la mort, déchiqueté par l'éclatement des obus. Des hommes tombent, d'autres montent à l'assaut, des blessés râlent entre les lignes, une horde de fantassins hagards piétine dans un chemin creux haché par la mitraille... Zola voit tout cela au milieu du vide souriant de la paix. Et, tandis qu'Alexandrine dodeline du menton, bercée par le trot du cheval, il rêve, il note, il écrit dans sa tête cette épopée du malheur national.

Le dimanche 19 avril 1891, les Zola arrivent à Stonne, puis à Reuilly, où un aubergiste les assourdit d'informations et d'anecdotes. À Sedan, c'est l'ancien maire de la ville, Charles Philippoteaux, qui guide l'écrivain parmi les champs de bataille des alentours. Sur leur passage, les mémoires s'éveillent, les langues se délient. Le carnet à la main, Zola se rend à la presqu'île d'Iges où les Prussiens ont entassé leurs prisonniers, au château de Bellevue où fut signée la capitulation de l'armée française, dans la demeure où Napoléon III, exténué, malade, a rencontré Bismarck après la défaite, à Bouillon, en Belgique, où l'empereur a couché après sa reddition... Il est partout à la fois, avec la troupe et avec les généraux. Une semaine lui suffit pour vivre toute la guerre comme s'il l'avait faite. « Voyez-vous, confie-t-il à un rédacteur du *Petit Ardennais*, il y a deux façons de prendre des renseignements. La première consiste à se renseigner longuement, à visiter un pays par petites étapes en s'installant même au milieu des habitants pour vivre leur propre vie. La seconde — c'est la mienne — consiste à passer dans un pays rapidement pour en emporter une impression rapide, logique, intense. » Le dimanche 26 avril, le couple rentre à Paris, par le train. Zola a, dans ses bagages, cent dix pages de notes pour *La Débâcle*.

Revenu dans la capitale, il classe ses papiers, expédie quelques affaires courantes, discute à la Société des Gens de lettres la possibilité de confier à Rodin l'exécution d'une statue de Balzac, participe à un banquet en l'honneur des auteurs et des interprètes d'un opéra-comique tiré de son roman *Le Rêve*, mais ne se décide toujours pas à entreprendre la rédaction de *La Débâcle*. Deux circonstances l'empêchent d'avoir la tête assez libre pour écrire : Alexandrine a projeté un voyage avec lui dans les Pyrénées et Jeanne est de nouveau enceinte. Père de deux enfants au soir de sa vie ! Il ose à peine y croire. Son excès de chance le transporte et le terrifie. Il tremble pour la santé de Jeanne. A-t-il le droit de s'absenter pendant cette grossesse inespérée ? Alexandrine, qui ne se doute toujours de rien, insiste pour partir. Et Zola cède. Il se sent tellement fautif devant sa femme qu'il ne peut rien lui refuser. Cependant, avant de se mettre en route, il prend ses précautions et confie Jeanne à la sollicitude amicale d'Henry Céard : « Montez donc une après-midi voir ma pauvre J. [Jeanne], lui écrit-il le 8 septembre 1891. Elle n'aura sans doute besoin de rien. Mais je serai tranquillisé en sachant qu'elle a près d'elle, à sa disposition, un cœur solide et discret comme le vôtre. J'envoie au docteur votre adresse, pour qu'il vous lance une dépêche dès que les couches seront faites. Vous aurez l'obligeance d'aller avec lui déclarer l'enfant : Jacques, Émile, Jean, si c'est un garçon, Germaine, Émilie, Jeanne, si c'est une fille. Et, comme second témoin, vous prendrez Alexis ou une autre personne que J. vous désignera. Dans le cas d'un malheur, vous me remplaceriez, et vous tâcheriez de me prévenir le plus tôt possible. Je vais songer au moyen de vous donner une adresse. Nous partons demain pour Bordeaux et les Pyrénées. Et merci de tout mon cœur, mon vieil ami, et tout ce que vous ferez sera une bonne action, car je ne suis pas heureux. » Le même jour, il poste une autre lettre à l'intention du docteur Henri Delineau, qui soigne Jeanne : « Mon ami Henry Céard demeure rue du Trésor, 10. Il est entendu que, si vous craigniez des couches difficiles, vous l'appelleriez aussitôt par dépêche. Je dis simplement dans la crainte d'un malheur. Autrement, ne l'avertissez que lorsque tout sera fini, pour qu'il aille avec vous faire la déclaration... Je compte sur votre cœur et sur votre discrétion... Ne m'écrivez pas, quoi qu'il arrive. Céard a toutes les instructions nécessaires. »

Le 9 septembre, bourrelé de peurs et de repentirs, Zola laisse à Paris sa maîtresse sur le point d'accoucher pour accompagner dans les Pyrénées sa femme qui voudrait voir du pays. De Bordeaux, le couple se rend à Dax, à Pau, à Cauterets et à Lourdes. Cette dernière ville subjugue Zola par l'atmosphère de misère physique et de folle piété qui s'en dégage. Alors qu'il ne comptait s'y arrêter qu'un jour, il en passe quatre à errer dans les rues et à prendre des notes en prévision d'un livre encore incertain dans sa tête. Il est fasciné, dira-t-il à Goncourt, par « la vue de ces malades, de ces marmiteux, de ces enfants mourants apportés devant la statue, de ces gens aplatis à terre dans le prosternement de la prière, la vue de cette ville de la foi, née de l'hallucination de cette petite fille de quatorze ans, la vue de cette cité mystique en ce siècle de scepticisme [1] ».

Poursuivant leur voyage sous une pluie battante, les Zola s'aventurent en Espagne. Alexandrine est enchantée par le pittoresque de cette terre de passion, mais Émile souffre du manque de nouvelles. La grossesse de Jeanne doit être près de son terme. Et, au lieu de veiller à son chevet, il baguenaude dans les rues de Saint-Sébastien. Comment se tenir au courant des événements sans éveiller les soupçons d'Alexandrine ? Il songe à un subterfuge et, le 20 septembre 1891, en informe son

1. *Journal,* 26 juillet 1892.

confident habituel, Henry Céard : « Si vous avez quelque chose de particulier à me dire, écrivez-moi à M.A.B. 70, à Biarritz, poste restante. J'y serai jusqu'au 25. Et je vous prie en outre, lorsque Jeanne sera délivrée et que le docteur vous aura donné des nouvelles, de mettre, aux correspondances personnelles du *Figaro*, une note que vous signerez Duval et dans laquelle vous me renseignerez à mots couverts. Mettez faisan pour un garçon, faisane pour une fille, enfin comme s'il était question d'une volière. »

Ayant imaginé ce système de correspondance secrète, il s'en réjouit comme un gamin jouant à la guerre des espions. Jamais *Le Figaro* n'aura eu de lecteur plus passionné que lui. Il n'a pas longtemps a attendre. Le 27 septembre, en ouvrant le journal, il tombe sur l'annonce suivante : « A.B. 70. Faisan bien arrivé superbe 25. Duval [1]. » Soulevé de terre par une bourrasque de joie, il répond à Henry Céard : « Merci, mon vieil ami. C'est par votre petite note que j'ai appris l'événement, et, malgré les grands chagrins où me jette cette aventure, toute mon humanité en a été profondément remuée. À mon âge, ce sont là des choses profondes. Merci encore de tout ce que vous avez fait [2]. » À présent qu'il a ce jeune « faisan » dans sa « volière », il se sent encore plus coupable vis-à-vis d'Alexandrine. Il voudrait lui crier son bonheur et doit refréner ses élans, par prudence, par charité. Comme pour se faire pardonner, il redouble de gentillesse envers elle.

De retour à Paris le 12 octobre, il se rue pour embrasser Jeanne à peine remise de ses couches, la petite Denise qui a maintenant deux ans et le poupon Jacques, gorgé de lait, qui somnole dans son berceau. Sa vraie famille est là. Et, quand il la visite, il a l'impression

---

1. Le fils de Zola, Jacques-Émile-Jean Rozerot, est né le 25 septembre 1891.
2. Lettre du 28 septembre 1891.

d'avoir trente-cinq ans. Hélas! il retrouve son âge véritable en réintégrant le domicile conjugal où l'attend la femme de son déclin. Elle est son miroir. Il ne la désire plus, mais éprouve pour elle une inaltérable affection, nourrie de souvenirs et d'habitudes.

Soudain l'orage éclate. Prévenue par une lettre anonyme de la liaison de son mari avec Jeanne Rozerot, Alexandrine exige des explications. Le dos au mur, Zola bredouille des excuses maladroites : les entraînements de la chair, le besoin d'avoir une descendance... Il a devant lui une mégère au visage ravagé par la jalousie et l'humiliation. Elle le somme de rompre. Tremblant de tous ses membres, il refuse. Ne va-t-elle pas, dans sa colère, s'en prendre à Jeanne, aux enfants ? De nouveau, Zola a recours au brave Henry Céard. Il lui envoie un pneumatique, daté du 10 novembre : « Mon vieil ami, ma femme devient absolument folle. Je crains un malheur. Veuillez donc passer demain matin rue Saint-Lazare et faire le nécessaire. Pardonnez-moi. » Trop tard ! Alexandrine se précipite au 66, rue Saint-Lazare, dans l'appartement de Jeanne, l'insulte, brise un secrétaire, s'empare des lettres d'Émile à sa maîtresse et repart, toute fumante de rage, avec son butin. Consterné, Zola ne peut que se justifier par dépêche auprès de la jeune femme : « J'ai tout fait pour empêcher qu'on allât chez toi. Je suis bien malheureux. Ne désespère pas. »

Ayant brûlé les lettres de son mari, Alexandrine se calme un peu. Après tout, Émile et elle n'ont plus guère que des rapports d'amitié. Qu'il aille donc chercher ailleurs les basses satisfactions qu'elle lui refuse ! L'essentiel est que les apparences soient sauves. Aux yeux du monde, elle veut rester l'épouse attitrée et respectée de l'illustre Zola. Son acceptation du fait accompli ne diminue ni sa rancune ni sa honte. Simplement, par crainte du qu'en-dira-t-on, elle met une sourdine à la souffrance qui la ronge. On avait projeté de partir le 11 novembre pour un voyage en Belgique. Eh bien, on partira ! Comme si de rien n'était ! Zola consent à ce modus vivendi qui l'arrange. Il suit le mouvement, tel un enfant puni qui ne sait quelle attitude prendre pour se faire pardonner. Le ménage ainsi rafistolé visite Bruxelles, Anvers et revient à Paris, apaisé, refroidi et morose.

Aussitôt Zola se rejette dans le travail. Au milieu des multiples traverses de son existence, il a trouvé le temps de rédiger la majeure partie de *La Débâcle*. La publication du roman en feuilleton commence dans *La Vie populaire* alors qu'il n'a pas encore écrit les derniers chapitres. Par son évocation impitoyablement exacte des ultimes combats, du siège de Paris, de la Commune, cette œuvre est une condamnation de Napoléon III, de l'impératrice et des généraux incapables qui ont conduit la France au désastre. Le fil conducteur du récit est l'amitié entre deux soldats, Jean Macquart, un fils de la terre, et Maurice Levasseur, un intellectuel bourgeois. À travers eux, le lecteur vit la marche des régiments vers Sedan, la fatigue, la peur des conscrits, l'absurdité des ordres et des contrordres sur les champs de bataille, le sacrifice inutile des milliers de gamins qui viennent de revêtir l'uniforme, les souffrances des prisonniers parqués par les Prussiens dans la presqu'île d'Iges, la fuite des populations civiles, le siège de Paris, la capitulation, les combats de rues entre Français. Jean Macquart, l'homme équilibré, pondéré et pragmatique, se range du côté des troupes régulières qui tentent de rétablir l'ordre dans la capitale, tandis que Maurice Levasseur, l'exalté, lutte avec les communards sur les barricades. Il sera mortellement blessé d'un coup de baïonnette par Jean Macquart qui ne l'a pas reconnu dans la fureur des affrontements. En rendant le dernier soupir, Maurice rêve d'un feu purificateur qui détruirait Paris et la société bourgeoise pour laisser la place au paradis de la fraternité. Désespéré d'avoir tué son meilleur ami, Jean s'éloigne, « marchant à l'avenir, à la grande et rude besogne de toute une France à refaire ».

Cette trame simpliste est, certes, très inférieure aux vingt destins entrecroisés qui forment l'ossature de *La Guerre et la Paix*, de Tolstoï. Dans l'œuvre de Tolstoï, gigantesque par ses ramifications et sa profondeur humaine, il semble que chaque péripétie ait été vécue par l'auteur. Dans *La Débâcle*, en revanche, malgré l'abondance de la documentation, les héros apparaissent comme des témoins dont l'unique raison d'être serait de se trouver présents, au bon moment, sur le théâtre de l'action. On sent trop que, pour Zola, l'essentiel n'est pas de peindre quelques personnages pris dans la guerre, mais de peindre la guerre à travers quelques personnages. Cependant, il y a, dans ce reportage romancé de la défaite, une couleur, une violence qui rachètent la pauvreté de l'intrigue.

Au moment de publier les premiers chapitres de son livre, Zola mesure son audace. Après la terrible correction qui lui a été infligée par l'Allemagne, la France a besoin d'oublier et de croire. Un esprit de revanche la travaille. Elle aime les uniformes, les défilés, les drapeaux, pleure l'Alsace-Lorraine perdue et se délecte des chants patriotiques de Déroulède. Les généraux sont de nouveau sacrés à ses yeux. Elle a failli emboîter le pas à Mac-Mahon, à Boulanger. Dès qu'un sabre brille à l'horizon, elle cambre la taille. Et voici que Zola, le pourrisseur, lui offre un livre qui relate son infortune passée. Elle veut aller de l'avant et il l'invite à regarder en arrière. Mais n'est-ce pas pour l'empêcher de commettre, à l'avenir, la même erreur ? « Vous me demandez des détails sur *La Débâcle,* écrit Zola à Van Santen Kolff. Je préfère vous indiquer à grands traits ce que je désire faire. D'abord dire la vérité sur l'effroyable catastrophe dont la France a failli mourir. Et je vous assure qu'au premier moment cela ne m'a point paru facile, car il y a eu des faits lamentables pour notre orgueil. Mais, à mesure que je me suis enfoncé dans cette abomination, je me suis aperçu qu'il était grand [temps] de tout dire, et que nous pouvions tout dire maintenant, dans la satisfaction légitime de l'énorme effort que nous avons dû faire pour nous relever. Je crois que mon livre sera vrai, sera juste, et qu'il sera sain pour la France par sa franchise même [1]. »

La presse est d'abord très élogieuse, avec, comme point fort, un article d'Anatole France dans *Le Temps*, félicitant Zola de n'avoir rien caché « des laideurs, des stupidités et des cruautés de la guerre » et d'avoir retrouvé, avec *La Débâcle,* ce « sens épique » qui avait fait la valeur de *Germinal* : « En dépit des officiers ignorants et des soldats maraudeurs, en dépit des fautes et des défaillances, malgré la démoralisation terrible de la défaite, on se fait, dans le livre de M. Zola, l'idée d'une bonne et brave armée à qui manquent seulement des chefs. » Même son de cloche du côté de *La Revue encyclopédique* : « M. Zola, dans un sujet digne de son génie énorme, a montré une puissance d'évocation, une vigueur de touche, un don d'animer et de faire mouvoir les vastes masses que ne nous avait jamais révélés à un tel degré l'auteur de *Germinal.* » *Le Journal des débats* renchérit : « Lorsqu'on ferme ce livre massif, touffu, où la vie déborde, où fourmillent des foules, où grouille, saigne et gémit un monde agonisant, on est poursuivi par l'angoisse d'une vision affreuse et ineffaçable. » Et Émile Faguet lui-même rend les armes : « *La Débâcle* de M. Émile Zola est une très grande œuvre, la plus grande, je crois, de toute la bibliothèque que M. Zola a écrite. » Quant à Edmond de Goncourt, il peste et grogne selon son habitude : « Dans tout le volume, pas une page de grand écrivain, pas même un détail apportant la réelle émotion d'une chose vue ou soufferte, tout de la bonne littérature grossoyée d'après des racontars… Je crois que, si moi, si Zola, nous avions vu la guerre — et la guerre avec l'intention de la peindre dans un bouquin —, nous aurions pu faire un livre original, un livre neuf. Mais, sans l'avoir vue, on ne peut

1. Lettre du 4 septembre 1891.

faire qu'un volume intéressant, mais ressemblant à tous ceux qui ont été fabriqués avant vous sur le même sujet[1]. »

Bien entendu, quelques lecteurs, anciens combattants pour la plupart, relèvent des inexactitudes minimes dans le récit. Zola leur répond avec courtoisie. Mais déjà se gonfle une vague de critiques sur le sens général de l'œuvre. Dans les milieux monarchistes, catholiques, nationalistes, militaristes, des esprits s'échauffent et on jette l'anathème contre l'auteur. Le premier à dénoncer l'influence néfaste de *La Débâcle* sur l'opinion publique est Eugène-Melchior de Vogüé qui, dans *La Revue des Deux-Mondes*, tout en rendant hommage au talent de Zola, lui reproche de s'être abstenu de commentaires sur les responsabilités de l'Allemagne dans la guerre de 1870 et d'avoir, par contrecoup, « avili » l'armée et la nation françaises. Zola lui réplique dans une interview publiée par *Le Gaulois* : « M. de Vogüé se demande où est l'Allemagne dans mon livre. Mais elle rôde autour de nous comme une fatalité... En écrivant ce livre, je crois avoir fait œuvre de moraliste et de patriote... C'est un livre de courage et de relèvement, un livre maintenant la nécessité de la revanche. »

Malgré cette mise au point, la campagne de dénigrement continue. De plus en plus nombreux sont ceux qui, dans les journaux, accusent Zola d'avoir, sous le couvert d'un récit prétendument véridique, voulu saper le moral de la nation. Des généraux s'en mêlent, criant leur douleur devant l'honneur français outragé. Dans *L'Université catholique*, l'abbé Théodore Delmont déclare que *La Débâcle* est « un cauchemar, un honteux cauchemar, aussi malsain qu'antipatriotique », vilipende l'auteur qui s'est plu à montrer notre armée comme un ramassis de maraudeurs, de lâches et d'ivrognes, tandis qu'il a « amnistié », dans les deux derniers chapitres, les « scélérats » et les « meneurs » de la Commune. D'au-

1. *Journal*, 4 juillet 1892.

tres prêtres lui font écho. En lisant ces articles et ces lettres de protestation, Zola devine qu'une coalition de militaires effrénés, défenseurs du galon et du drapeau, d'ecclésiastiques étroits, partisans de l'ordre public à tout prix, et d'ennemis de la liberté de parole se forme insidieusement pour lui barrer la route. On ne lui reproche plus la violence de ses livres, mais leur signification politique. Tous ces gens se proclament plus français que lui. Jusqu'où iront-ils dans leur haine de la vérité ?

Bravant l'opinion, Zola s'est rendu à la séance publique de l'Académie française au cours de laquelle Pierre Loti a lu l'éloge de son prédécesseur, Octave Feuillet. Là, il a entendu, de la bouche du récipiendaire, une rude attaque contre le naturalisme, qui se complaît dans la représentation de « la lie du peuple des grandes villes ». « Cette grossièreté absolue, ce cynisme qui raille tout sont des phénomènes morbides, particuliers aux barrières parisiennes, déclarait Pierre Loti. Et voilà pourquoi le naturalisme, tel qu'on l'entend aujourd'hui, est destiné — malgré le monstrueux talent de quelques écrivains de cette école — à passer, quand la curiosité malsaine qui le soutient se sera lassée. L'idéal, au contraire, est éternel. »

En dépit de cette leçon administrée sous la Coupole, Zola se représente, pour la troisième fois, au suffrage des académiciens. Il ne recueillera que trois voix au deuxième tour et verra Ernest Lavisse lui souffler le fauteuil. Une autre cérémonie le préoccupe déjà : le baptême de son fils Jacques. Il faut absolument que son plus proche confident soit témoin de l'événement. « Mon vieil ami, écrit-il à Henry Céard, nous baptisons demain notre petit Jacques à l'église de la Trinité, à trois heures et demie. Si vous pouviez être là pour signer au registre, comme assistant, cela me ferait plaisir[1]. » Mais, le 1er juin, Henry Céard manque au rendez-vous.

1. Lettre du 31 mai 1892.

Sans doute estime-t-il que Zola lui a déjà demandé trop de services et que, par égard pour Alexandrine, il doit désormais rester à l'écart du faux ménage. Zola est attristé par cette absence inattendue. Jeanne ravale ses larmes. Elle met de côté la boîte de dragées destinée à Céard. « Il est impossible qu'il ne revienne jamais ! » soupire-t-elle[1]. Au vrai, tout en regrettant l'attitude d'Henry Céard, elle comprend que son rôle à elle est de se tenir toujours en retrait, comme une servante. Même dans les bras de Zola, elle ne peut oublier qu'Alexandrine est son ancienne patronne. Elle lui doit le respect : c'est une question de hiérarchie sociale. Dans ces conditions, l'idée du divorce ne l'effleure pas. Elle a le devoir de trouver son bonheur dans l'effacement : entretenue mais non reconnue, ne manquant de rien mais ne pouvant rien espérer.

Conscient que Jeanne ne lui causera aucun souci, Zola s'emploie à calmer les crises de jalousie d'Alexandrine. Ayant appris que cette dernière avait confié à la fille des Charpentier, Georgette Hermant, son intention de se séparer un jour ou l'autre de son mari, il écrit à la jeune femme : « Sois bien certaine, ma chère Georgette, que jamais je ne me conduirai en méchant homme. Ma femme ne me quittera pas, à moins que son bonheur soit de me quitter, ce qui n'est pas[2]. » Et, pour amadouer l'irascible Alexandrine, il lui propose un voyage de réconciliation en Normandie. Elle y consent, et les voici au Havre, à Honfleur, à Trouville, à Étretat, à Fécamp. De retour à Médan, Zola affirme à Jeanne : « Je ne veux pas mettre un remords dans notre tendresse[3]. » Puis, s'étant ainsi justifié auprès de sa maîtresse, il repart, le surlendemain, avec sa femme, pour Lourdes. Là, pour les besoins d'un livre futur, il assiste, sur le quai de la gare, au débarquement des pèlerins, se

1. Denise Le Blond-Zola : *Émile Zola raconté par sa fille.*
2. Lettre de juillet 1892.
3. Lettre du 16 août 1892.

rend à la grotte, à l'hôpital Notre-Dame-des-Douleurs, au bureau des constatations médicales, consulte l'historien des miracles, Henri Lasserre, et accorde des entretiens à de nombreux journalistes. Le voyage se poursuit par Luchon, Toulouse, Carcassonne, Nîmes, Arles, Aix, Marseille, Toulon, Cannes, Antibes, Nice, Gênes enfin, où Zola participe à un banquet offert par le comité de l'exposition Christophe Colomb. Partout il apparaît en hôte de marque, flanqué de son épouse. Elle se console de son infortune secrète par une dignité conjugale affichée tous les jours. Et Zola, en se cachant d'elle, écrit brièvement à Jeanne : « Dis à ma petite Denise que, si son papa ne va pas la voir, c'est qu'il est très occupé ailleurs et qu'il l'aime tout de même beaucoup. Il pense à elle et à vous autres tous les soirs et tous les matins. Vous êtes ma prière [1]. » Le 1er octobre, il est à Monte-Carlo où il reçoit de son éditeur l'annonce que la vente de *La Débâcle* frise les cent cinquante mille exemplaires. Cela l'encourage à préparer le dernier volume du cycle des *Rougon-Macquart, Le Docteur Pascal.*

Il rentre à Paris tout plein de son projet et, comme il se trouve que trois académiciens sont morts dans l'intervalle, il se porte candidat aux trois fauteuils. « Il y aurait dix, vingt sièges vacants, que j'agirais toujours de même, déclare-t-il à un rédacteur du *Matin*. Il faut que l'on sache et que l'on se répète que je suis et je reste candidat à perpétuité. » L'affaire se solde par un triple échec. Il n'en est ni surpris ni peiné. En renouvelant, à chaque occasion, ses démarches protocolaires, il veut démontrer au monde entier combien l'Académie se ridiculise en refusant obstinément de l'élire, alors que son œuvre passionne les foules non seulement en France, mais dans toute l'Europe et jusqu'en Amérique. C'est, pense-t-il, la lutte d'un géant solitaire contre une assemblée de nabots. Peut-être même serait-il déçu si

1. Lettre du 30 août 1892.

ces messieurs l'invitaient à s'asseoir parmi eux. Ce qui lui plaît maintenant, c'est leur refus. La tempétueuse journaliste Séverine, dévouée à la cause du prolétariat, se moque de la fièvre académique qui secoue Zola. Elle l'accuse en outre d'avoir, lui, l'auteur de *Germinal,* condamné les courageux attentats anarchistes de ces derniers mois. Faisant allusion à des propos qu'il aurait tenus lors d'un dîner littéraire, elle déclare dans *L'Écho de Paris* : « Vous n'êtes donc plus anarchiste ? Après tout, il est peut-être écrit qu'il y aura plus de joie à l'Académie pour un anarchiste repentant que pour trente-neuf réactionnaires qui n'ont jamais changé. » Or, Zola ne s'est jamais senti proche des poseurs de bombes. Les Ravachol lui semblent de dangereux dévoyés de la politique. En réponse aux sarcasmes de Séverine, il exprime sa profession de foi dans le même journal, à la date du 13 novembre 1892 : « Je suis pour la transformation lente de la société, je veux les réformes sans violence et je crois qu'on ne hâte pas le progrès, qu'on ne résout pas les graves problèmes sociaux avec des obus, ni avec des marmites de dynamite. »

Comme Séverine — mais pour de tout autres raisons —, Goncourt ne décolère pas devant les manœuvres supposées de Zola pour accéder aux honneurs. Celui-ci lui ayant raconté ses impressions de Lourdes et annoncé qu'il voudrait consacrer un livre à cette capitale de la piété, il note dans son *Journal* : « En l'entendant, je pensais au roublard littéraire qui, sentant que le naturalisme est en baisse, songeait au bon tremplin qu'il trouvait là pour passer mystique avec une grosse vente, ainsi que d'anti-académique il est devenu aspirant académicien [1]. » Peu après, il s'indigne des marques de tendresse que Zola prodigue à sa femme, qu'il appelle en public « mon mignon » et « ma petite chérie » alors

1. Note du 6 mars 1892.

que tout le monde, autour d'eux, sait qu'il la trompe[1]. Enfin, il suggère que Zola est client du docteur Brown-Séquard et reçoit des injections qui lui « restituent les forces amoureuses » et refont de lui « un homme de vingt-cinq ans près de la jeune femme qui a succédé à Mme Zola[2] ».

Ainsi, malgré les précautions prises, les écarts de conduite du grand homme sont connus de toute la petite république des lettres. S'il le déplore pour l'honneur d'Alexandrine, il ne peut s'empêcher d'éprouver un certain orgueil en pensant qu'à cinquante-deux ans il défraie encore l'opinion par ses prouesses physiques. Du reste, il compte mettre à profit, dans son prochain livre, cette expérience d'un renouveau sentimental et charnel. *Le Docteur Pascal,* pour lequel il accumule des notes, illustrera le triomphe de l'amour sur l'âge. Et, pour toute la partie psychologique du roman, il n'aura besoin que de ses propres impressions d'homme vieillissant régénéré par l'approche d'une très jeune compagne. Le printemps en plein hiver, quoi de plus exaltant pour un écrivain en quête d'un thème à la fois intimiste et universel ?

1. Note du 20 mars 1892.
2. Note du 13 juillet 1892.

XXI

LA FIN DES *ROUGON*

Lorsque *Le Docteur Pascal* paraît en librairie, Zola en offre un exemplaire sur papier Japon à sa maîtresse, alors âgée de vingt-cinq ans, comme son héroïne, Clotilde. C'est avec émotion qu'il trace la dédicace sur la page de titre : « À ma bien-aimée Jeanne, à ma Clotilde, qui m'a donné le royal festin de sa jeunesse et qui m'a rendu mes trente ans en me faisant le cadeau de ma Denise et de mon Jacques, les deux chers enfants pour qui j'ai écrit ce livre, afin qu'ils sachent, en le lisant un jour, combien j'ai adoré leur mère et de quelle respectueuse tendresse ils devront lui payer plus tard le bonheur dont elle m'a comblé dans mes grands chagrins. » Et, de fait, en contant les amours de la jeune Clotilde et du fameux biologiste Pascal, bientôt sexagénaire, Zola a voulu magnifier sa propre aventure avec Jeanne. Mais il a idéalisé ses deux personnages au point de les rendre invraisemblables. Pascal est beau dans sa vieillesse, suave dans son cœur, savant dans sa tête et vigoureux dans ses reins. Alter ego de l'auteur, il incarne la science pure. Tout son être respire la droiture et l'intelligence. Seul membre de sa famille à n'être pas marqué par une hérédité fatale, il se passionne pour le passé des Rougon-Macquart, rassemble des documents sur eux et dresse leur arbre généalogique. Poussée par sa grand-mère, qui craint des révélations scandaleuses sur ses proches, Clotilde, innocente jeune fille à qui il ne manque que des ailes dans le dos, veut détruire les dossiers de son oncle Pascal. Il la surprend et lui explique le sens de ses recherches : c'est en dénonçant les tares de l'humanité qu'on a le plus de chances de la guérir. Cette affirmation illumine Clotilde, qui se détache de l'Église pour se rapprocher de la Science. Elle va aider Pascal dans son travail et, changeant de mysticisme, devenir sa maîtresse « avec le cri de sa virginité perdue ». Les étreintes de cet homme sur le retour remplacent pour elle les extases de la prière. Le couple connaît un bonheur biblique dans la communion de la chair. Pascal est étonné de son appétit devant Clotilde. Il rajeunit à son contact et elle mûrit dans ses bras : « Ah ! la jeunesse, il en avait une faim dévorante ! Au déclin de sa vie, ce désir passionné de jeunesse était la révolte contre l'âge menaçant, une envie désespérée de revenir en arrière, de recommencer. » « Connais donc la vie, aime-la, vis-la telle qu'elle doit être vécue », dit-il à Clotilde. Mais, pour faire taire les mauvaises langues et parce qu'il se sent très malade, il la pousse à partir. Il mourra sans savoir qu'elle attend un enfant de lui. Vision édifiante, les dernières lignes du roman montrent Clotilde donnant le sein à son bébé. Et le nourrisson lève son petit bras en l'air, « dressé comme un drapeau d'appel à la vie ».

C'est d'un pinceau flatteur que Zola a peint les amours de ses deux protagonistes. Il les aime comme il aime le couple adultérin qu'il forme avec Jeanne. Dans *Le Docteur Pascal*, pas de mauvaises odeurs, pas de guenilles, tout est aseptisé, parfumé, idéalisé. Aux violences de *La Bête humaine* et de *Germinal* succède un lyrisme bêlant. Le chef de l'école naturaliste s'est converti à l'art bourgeois. Mais il a voulu que cet ultime volet du cycle des *Rougon-Macquart* fût à la fois une explication des dix-neuf volumes précédents et un cantique à la vie, « un cri de santé », selon sa propre expression.

La critique, tout en louant Zola pour le mouvement torrentueux du livre, émet des réserves sur cette improbable passion d'une jeunesse pour un vieillard. Certains reprochent également à l'auteur d'avoir cherché à « dramatiser une table des matières » et à mettre « de la flamme et de la poésie dans l'arbre généalogique des Rougon-Macquart ». D'autres enfin signalent les incohérences du héros qui, amoureux fou de sa maîtresse, se résigne à la renvoyer et de l'héroïne qui accepte de s'éloigner pour laisser son amant sexagénaire travailler en paix sur ses paperasses. Quant au public, il achète l'ouvrage, de confiance, pour avoir la série des *Rougon-Macquart* au complet.

Zola est soulagé. Il a posé la dernière pierre de l'édifice. Si son père n'a pas eu le temps d'achever la construction de son canal, lui pourrait aujourd'hui mourir en paix, puisque les vingt volumes de son œuvre se dressent en bastion solide derrière ses épaules. Mais il n'a nulle envie de disparaître. Des projets, il en a plein la tête. Et Jeanne est là pour entretenir, dans son cœur, la joie de vivre.

Le 21 juin 1893, ses éditeurs, Charpentier et Fasquelle, organisent un banquet littéraire pour célébrer la fin des *Rougon-Macquart*. La réunion a lieu à midi, au Chalet des Îles du bois de Boulogne. Des tables ont été disposées sous des tentes, au milieu des pelouses fleuries. Le déjeuner rassemble deux cents écrivains et artistes autour d'Alexandrine et de Zola, radieux. Raymond Poincaré, ministre de l'Instruction publique et des Beaux-Arts, préside le repas. Zola observe, avec un rien d'amertume, que ni Goncourt, ni Daudet, ni Huysmans, ni Hennique, ni même Céard ne se sont dérangés. Est-ce le signe que le groupe de Médan s'est définitivement disloqué ? Combien de fidèles compagnons perdus en cours de route ! En vérité, Céard ne peut pardonner à Zola son attitude ambiguë envers Alexandrine. Il se sent en porte à faux dans ce ménage désuni dont les deux conjoints en appellent à son amitié et à ses services. Les académiciens, eux aussi, ont boudé la fête. Il est vrai que, deux semaines auparavant, ils ont blackboulé Zola pour élire Brunetière. L'insistance du « candidat naturaliste », qui ressurgit dès qu'un fauteuil se libère, les agace. Plus il s'obstine, moins il recueille de voix. En revanche, de nombreux jeunes auteurs participent au banquet et manifestent bruyamment leur attachement au « maître ». Au dessert, le verre de champagne à la main, Georges Charpentier et Émile Zola évoquent leur amitié qui dure depuis près d'un quart de siècle, Catulle Mendès prend la parole au nom des poètes, Édouard Rod au nom des écrivains étrangers et Adolphe Tabarant au nom de la gauche intellectuelle : « On a dit de vous, souvent, que vous étiez un grand socialiste. Rien de plus vrai. Et c'est pourquoi, buvant au couronnement de la cathédrale magnifique des *Rougon-Macquart*, je boirai aussi, mon cher maître, aux lendemains que vous laissez entrevoir dans votre œuvre entière, aux beaux lendemains de solidarité et de justice humaines, aux rouges lendemains de *Germinal*. » Quand les orateurs se sont tus, Yvette Guilbert chante ses meilleures chansons, des acteurs récitent quelques vers et les conversations reprennent autour des tables. On parle, bien entendu, de l'affaire de Panama, des sordides remous de la politique, de l'intervention militaire au Siam, de la maladie de Maupassant, qui, frappé de folie, dépérit dans la clinique du docteur Blanche. Cette dernière circonstance préoccupe Zola. Si Maupassant meurt dans les prochains mois, il lui appartiendra, en tant que président de la Société des gens de lettres, de prononcer quelques mots sur sa tombe. Or, il éprouve de la difficulté à s'exprimer en public. Chaque fois qu'il le fait, une gêne lui contracte le gosier.

L'inévitable se produit quinze jours après le banquet. Maupassant meurt, le 6 juillet 1893. Et, le 8 juillet, après un service religieux à l'église Saint-Pierre-de-Chaillot, son inhumation a lieu au cimetière Montparnasse-Sud. Nu-tête, Zola entame son discours d'une voix hésitante, zézayante. Avec émotion, il rappelle la carrière rapide et brillante du défunt, ses succès dans tous les domaines, son refus de renoncer à la vie de plaisirs pour se consacrer à l'écriture, ses excès, sa chute enfin dans l'aliénation mentale. Et soudain, il déclare sur le ton de la confidence : « Je suis parfois pris d'une inquiétude mélancolique devant les grosses productions de notre époque. Oui, ce sont de longues et consciencieuses besognes, beaucoup de livres accumulés, un bel exemple d'obstination au travail. Seulement, ce sont là aussi des bagages bien lourds pour la gloire, et la mémoire des hommes n'aime pas se charger d'un pareil poids... Qui sait si l'immortalité n'est pas plutôt une nouvelle de trois cents lignes, la fable ou le conte que les écoliers des siècles futurs se transmettront comme l'exemple inattaquable de la perfection classique ? »

Cette question, Zola, campé sur les vingt volumes des *Rougon-Macquart,* se la pose avec anxiété. Et il sait qu'il ne connaîtra jamais la réponse. Le succès du moment ne prouve rien, ne garantit rien. Peut-être même n'est-ce qu'un leurre ? Un faux billet pour passer la frontière du temps. Non, nul ne peut prévoir ce qui restera de son œuvre dans l'esprit des générations à venir. La sagesse est d'accepter les plaisirs de la notoriété présente, sans tirer de plans sur la comète.

Ainsi se réjouit-il d'être promu officier de la Légion d'honneur. Et il estime que, après le travail fourni ces derniers mois, il aurait le droit de prendre quelque repos avec Alexandrine au bord de la mer, en Bretagne. Il en profiterait pour rejoindre furtivement Jeanne, qui se trouve avec ses enfants à Saint-Aubin-sur-Mer. Mais Alexandrine tombe malade d'une forte grippe et voici le ménage Zola cloué à Médan. Désolé de ce contretemps, il écrit à sa maîtresse : « J'aurais voulu donner quelques plaisirs à ta jeunesse et ne pas te forcer à vivre comme une recluse ; j'aurais été si heureux d'être jeune avec toi, de me rajeunir avec ta jeunesse et, au lieu de cela, c'est moi qui te vieillis, qui t'attriste continuellement...

C'est bien vrai, ma plus grosse peine, en me privant de la mer, a été de ne pouvoir faire le bon papa avec mes chers enfants. J'aurais été si heureux de l'emporter dans mes bras, ma chère fillette, et de rire avec elle de la fraîcheur de l'eau ! Et j'aurais appris à Jacques à faire avec le sable des citadelles que la marée montante emporte [1]. »

À leur retour de Saint-Aubin-sur-Mer, Jeanne et les enfants s'installent à Cheverchemont, en face de Médan, dans une villa que Zola a louée pour eux. Posté sur son balcon, il surveille les jeux de son fils et de sa fille à la jumelle. Quand il entend le pas d'Alexandrine derrière la porte, il cache vite l'instrument dans un tiroir. Il s'est mis, depuis peu, à la bicyclette, pour faire tomber son ventre et pour se déplacer, en sportif solitaire, à travers la campagne. Quelques coups de pédalier et le voici auprès de sa bien-aimée. Tandis qu'Alexandrine, qui n'est pas dupe, enrage de ses escapades, il caresse ses enfants, raconte à Jeanne ses travaux, ses succès, ses entrevues avec des personnalités éminentes, prend le thé « en famille ». Puis, se remettant en selle et tenant fermement le guidon, il tricote des jambes pour retourner vers Alexandrine qui lui oppose un visage de bois. Il sent le ridicule de cette navette entre le foyer légitime et le foyer clandestin, mais ne voit aucune autre solution que le maintien des deux femmes à ses côtés, l'une pour l'amour secret, l'autre pour la parade sociale. Afin d'apaiser l'humeur d'Alexandrine, il l'emmènera dans ses plus importants voyages. C'est avec elle qu'il part pour l'Angleterre, le 20 septembre 1893. L'accueil qui lui est réservé à Londres est triomphal. Séance à l'Institut des Journalistes, où il est salué par trois hourras, discours au Lincoln's Inn Hall, réception au Guildhall par le Lord-Maire, avec défilé, sonneries de trompettes et applaudissements dès que l'huissier prononce les noms de

1. Lettre du 29 juillet 1893.

M. et Mme Zola. Alexandrine boit du petit-lait. Elle en oublierait presque qu'elle a une rivale. « Nous marchons d'ovations en ovations et nous croyons traverser un rêve », écrit Zola à Eugène Fasquelle. Et à Jeanne : « Oui, il y avait dans un petit coin de France trois êtres qui me sont bien chers, et, s'ils étaient dans l'ombre, ils ne partageaient pas moins ma gloire. Je veux que toi et mes deux mignons en aient leur part. Un jour, il faudra bien qu'ils soient mes enfants pour tout le monde, et alors tout ce qui se passe ici sera aussi pour vous. Je veux qu'ils partagent tout le nom de leur père [1]. »

Au milieu de ce tintamarre dithyrambique, Zola songe aux trois romans qu'il a l'intention d'écrire : *Lourdes, Rome, Paris.* Organisée autour d'un héros unique, cette trilogie est destinée à dépeindre le combat spirituel d'un prêtre, Pierre Froment, né d'un père chimiste et d'une mère confite en dévotion. Ayant perdu la foi, l'abbé Pierre Froment incarne les hésitations tragiques d'un siècle où s'affrontent la science et le mysticisme. Dans le premier volume, l'abbé accompagne à Lourdes son amie d'enfance Marie de Guersaint, paralysée à la suite d'une chute de cheval. Ce pèlerinage lui permet de découvrir l'exploitation mercantile de la misère humaine par des commerçants sans scrupule et par un clergé consentant. Après une nuit de prières dans la grotte, Marie retrouve l'usage de ses jambes, mais Pierre n'est pas touché par la grâce, car il sait qu'il s'agit là d'un cas médicalement explicable de guérison sous l'effet d'un choc psychologique. Pierre aime Marie. Cependant elle a juré de ne se donner à personne en remerciement du miracle. La seule consolation des deux jeunes gens est de s'unir en pensée dans la lumière de Dieu.

À peine sorti en librairie, ce roman est mis à l'index. Tout le public catholique crie au sacrilège. Impavide, Zola n'en décide pas moins d'enchaîner avec le

1. Lettre du 24 septembre 1893.

deuxième tome de la trilogie, *Rome,* qui doit relater les efforts de Pierre Froment pour convaincre les plus hautes instances religieuses de renoncer à s'appuyer sur les classes possédantes et de prendre la tête d'un généreux mouvement en faveur des déshérités. Déçu par les intrigues du Vatican, il conclura à la faillite de la piété officielle. Le dernier volet du triptyque, *Paris,* montrera Pierre confronté aux violences des anarchistes, aux utopies des collectivistes, aux basses manœuvres des politiciens et en déduisant que la science seule peut conduire à une société de justice. Ayant quitté la soutane, il épousera finalement Marie et, auprès d'elle, trouvera le bonheur dans un athéisme réfléchi, fraternel et paisible.

Ce credo naïf et verbeux, Zola le considère comme la Bible de l'homme moderne. Il est persuadé que tout ce qu'il a écrit jusqu'à ce jour se verra éclairé, justifié par la série des *Trois Villes.* Soucieux de compléter sa documentation, il envisage de se rendre à Rome. Un déchirement en perspective pour Jeanne et pour lui-même. « Je ne suis pas heureux, confesse-t-il à sa maîtresse. Ce partage, cette vie double que je suis forcé de vivre finissent par me désespérer. Aussi je te prie d'être bonne avec moi et de ne pas m'en vouloir, lorsque les choses ne marchent pas selon mes désirs. J'avais fait le rêve de rendre tout le monde heureux autour de moi, mais je vois bien que cela est impossible et je suis le premier frappé[1]. »

Le 30 octobre 1894, il part pour l'Italie avec Alexandrine, qui voit là une compensation à ses mécomptes conjugaux et comme un tardif voyage de noces. De même qu'à Londres, l'accueil à Rome est stupéfiant de chaleur et de spontanéité. Zola découvre sa grandeur hors de France. Peut-être n'y a-t-il pas d'exemple d'un écrivain plus décrié dans son pays et plus admiré ailleurs. Deux phares éclairent le monde : Tolstoï, le

1. Lettre du 13 juillet 1894.

Russe, et Zola, le Français. Au Quirinal, le roi Humbert reçoit Zola avec amabilité, tandis que la reine Marguerite échange trois mots et quatre sourires avec Alexandrine. Les visiteurs restent bouche bée devant les fastes du palais. Ils n'en reviennent pas d'être montés si haut dans la hiérarchie des honneurs.

L'ambassadeur Lefèbvre de Béhaine demande audience pour eux à Léon XIII. Mais décidément ce Zola dégage une trop forte odeur de soufre. Le pape se dérobe. À défaut de cette rencontre capitale, Zola s'entretient avec le président du Conseil, Crispi, avec des prélats, des ministres, des valets de chambre pontificaux, des députés, des professeurs, parcourt la ville dans tous les sens, se rend à Milan, à Naples, à Venise, prend des centaines de photographies, proclame *urbi et orbi* que son père était italien, qu'il a du sang italien dans les veines. De salon en salon, de monument en monument, il goûte un tel plaisir à cette apothéose qu'il n'est plus pressé de retourner à Médan.

Lors d'une réception à l'ambassade de France, on parle devant lui de l'arrestation d'un certain capitaine Alfred Dreyfus, accusé d'espionnage. Ce nom ne lui dit rien et l'affaire ne l'intéresse pas.

XXII

LES DEUX MÉNAGES

En revoyant les Zola à l'occasion de leur retour à Paris, en décembre 1894, Goncourt s'amuse de l'engouement qu'ils manifestent pour l'Italie, où ils ont été reçus à bras ouverts. Alexandrine surtout exulte, déclarant qu'elle a trouvé là-bas « une politesse comme on en sert aux femmes du monde ». Encouragé par l'excellente humeur de son épouse, Zola reprend de plus belle les allées et venues entre ses deux foyers. Mais, de temps à autre, Alexandrine se rebiffe. Alors, comme il le confesse à Daudet, il se remet à craindre de se voir « éclaboussé du sang de ses enfants, du sang de sa maîtresse, assassinés par sa femme, à craindre de se voir lui-même défiguré par cette furie [1] ». En réalité, les colères d'Alexandrine sont de plus en plus rares. Fatiguée de lutter contre une ombre, elle accepte que son mari la trompe, mais il faut que ce soit avec discrétion. Pratique, il loue pour Jeanne et ses enfants une villa à Verneuil, tout à côté de Médan. Chaque jour, il se rend à bicyclette chez sa maîtresse et prend le thé avec elle dans le jardin, sous une ombrelle grise doublée de vert. Quand il rentre à la maison, Alexandrine ne lui reproche même plus ses absences. Elle qui

1. Propos rapportés par Goncourt dans son *Journal,* le 10 février 1895.

n'a jamais connu les joies de la maternité comprend peu à peu l'espèce de fascination radieuse qu'exercent sur son mari les enfants qu'il a eus avec une autre. Elle admet qu'il se sente réconforté dans sa chair à l'idée qu'une part de lui-même se perpétue dans sa progéniture. Elle en vient presque à vouloir approcher ces petits bâtards du grand Zola.

Lorsque tout le monde a regagné Paris, aux premières fraîcheurs de l'automne, elle demande à voir Denise et Jacques. De temps en temps, le jeudi, flanquée d'Émile, elle emmène les enfants aux Tuileries, au Palais-Royal, aux Champs-Élysées ou au bois de Boulogne. Tout en jouant, ils observent craintivement cette dame inconnue qui leur sourit avec tristesse et ce père qui a l'air à la fois gêné et heureux. D'autres fois, c'est leur mère qui donne le bras à Zola pendant leurs promenades. Bientôt, il apprend à Jeanne à se tenir sur une bicyclette et ils pédalent côte à côte dans les allées forestières. Alexandrine n'y trouve toujours rien à redire. Attendri par les bonnes dispositions de son épouse envers sa famille cachée, Zola l'en remercie avec effusion. « Il n'y a pas que des souvenirs entre nous, chère femme, lui écrit-il le 31 octobre 1895, il y a l'avenir. Dis-toi que je suis ton seul ami, que moi seul t'aime et que je te veux la plus heureuse possible. » Cependant les cancans vont bon train. Goncourt consigne les échos de ce petit scandale bourgeois dans son *Journal*.

De plus en plus hostile à son confrère qui publie trop, qui vend trop, qui a trop de chance, le sourcilleux auteur de *La Fille Élisa* ne peut supporter maintenant le succès de *Rome* : « J'ai eu le sentiment que Zola, dans ce roman, allait chercher à raccrocher de la vente au moyen de l'attendrissement des bonnes âmes. En voilà un auteur qui ne se renouvelle pas [1] ! » Mais ce livre anticlérical ne va-t-il pas desservir Zola auprès des académiciens dont il quête les voix pour succéder à

1. *Journal*, 21 décembre 1895.

Dumas fils[1] ? Cette éventualité excite la verve du mémorialiste. Les démarches de l'auteur des *Rougon-Macquart* en vue de son élection lui paraissent ridicules et humiliantes. Il dénonce les flagorneries dont l'éternel candidat truffe ses chroniques du *Figaro* sur « L'élite de la politique ». « Ah, ce Zola ! écrit-il. Il y a huit jours, c'étaient tous les ministres du présent et du passé qui pouvaient revenir que cet ancien éreinteur des hommes politiques glorifiait. Aujourd'hui, il chante les Juifs, le tout pour avoir la voix d'Halévy ! Non, je crois qu'il n'est pas dans l'histoire des lettres un pareil retournement d'habit[2]. »

Au vrai, si Zola a publié dans *Le Figaro* un article intitulé « Pour les Juifs », c'est qu'il sent, depuis longtemps, la conspiration haineuse qui rassemble les partis cléricaux, conservateurs, militaristes et légitimistes contre le « peuple élu », chargé de tous les crimes. Mais il ne va pas plus loin dans son analyse. Limitant le débat à des considérations générales, il se contente de nier que l'antisémitisme ait des racines populaires et de critiquer l'intransigeance systématique d'Édouard Drumont, l'auteur de *La France juive*. Il ne lui vient pas à l'idée que ce capitaine Dreyfus, qui en décembre 1894 a été condamné pour trahison, puis dégradé et envoyé au bagne, puisse être victime de la clique des patriotes. D'ailleurs, il ne veut pas se mêler de politique.

C'est parce qu'il estime n'être qu'un écrivain qu'il écoute sans rire l'étrange proposition du docteur Toulouse, chef de clinique des maladies mentales à la faculté de médecine de Paris et médecin aliéniste à l'hôpital Sainte-Anne. Il s'agirait de le soumettre, en tant que créateur génial, à une enquête médico-psychologique destinée à démontrer les rapports entre la supériorité

1. Zola sera battu lors de l'élection du 30 mai 1896 par André Theuriet.
2. *Journal*, 18 mai 1896.

intellectuelle et la névropathie. Un tel projet ne peut que séduire le maître du roman scientifique. Fondateur de l'école naturaliste, champion de la théorie de l'hérédité, il accepte avec enthousiasme. Et l'étude commence, menée par plusieurs praticiens éminents sous la direction du docteur Toulouse. Les résultats, consignés dans un rapport, établissent que Zola mesure un mètre soixante-quinze centimètres, qu'il a perdu huit dents et que les autres sont menacées, qu'un léger tremblement agite ses mains, qu'il a un défaut de prononciation, une carrure puissante et une disposition originelle à la névropathie. Au dire de l'intéressé, ses exigences sexuelles sont normales, bien qu'elles aient été longtemps bridées par la timidité. Ce refoulement du désir a eu « un grand retentissement dans sa vie psychique ». Quant à son caractère, c'est celui d'un homme casanier, qui n'aime « aucun jeu de hasard, d'argent ou autre, ni les cartes, ni les armes, ni le billard ». Il a été gros, souffrant de dilatation gastrique, mais un régime sévère l'a fait maigrir. Ses rêves, la nuit, sont « rarement gais ». Il se voit arrêté par toutes sortes d'obstacles, « ses jambes sont lourdes et ne portent pas le corps ». Excellente mémoire qui jongle avec les mots. Odorat très développé. Crainte de mourir subitement. Horreur de l'obscurité. Colère contre les iniquités sociales. Et le docteur Toulouse de conclure : « Je n'ai jamais vu, je l'avoue, un obsédé ni un impulsif aussi pondéré que lui, et j'ai rarement vu quelqu'un indemne de toute tare psychique manifester sa belle stabilité mentale. Toutefois, il n'est pas niable que M. Zola soit un névropathe : c'est-à-dire un homme dont le système nerveux est douloureux. »

Ce que le consciencieux psychiatre n'a pas souligné dans son rapport, c'est le prodigieux exutoire offert par l'écriture à cet homme candide, noué et timoré. Sa sensualité, qui n'apparaît pas dans sa vie, éclate dans ses livres. Son goût de la justice le force à prendre des positions aventurées, alors qu'il est d'un tempérament pusillanime. Sa naïveté naturelle se change en grandeur prophétique dès qu'il saisit la plume. À croire qu'il y a deux Zola : le bourgeois calfeutré chez lui, qui a horreur d'être dérangé par le bruit du monde, et le Zola pamphlétaire, qui ne craint pas d'affronter les pires ennemis dès que son idéal le lui ordonne. Un Zola qui redoute les coups dans l'existence courante et un Zola qui les recherche devant une page blanche. Un Zola de cabinet et un Zola de bagarre. Un double destin en somme, comme celui qu'il vit entre ses deux ménages.

De son côté, analysant le caractère de Zola, Paul Alexis note que son ami se montre conciliant par amour de la paix dans les circonstances ordinaires, mais qu'on le découvre soudain animé d'une volonté héroïque lorsque éclate quelque scandale littéraire ou mondain. Il voit en lui une sorte de prêtre défroqué à l'esprit tendre, capable néanmoins de s'enflammer dès que sa foi est en péril. Reste-t-il deux jours sans travailler, et il s'inquiète. Huit jours, et il se croit malade. « Grand Dieu ! disait-il autrefois en riant, une autre femme que la mienne !... C'est ça qui me ferait perdre du temps ! » Il a changé depuis l'avènement de Jeanne. Mais c'est que, sur le plan des relations physiques, Alexandrine ne compte plus. Il est encore fidèle à sa façon, puisqu'il n'a qu'une vraie femme dans sa vie. Sa timidité le transforme en ours dans un salon. Chantre du peuple, il a également peur de la foule. « Je ne suis vraiment moi, je n'ai toute la possession de mes moyens, dit-il à Paul Alexis, qu'ici, dans mon cabinet, seul devant ma table de travail. » Ce besoin de solitude ne l'empêche pas d'avoir de l'orgueil. Il voudrait être le premier en tout. Et cependant il doute de lui-même. Chaque fois qu'il relit un de ses anciens livres, il a envie de le réécrire. Dès qu'un ouvrage est imprimé, il cesse d'exister à ses yeux. Seul compte le suivant, avec lequel il espère donner enfin sa mesure. Parfois il soupire : « Il me semble que je suis toujours un débutant. J'oublie les vingt volumes que j'ai derrière moi et je tremble en me demandant ce que vaudra mon prochain roman [1]. » Malgré ses succès, il a une tournure d'esprit pessimiste. Une anxiété perpétuelle lui interdit de savourer sa renommée. Le nombre de ses lecteurs, les éloges de la presse, l'argent qui afflue ne le rendent que provisoirement heureux. À tout moment, il a le pressentiment qu'une catastrophe le guette. Célèbre, il s'assied chaque matin à sa table de travail avec la conviction qu'il ne pourra pas écrire trois lignes. Constamment sur le qui-vive, il ne connaît ni certitude, ni tranquillité, ni contentement de soi. Comblé, il ne jouit de rien. Les autres s'amusent, trouvent du goût à des spectacles, à des aventures galantes, à des bamboches entre amis, lui est comme marié avec sa plume. Tout ce qui ne vient pas d'elle lui est indifférent. Est-il un monstre ? Alexandrine le dit volontiers. Mais Jeanne affirme que non.

Pour l'instant, il travaille mollement à son *Paris*, dont Goncourt prétend qu'il s'agit plus d'un livre d'histoire que d'un roman. Mais Goncourt, il le sait, ne l'aime pas. Or, voici qu'une nouvelle le frappe d'une émotion qui le surprend lui-même : son ombrageux confrère vient de mourir, le 16 juillet 1896, à Champrosay, dans la propriété d'Alphonse Daudet, où il était en visite. Après Flaubert, après Maupassant, cette disparition d'un compagnon de lutte affecte Zola qui en oublie tout ce qui les a séparés. Malgré sa répugnance à discourir en public, il prononce, lors des obsèques, un éloge vibrant du défunt. Ce faisant, il a l'impression de parler au nom de tous les écrivains dévorés de travail et qui renoncent aux simples plaisirs de la vie pour se consacrer à une œuvre dont ils ne savent même pas si elle aura encore des lecteurs dans dix ans.

1. Paul Alexis, *op. cit.*

XXIII

J'ACCUSE

Un jour d'octobre 1897, le compositeur Alfred Bruneau, qui a écrit un opéra-comique tiré du *Rêve,* un autre inspiré par *L'Attaque du moulin* [1] et un troisième, *Messidor,* dont Zola a été personnellement le librettiste, invite ce dernier à déjeuner. Durant le repas, Zola paraît crispé, tourmenté, malade de fureur contenue. Bruneau, qui est devenu son ami, s'inquiète de sa mauvaise mine. Alors Zola dit d'une voix sourde : « Vous rappelez-vous ce capitaine d'artillerie qui fut condamné à la déportation perpétuelle, pour crime de trahison, par un tribunal militaire et dégradé au Champ-de-Mars ? » « Ma foi, non », avoue Bruneau. « Mais si ! insiste Zola, le capitaine Dreyfus. Eh bien, mon ami, il est innocent... On le sait et on le laisse à l'île du Diable, en Guyane, où, depuis 1894, il se débat vainement contre un tel sort... Un unique militaire souhaite sa réhabilitation : un lieutenant-colonel nommé Picquart. Parlera-t-il ?... J'ignore ce que je ferai, mais je ferai sûrement quelque chose... Comment ne pas essayer d'empêcher cette iniquité [2] ? »

C'est insidieusement que l'affaire a pris possession du cerveau de Zola. Au début, étant à Rome, il n'y a porté

1. Nouvelle de Zola figurant dans *Les Soirées de Médan.*
2. Alfred Bruneau : *À l'ombre d'un grand cœur.*

aucune attention. En rentrant à Paris, il s'est persuadé, comme Clemenceau, comme Jaurès, comme tant d'autres, que Dreyfus était coupable. Les révélations des journaux étaient formelles. Le capitaine félon avait fourni à l'Allemagne des renseignements militaires de la plus haute importance. En effet, on avait découvert dans une corbeille à papiers de l'ambassade d'Allemagne un bordereau annonçant la livraison de notes secrètes, et l'écriture de ce document, analysée par des experts, avait permis d'affirmer qu'il était bien de la main de Dreyfus. Rien de surprenant à cela puisque ce Dreyfus était le seul Juif de l'État-Major et que, comme chacun sait, la « race » israélite n'a pas le sens de l'honneur. Nommé officier de police, le commandant Du Paty de Clam avait convoqué Dreyfus, lui avait dicté une lettre et, concluant à l'identité des deux graphismes, l'avait inculpé de haute trahison. Néanmoins, les preuves matérielles étant fragiles, Du Paty de Clam hésitait à poursuivre. Alors, un certain commandant Henry, celui-là même qui avait découvert le bordereau, s'était abouché avec *La Libre Parole* de Drumont et, le 29 octobre 1894, ce journal avait annoncé « l'arrestation du Juif Dreyfus ». Le général Mercier, ministre de la Guerre, ne pouvait plus reculer sans se déconsidérer. Il fallait choisir entre le culte du drapeau et l'acquittement de Dreyfus : en décembre, celui-ci était condamné, dégradé, déporté à vie. Cependant, dès 1896, le lieutenant-colonel Picquart, nouveau chef du service des renseignements, confiait à ses supérieurs qu'à son avis c'était le commandant Esterházy, officier français d'origine hongroise, fort dépravé et fort endetté, qui était l'auteur du bordereau adressé aux Allemands. Mais on obligea Picquart à se taire et on l'expédia en Tunisie. Les bureaux du ministère de la Guerre n'entendaient pas revenir sur la chose jugée. Une révision du procès aurait révélé l'arbitraire de l'enquête. Il valait mieux envoyer un innocent à l'île du Diable plutôt que de voir entamer le prestige de l'armée !

Ces faits sont dévoilés un à un à Zola par les amis de Dreyfus. Parmi eux, le romancier Marcel Prévost, l'avocat Louis Leblois, le vice-président du Sénat Scheurer-Kestner, le publiciste israélite Bernard Lazare, auteur de la brochure *Une erreur judiciaire : la vérité sur l'affaire Dreyfus*, l'historien Joseph Reinach, enfin Mathieu Dreyfus, frère de la victime. Une même conviction rageuse les anime. Connaissant le tempérament fougueux de Zola, ils comptent sur lui pour être leur porte-parole dans la presse. D'abord, il fait la sourde oreille. Il est trop absorbé par son œuvre pour s'en distraire. Inquiet du remue-ménage qui se prépare autour de cette ténébreuse affaire, il affirme même à Alexandrine, le 6 novembre 1897 : « Je préfère m'en tenir à l'écart, la plaie est trop envenimée. » Mais on lui montre les lettres, dignes et désespérées, que Dreyfus écrit de l'île du Diable. À travers elles, il apprend à connaître la personnalité de cet officier farouchement nationaliste, adorant l'armée jusqu'au fanatisme, rêvant d'en découdre avec l'Allemagne, grandiloquent même dans ses protestations d'honnêteté. Bref, tout le contraire d'un traître. D'autres documents que les partisans de Dreyfus lui communiquent le persuadent qu'il s'agit d'une grave erreur judiciaire, d'un guet-apens organisé par la coterie antisémite de l'État-Major. Il est également très impressionné par l'ardeur que met le sénateur Scheurer-Kestner, homme d'une probité irréprochable, à plaider la cause du condamné.

Dès le 8 novembre 1897, changeant du tout au tout, il mande à Alexandrine : « Il y a là une épouvantable erreur judiciaire, dont la responsabilité va retomber sur tous les gros bonnets du ministère de la Guerre. Le scandale va être affreux, une sorte de Panama militaire. Je ne me mettrai en avant que si je dois le faire... J'avoue qu'un tel drame me passionne car je ne connais rien de plus beau. » Par ailleurs, une circonstance personnelle le convainc qu'il doit, à son tour, entrer dans la bagarre. Il vient de publier *Paris*, la dernière de ses *Trois Villes*, et se trouve dans un état débilitant d'indécision et d'oisiveté. Par nature, il ne peut rester inactif. « Si j'avais été dans un livre, je ne sais pas ce que j'aurais fait », confessera-t-il. Puisque aucun personnage de fiction ne le retient à sa table de travail, il va s'intéresser à des personnages de chair et de sang. Toute sa vie, il a aimé combattre des adversaires apparemment mieux armés que lui. C'est sa volonté de puissance, jointe à son horreur quasi physique de l'injustice, qui le pousse à sortir de la réserve.

Mais voici qu'un banquier, voyant le fac-similé du fameux bordereau reproduit dans les journaux, reconnaît l'écriture d'un de ses clients : le commandant Esterházy ! L'affaire rebondit. Le clan de Mathieu Dreyfus et de Scheurer-Kestner exulte. Ravi de la tournure que prennent les événements, Zola écrit au vice-président du Sénat, le 20 novembre 1897 : « J'éprouve l'impérieux besoin de vous serrer vigoureusement la main. Vous ne sauriez croire combien votre admirable attitude, si calme au milieu des menaces et des plus basses injures, m'emplit d'admiration. Il n'est pas de plus beau rôle que le vôtre, quoi qu'il arrive, et je vous l'envie. Je ne sais pas ce que je ferai, mais jamais drame humain ne m'a empli d'émotion plus poignante. C'est le combat pour la vérité, et c'est le seul bon, le seul grand. Même dans l'apparente défaite la victoire est au bout, certaine. » Et, le 29 novembre 1897, Alexandrine reçoit de lui un nouvel aveu : « Cette affaire D. me jette dans une colère dont mes mains tremblent. Je désire élargir le débat, en faire une énorme affaire d'humanité et de justice. »

Tandis qu'il hésite encore, au milieu du déchaînement de la presse antisémite qui accuse les dreyfusards de vouloir salir la France dans l'espoir de sauver un Juif, Clemenceau, lui aussi, prend parti pour le bagnard de l'île du Diable. Du coup, Zola ne tient plus en place. La plume lui démange. Se promenant dans Paris par une froide journée de décembre 1897, il rencontre Fernand de Rodays, directeur du *Figaro*. Tous deux discutent de

« l'Affaire » et tombent d'accord pour estimer que Dreyfus a été victime d'une machination. Sur-le-champ, Fernand de Rodays offre à Zola les colonnes de son journal afin d'y entamer une campagne en faveur de l'innocent. Dans un premier article, l'écrivain glorifie le courage de Scheurer-Kestner, dont il souligne « la vie de cristal ». Le deuxième article est une réponse cinglante à ceux qui accusent les amis de Dreyfus de former un syndicat secret à la solde de la finance juive. Le troisième article contient une attaque en règle contre les antisémites, groupés autour d'Édouard Drumont : « Nous devons à l'antisémitisme la dangereuse virulence que les scandales du Panama ont prise chez nous. Et toute cette lamentable affaire Dreyfus est son œuvre ; c'est lui seul qui affole aujourd'hui la foule, qui empêche que cette erreur ne soit tranquillement, noblement reconnue, pour notre santé et notre bon renom... Ce poison, c'est la haine enragée des Juifs, qu'on verse au peuple, chaque matin, depuis des années. Ils sont une bande à faire ce métier d'empoisonneurs, et le plus beau, c'est qu'ils le font au nom de la morale, au nom du Christ, en vengeurs et en justiciers. »

La France entière bouillonne. On est pour ou contre Dreyfus. Le bon Henry Céard s'étant proclamé anti-dreyfusard, Zola renonce, avec humeur, à fréquenter cet ancien et fidèle compagnon. « J'ai senti le vide absolu, la rupture définitive », écrivait-il à Alexandrine dès le 27 octobre 1897. Des amis se disputent, des familles se disloquent, les journaux échangent des injures. Des hordes d'énergumènes parcourent les rues de Paris en chantant la *Marche antisémite* :

> *À mort les Juifs ! À mort les Juifs !*
> *Il faut les pendre*
> *Sans plus attendre.*
> *À mort les Juifs ! À mort les Juifs !*
> *Il faut les pendre*
> *Par le pif !*

Le 7 décembre, au Sénat, Scheurer-Kestner, faisant allusion à Zola dans un discours, est interrompu par des cris de haine : « Pot-Bouille ! Zola la Honte ! Zola l'Italien ! » De nombreux lecteurs du *Figaro,* choqués par les prises de position du romancier, se désabonnent. À la demande de Fernand de Rodays, Zola interrompt sa collaboration. Mais il publie une brochure, *Jeunesse, jeunesse !* afin d'inciter les adolescents à le rejoindre dans sa lutte pour la vérité : « Jeunesse, jeunesse ! sois humaine, sois généreuse... Qui donc, si ce n'est toi, tentera la sublime aventure, se lancera dans une cause dangereuse et superbe, tiendra tête à un peuple, au nom de l'idéal de justice ? N'es-tu pas honteuse enfin que ce soient des aînés, des vieux, qui se passionnent, qui fassent aujourd'hui ta besogne de généreuse folie ? »

Alors que le ton de tous les journaux est à la violence, le doux Alphonse Daudet rend le dernier soupir. Au cours de ses obsèques, qui ont lieu le 20 décembre 1897, deux hommes qui se détestent s'avancent de conserve, tenant les cordons du poêle : Émile Zola, le dreyfusard, et Édouard Drumont, l'antisémite. Il pleut à torrents. Devant la fosse ouverte, Zola prononce le discours d'usage : « Il n'y a ici que des cœurs serrés par l'angoisse. » À quelle angoisse pense-t-il ? À celle que lui inspire la mort effaçant toutes les querelles humaines ou à celle que lui inspire la haine entre Français montant autour de lui comme une tempête ? Quelques minutes plus tôt, pendant qu'il marchait à côté du corbillard, il a entendu le grondement de la foule des badauds sur son passage.

Le 7 janvier 1898, il fait éditer une nouvelle brochure, *Lettre à la France,* pour appeler ses concitoyens à se réveiller de leur aberration. C'en est trop : le camp des antidreyfusards, reconnaissant en Zola son principal adversaire, concentre sur lui tous ses coups. Léon Bloy, Barbey d'Aurevilly, Rochefort, Ernest Judet, Drumont,

Barrès et Maurras le prennent pour cible de leurs accusations et de leurs sarcasmes. Ces lanceurs de boue ont avec eux la majorité d'une opinion mal informée. Les gens de gauche eux-mêmes hésitent à soutenir Zola. Ceux de droite, en revanche, sont très déterminés derrière l'État-Major et l'Église.

C'est dans cette atmosphère de règlements de comptes que, le 10 janvier, Esterházy comparaît devant le conseil de guerre. De nouveau, on agite la question de l'écriture du bordereau. Qu'elle ressemble à celle de l'accusé ne prouve rien, disent ses défenseurs. Le traître Dreyfus a très bien pu la contrefaire pour diriger les soupçons sur un autre. Constatant qu'il n'y a pas de preuve suffisante, le commissaire du gouvernement acquitte Esterházy. Le public applaudit et crie : « Vive l'Armée ! Vive la France ! Mort aux Juifs ! » Les militaires présents dans la salle veulent porter l'officier blanchi en triomphe. Déclaré coupable d'avoir communiqué à des civils des renseignements tirés d'un dossier secret, Picquart, lui, est arrêté, conduit au Mont-Valérien et puni de soixante jours de forteresse. En même temps, Scheurer-Kestner est évincé de la vice-présidence du Sénat. Le colonel Henry, qui a mené toute l'affaire, pavoise. L'honneur de l'armée est sauf !

Tandis qu'autour de lui certains de ses partisans baissent déjà les bras, Zola se sent comme soulevé par une vague. L'injustice le hausse au-dessus de lui-même. Il brûle de crier son indignation à la face du monde. Il sait à quoi il s'exposera en dénonçant les machinations de l'État-Major. Chaque ligne tombera sous le coup de la loi. Dressé contre les autorités civiles et militaires, il prendra le risque d'être poursuivi devant les tribunaux. Mais n'est-ce pas précisément la meilleure solution pour faire triompher la vérité ? Ce sera la conclusion du combat qu'il a toujours mené contre l'esprit rétrograde, bourgeois, calotin, revanchard de ses compatriotes. Son chef-d'œuvre peut-être. En tout cas, son testament spirituel. De plus en plus, il songe à Voltaire luttant pour la réhabilitation de l'infortuné Calas. Comme lui, il va remettre en jeu sa gloire, son confort, sa sécurité même, afin de démontrer l'innocence d'un homme qu'il ne connaît pas. Oui, mais Voltaire est devenu aussi célèbre, aux yeux de la postérité, pour son courage dans l'affaire Calas que pour son talent dans *Candide*. Il n'y a pas à hésiter !

Dans la nuit du 11 au 12 janvier 1898, Zola se met au travail. Les idées affluent en torrent dans sa tête. Sa plume, impatiente, égratigne le papier. Il continue le lendemain. Le résultat est un texte de quarante feuillets, intitulé provisoirement : *Lettre au président de la République Félix Faure*. Il songe d'abord à le faire imprimer en brochure, puis se décide à le publier dans un journal pour lui assurer une plus large diffusion. Quel journal ? *L'Aurore*, parbleu, la gazette de Clemenceau ! Le 12 janvier au soir, l'article est prêt. Aussitôt, à *L'Aurore*, une conférence réunit Bernard Lazare, Clemenceau, Reinach, Ernest Vaughan, directeur de la publication, et l'auteur. Zola se met à lire : un terrible feu d'artifice. L'auditoire frissonne d'admiration. La péroraison de cette lettre ouverte est superbe :

« J'accuse le lieutenant-colonel Du Paty de Clam d'avoir été l'ouvrier diabolique de l'erreur judiciaire, en inconscient, je veux le croire, et d'avoir ensuite défendu son œuvre néfaste, depuis trois ans, par les machinations les plus saugrenues et les plus coupables.

« J'accuse le général Mercier de s'être rendu complice, tout au moins par faiblesse d'esprit, d'une des plus grandes iniquités du siècle.

« J'accuse le général Billot d'avoir eu entre les mains les preuves certaines de l'innocence de Dreyfus et de les avoir étouffées, de s'être rendu coupable du crime de lèse-humanité et de lèse-justice dans un but politique et pour sauver l'État-Major compromis.

« J'accuse le général de Boisdeffre et le général Gonse de s'être rendus complices du même crime, l'un sans doute par passion cléricale, l'autre, peut-être, par cet esprit de corps qui fait des bureaux de la Guerre l'arche sainte, inattaquable.

« J'accuse le général de Pellieux et le commandant Ravary d'avoir fait une enquête scélérate, j'entends par là une enquête de la plus monstrueuse partialité, dont nous avons, dans le rapport du second, un impérissable monument de naïve audace.

« J'accuse les trois experts en écriture, les sieurs Belhomme, Varinard et Couard, d'avoir fait des rapports mensongers et frauduleux, à moins qu'un examen médical ne les déclare atteints d'une maladie de la vue et du jugement...

« En portant ces accusations, je n'ignore pas que je me mets sous le coup des articles 30 et 31 de la loi sur la presse du 29 juillet 1881, qui punit les délits de diffamation. Et c'est volontairement que je m'expose... Ma protestation enflammée n'est que le cri de mon âme. Qu'on ose donc me traduire en cour d'assises et que l'enquête ait lieu au grand jour. J'attends. »

Quand Zola a fini de lire, les applaudissements éclatent. Mais Clemenceau juge le titre bien officiel et bien pâle. Il le biffe et impose : *J'accuse* ; une formule qui claque comme un soufflet.

Le manuscrit passe immédiatement dans les mains des typos. Zola regrette de n'avoir pas mentionné l'infâme Henry dans son réquisitoire. Un oubli dû à la précipitation. Tant pis. Il est trop tard. Les presses commencent à tourner. Au journal, quelques rédacteurs sont inquiets. Zola n'a-t-il pas frappé trop fort ?

Il rentre chez lui si exténué, si énervé qu'il ne peut dormir. Maintenant que le pavé est lancé, il mesure avec stupeur les conséquences de son geste : sa vie bouleversée, des milliers de lecteurs se détournant de ses livres, l'Académie française lui fermant définitivement ses portes, les injures, la fatigue d'un procès, les ragots qu'on va colporter sur lui, sur Alexandrine, sur Jeanne peut-être... Il était si tranquille « avant » ! Trop tranquille sans doute ! Son cœur se serre de prémonition et cependant il se sent heureux, bizarrement, à une profondeur inexplorable. Comme s'il venait de se mettre en règle avec sa conscience. Mieux : comme s'il venait d'écrire son meilleur roman.

XXIV

LE PROCÈS ZOLA

Trois cent mille exemplaires de *L'Aurore* sont vendus en quelques heures par les camelots qui hurlent le titre. Tout le monde, à Paris, a lu *J'accuse* ou en a entendu parler. Des monômes se forment dans les rues aux cris de : « À mort Zola ! À mort Zola ! À mort ! » Les chansonniers donnent libre cours à leur verve gouailleuse :

> *Et c'qui eût été plus épatant,*
> *C'est que l'père Zola la Mouquette*
> *N'eût pas foutu son nez là-dedans*
> *Pour en r'tirer un brin d'galette !*

On propose aux badauds des affichettes avec cette formule : « La seule réponse des bons Français à l'Italien Zola : Merde ! » Le dessinateur Forain y va d'une caricature montrant un Allemand caché derrière un Juif qui porte le masque de Zola. Une autre évoque Zola en train de se noyer et tendant à un Prussien la lettre *J'accuse*. Caran d'Ache s'en prend à Dreyfus qu'il représente déboutonnant son pantalon parce qu'il a grossi à l'île du Diable ! Bruant fredonne sur l'air de *Cadet Rousselle* :

> *Cher maître, vous vous surmenez,*
> *Depuis quelque temps vous prenez*

> *Le torche-cul pour la serviette*
> *Et votre pot pour une assiette.*
> *Ah ! ah ! calmez-vous donc,*
> *L'docteur Toulouse avait raison* [1].

En Algérie, les cimetières israélites sont profanés. Édouard Drumont s'étrangle dans des bordées d'injures. Zola est traité de « fidèle sujet du roi Umberto », de « grand vidangeur », de « souteneur de Nana », de « Zola la Débâcle », de « Signor Emilio Zola »... Des bruits courent selon lesquels l'argent volé aux braves Français par les Juifs serait utilisé pour provoquer dans la rue des manifestations en faveur du traître. Face à cette coalition de la haine, des écrivains, des artistes, des savants rejoignent Zola et réclament la révision : Anatole France, Claude Monet, Eugène Carrière, Victor Margueritte, Octave Mirbeau, Jean Ajalbert, Marcel Prévost, Marcel Proust... Ils sont immédiatement désignés au mépris de la foule et assimilés à des fossoyeurs de la grandeur française. Barrès, s'adressant à Zola, écrit : « Il y a une frontière entre vous et moi. »

À la tête de l'État, le pouvoir hésite : faut-il poursuivre ou enterrer l'affaire ? Incontestablement, l'écrivain a voulu forcer la main au gouvernement et agiter l'opinion par un procès Zola en cour d'assises qui reprendrait, avec une habileté diabolique, les procès Esterházy et Dreyfus. Surtout ne pas tomber dans le piège. Mais la droite est déchaînée. Au Palais-Bourbon, son porte-parole, le comte Albert de Mun, s'écrie : « L'armée ne peut attendre plus longtemps... C'est du chef de l'armée que cet homme doit recevoir la réponse qu'il mérite ! » Le nouveau ministre de la Guerre, le général Billot, très embarrassé, monte à la tribune, remercie de Mun, compare, en bafouillant, l'armée au soleil et, sous les applaudissements de l'assemblée,

1. Cf. Armand Lanoux, *op. cit.*

promet d'ordonner des poursuites. Seul Jaurès ose, ce jour-là, protester avec véhémence.

Dans l'impossibilité de reculer, Billot, conseillé par ses juristes et approuvé par le Conseil des ministres, décide de n'incriminer que les quinze lignes où Zola accuse le conseil de guerre d'avoir blanchi Esterházy « par ordre » et d'avoir « commis le crime juridique d'acquitter sciemment un coupable ». La manœuvre est destinée à désarmer Zola qui, bien évidemment, ne pourra apporter la preuve de ce qu'il avance. Grâce à ce subterfuge, on écarte du débat tout ce qui a trait à l'affaire Dreyfus proprement dite pour ne retenir que le cas de Zola reprochant au conseil de guerre d'avoir agi « par ordre » et non « en conscience ».

Malgré ce « rétrécissement » du champ de son procès, Zola se prépare avec soin à comparaître devant les juges. Il est assisté par l'excellent avocat Fernand Labori et par un groupe de défense qui réunit autour de lui Leblois, Trarieux, Reinach et Mathieu Dreyfus. Labori est secondé par maîtres Joseph Hild et Monira. L'avocat du gérant de *L'Aurore,* Perrenx, est Albert Clemenceau, le frère de Georges. Ayant reçu l'assignation, Zola s'écrie avec joie : « Poursuivi, mes amis… Je suis poursuivi !… » Puis il écrit au ministre de la Guerre qu'il n'est pas dupe de la manigance : « En désespoir de cause, on a décidé de m'imposer une lutte inégale en me ligotant d'avance, pour vous assurer, par des procédés de basoche, la victoire que vous n'attendez pas d'un libre débat. »

Le 7 février 1898, c'est un homme pâle et résolu qui monte dans un coupé à deux chevaux pour se rendre au Palais de Justice. Il est accompagné de Me Labori, d'Albert et de Georges Clemenceau et de l'éditeur Fasquelle. En descendant de voiture, place Dauphine, ils sont accueillis par une foule qui hurle : « À bas Zola ! À bas la crapule ! Mort aux Juifs ! » D'abord suffoqué comme par le choc d'une vague déferlante qui lui arriverait en pleine poitrine, Zola se ressaisit vite. Par quel prodige de volonté ce rat de bibliothèque, ce chétif, cet anxieux parvient-il, lorsque l'honneur l'exige, à dominer ses nerfs ? Il s'étonne lui-même de son calme tandis que, d'un pied ferme, il gravit l'escalier. Il ne va pas à un supplice, mais à un couronnement.

Dans la salle, le vacarme s'amplifie. Zola gagne le banc des accusés. À travers son lorgnon, il distingue Jaurès, Rochefort, Gonse, Esterházy, Raymond Poincaré, de nombreux militaires en uniforme, des avocats assis par terre, les jambes croisées, des journalistes, des comédiens... Les femmes sont sur leur trente et un comme pour une première au théâtre. Les hommes ont des visages de justiciers. Il y a des curieux perchés sur le rebord des fenêtres. Lorsque le président Delegorgue, bonhomme bedonnant, paraît, dans sa robe rouge rehaussée d'hermine, tout le monde se lève. Les douze jurés sont tirés au sort. Négociants, employés, ouvriers ou rentiers, ce sont de petites gens que leur responsabilité écrase. M. Tout-le-Monde est appelé à trancher un différend entre la glorieuse armée française et un écrivain solitaire. D'entrée, l'avocat général Van Cassel dénonce la tactique scandaleuse de Zola qui voudrait obliger la Cour, par un biais de procédure, à revenir sur l'autorité de la chose jugée. Labori s'élève contre ce moyen d'obstruction du ministère public. La Cour lui donne tort. On se bornera à exiger de la défense qu'elle apporte la preuve de la soumission du conseil de guerre à des « ordres » venus d'en haut.

Les témoins défilent. Lucie Dreyfus, « la veuve du mort vivant », apparaît à la barre, blafarde, vêtue de noir. Quand Labori lui demande : « Que pensez-vous de la bonne foi d'Émile Zola ? » le président décrète sur un ton cassant : « La question ne sera pas posée ! » Cent fois il répétera la formule pour empêcher la défense de bénéficier d'un avis favorable. De son banc, Zola suit les débats avec inquiétude. Gaston Méry, le chroniqueur judiciaire de *La Libre Parole*, le décrit mordant la pomme de sa canne, se passant la main dans le cou, secouant ses doigts à la manière d'un pianiste, essuyant son lorgnon, crispant ses narines, tournant la tête à droite, à gauche… Au soir de la première audience, la foule est si menaçante que Zola doit réclamer la protection du préfet de police pour sortir du prétoire. Dans la rue, des bandes d'excités brandissent le poing en vociférant : « Mort aux traîtres ! À l'eau les youtres ! » Çà et là, on brise des vitrines de magasins juifs.

Les jours suivants, ce sont les généraux, les officiers du service des renseignements qui s'avancent à la barre. Le général de Boisdeffre, chef de l'État-Major, est en grand uniforme, avec, sur la poitrine, la plaque de la Légion d'honneur. Calme et digne, il affirme que « la culpabilité de Dreyfus a de tout temps été certaine » et invoque le secret d'État pour refuser de répondre aux questions de Labori. Même attitude glaciale et mêmes répliques hautaines de la part du général Gonse et du général Mercier. Ce dernier ajoute : « Puisqu'on me demande ma parole de soldat, ce sera pour dire que Dreyfus était un traître et qu'il a été justement et légalement condamné. » Le commandant Du Paty de Clam, monocle à l'œil, salue militairement la Cour et, raide de la tête aux pieds, oppose un silence dédaigneux à l'interrogatoire auquel les avocats voudraient le soumettre. Le colonel Henry, lui, se prétend malade, exhibe un certificat médical, vacille sur ses jambes et, à la demande du général Gonse, obtient de la Cour la permission de se retirer sans avoir déposé. L'expert Bertillon, le bâton de craie à la main devant un tableau noir, s'embrouille dans ses démonstrations et s'en va sous les rires de l'assistance. On attend avec impatience la comparution d'Esterházy. Il arrive enfin, salue et se campe devant le tribunal, les bras croisés sur la poitrine. Blême, mou, tragique, il se dérobe, aussi souvent qu'il le peut, aux demandes d'explication de Labori et d'Albert Clemenceau. C'est un mannequin de chiffon qui tressaille lamentablement sous les coups de ses adversaires. Comme Albert Clemenceau le questionne sur ses rapports avec le major von Schwartzkoppen, attaché militaire allemand à Paris, le président vole au secours du témoin : « Ne parlons pas, maître Clemenceau, d'officiers appartenant à des pays étrangers. » « Pourquoi, Monsieur le Président ? » « Parce qu'il y a quelque chose au-dessus de tout, l'honneur et la sécurité du pays. » « Je retiens, Monsieur le Président, que l'honneur du pays permet à un officier d'accomplir de tels actes, mais ne permet pas d'en parler. » Esterházy va se rasseoir dans le public, parmi les officiers qui l'acclament.

Quand vient le tour du colonel Picquart, Zola se penche en avant pour ne pas perdre un mot de sa déposition. L'homme s'approche de la barre d'un pas vif, les épaules droites, la tête haute, sanglé dans sa tenue bleue soutachée d'or. Pendant plus d'une heure, il expose, d'une voix tranquille, comment il a découvert la trahison d'Esterházy, les manœuvres dont il a été la victime et sa tristesse d'être écarté de l'armée. Les révisionnistes lui font une ovation. Après quoi, il est confronté avec ses anciens subordonnés, qui, tous partisans de Henry, l'accablent. Pour emporter le morceau, le général de Pellieux, commandant militaire du département de la Seine dont relève Esterházy, s'écrie, tourné vers les jurés : « Que voulez-vous que devienne cette armée au jour du danger, plus proche peut-être que vous ne le croyez ? Que voulez-vous que fassent ces malheureux soldats qui seront conduits au feu par des chefs qu'on a cherché à déconsidérer auprès d'eux ? C'est à la boucherie qu'on conduirait vos fils, messieurs les jurés ! Mais M. Zola aurait gagné une nouvelle bataille, il écrirait une nouvelle *Débâcle,* il porterait la langue française dans tout l'univers, dans une Europe dont la France aurait été rayée ce jour-là. »

Les jurés sont ébranlés. En vain Jean Jaurès les somme-t-il d'ouvrir les yeux, en vain Anatole France leur dépeint-il la grandeur de Zola, son sens de l'équité, son rayonnement international. Les douze restent de glace. Cependant, lorsque le général de Pellieux, s'attaquant à Zola, lui reproche son inaction militaire, il s'attire cette riposte cinglante de l'écrivain : « Il y a différentes façons de servir la France. On peut la servir par l'épée et par la plume. Monsieur le général de Pellieux a sans doute gagné de grandes victoires ! J'ai gagné les miennes. Par mes œuvres, la langue française a été portée dans le monde entier. J'ai mes victoires. Je lègue à la postérité le nom du général de Pellieux et celui d'Émile Zola : elle choisira ! »

Le matin du 21 février 1898, l'avocat général Van Cassel se dresse dans sa robe rouge et prononce le réquisitoire. La salle est bondée d'officiers et d'amis de Déroulède et de Drumont. « Non, il n'est pas vrai qu'il se soit trouvé un officier pour peser sur la conscience des juges, affirme Van Cassel ; non, il n'est pas vrai qu'il se soit trouvé sept officiers qui aient jugé contre leur conscience ; les prévenus sont seuls à oser crier cette infamie. Votre verdict proclamera leur mensonge ; le pays l'attend avec confiance ; vous les condamnerez sans hésiter. »

Le 22 février, Zola prend enfin la parole. Il lit un discours qu'il a préparé à l'intention des jurés. Ses traits sont tirés, son teint est livide, verdâtre, sa voix bute sur les mots : « Vous êtes le cœur et la raison de Paris, de mon grand Paris où je suis né, que je chante depuis tantôt quarante années. Je vous vois dans vos familles, le soir, sous la lampe... En me frappant vous ne ferez que me grandir... Qui souffre pour la vérité et la justice devient auguste et sacré... Dreyfus est innocent, je le jure... Par mes quarante années de travail, je jure que Dreyfus est innocent !... » De temps à autre, des huées l'interrompent. Il achève sa déclaration au milieu des sifflets et des rires. Après lui, pendant trois audiences, Labori plaide avec émotion et habileté pour démontrer l'innocence de Dreyfus. Puis Albert Clemenceau, défenseur de Perrenx, le gérant de *L'Aurore*, s'exclame, face au jury : « Nous comparaissons devant vous. Vous comparaissez devant l'Histoire. »

Les jurés se retirent pour délibérer. Leur discussion dure trente-cinq minutes. À sept heures du soir enfin, ils reparaissent dans la salle bondée, surchauffée, où brille la lumière jaune du gaz. Des enragés, debout sur les bancs, montrent le poing à Zola et éructent des injures. Le silence se fait dès que le président du jury, la main sur le cœur, lit la décision : « Sur mon honneur et sur ma conscience, devant Dieu et devant les hommes, la réponse du jury est : en ce qui concerne M. Perrenx, oui à la majorité ; en ce qui concerne M. Zola, oui à la majorité. »

Les circonstances atténuantes n'étant pas accordées, Zola est condamné à un an de prison, maximum de la peine, Perrenx à quatre mois et tous deux à trois mille francs d'amende. Dans la salle, c'est un délire de joie. De nouveau, on glapit : « À mort Zola ! Mort aux Juifs ! » Les officiers frappent le plancher du fourreau de leur épée. Pour la première fois, Picquart s'approche de Zola et dit simplement, en le regardant droit dans les yeux : « Il est temps que je vous serre la main ! » Autour d'eux, on hurle, on danse, on chante *La Marseillaise*. La police conseille à Zola d'attendre pour sortir que la foule qui entoure le Palais de Justice se soit dispersée. Enfin, dans la bousculade et les clameurs, les amis de l'écrivain l'aident à quitter le prétoire. Il marche en aveugle, appuyé sur sa canne. Comme les cris redoublent, il grogne : « Ce sont des cannibales ! » Philosophe, Georges Clemenceau conclut : « Si Zola avait été acquitté, pas un de nous ne serait sorti vivant ! »

Le 26 février, le général Billot, ministre de la Guerre, fait mettre le colonel Picquart en réforme pour « fautes graves dans le service » et liquide sa pension. Pour avoir témoigné au procès, le professeur Grimaux est exclu de sa chaire à l'École polytechnique. Me Leblois est relevé par Barthou, ministre de l'Intérieur, de ses fonctions d'adjoint au maire du septième arrondissement de Paris.

Pendant toute la durée du procès, Zola a eu l'impression que des mouchards épiaient ses déplacements, surveillaient ses amis, le filaient quand il se rendait chez sa maîtresse. Les lettres d'insultes continuent de s'amonceler sur sa table. Il ne les lit même plus. Le journaliste Judet s'en prend à la mémoire de l'ingénieur François Zola, dont il conteste la probité. Les livres de « l'ignoble vidangeur » sont brûlés en place publique. Alexandrine et Jeanne reçoivent des menaces anonymes. La petite Denise, qui n'a pas encore neuf ans, trouve dans le courrier une photographie de son père sur laquelle on lui a crevé les yeux. Zola se sent responsable de leur désarroi, à toutes les trois, alors qu'il aurait tant voulu les tenir à l'abri des chocs de la vie. Il se dit qu'en défendant Dreyfus il a peut-être ruiné ses deux foyers. Mais, malgré sa lassitude, son dégoût, son remords, il ne veut pas lâcher prise. Ne l'a-t-il pas écrit naguère : « La vérité est en marche, rien ne l'arrêtera » ?

Sur la recommandation de ses avocats, il introduit un pourvoi en cassation. C'est Mᵉ Henri Mornard qui l'assistera. Selon cet éminent juriste, la plainte contre Zola aurait dû émaner non du ministre de la Guerre, mais du conseil de guerre diffamé par l'article de *L'Aurore*. Le vice de forme paraît évident. Le 2 avril 1898, l'arrêt est cassé. Pour le gouvernement, tout est à reprendre. Les officiers du conseil de guerre décident donc de porter plainte eux-mêmes contre Zola. Mais, pour mettre le maximum de chances de leur côté, ils ne retiennent plus que trois lignes de *J'accuse*. L'affaire est renvoyée devant la cour d'assises de Seine-et-Oise. Le second procès Zola doit s'ouvrir le 23 mai, à Versailles. Mᵉ Labori dépose des conclusions d'incompétence. Pourquoi, dit-il, avoir désigné Versailles, puisque Zola habite Paris et que l'article a été publié par un journal parisien ? Ses conclusions sont rejetées. Nouveau pourvoi en cassation. Une fois de plus, le procès est renvoyé à Versailles. Excédé par ces batailles de procédure, Zola se demande s'il est encore un écrivain.

XXV

INSULTES ET MENACES

Loin de s'apaiser, les remous soulevés dans l'opinion publique par le procès Zola tournent au cyclone. La haine fratricide est partout, dans les salles de rédaction des journaux, dans les familles, au Parlement, dans les bureaux des ministères, dans la rue, dans les écoles. Si encore Zola était un écrivain de bon ton, dont les livres sont à mettre entre toutes les mains, mais le défenseur de l'espion juif Dreyfus est un auteur qui se plaît dans l'ordure, la violence et la pornographie! Et le voici qui vient donner des leçons de morale à la France! Entre cet Italien salace et l'armée française atteinte dans son honneur, comment un patriote pourrait-il hésiter? Et pourtant le nombre des partisans de Zola augmente. Georges Clemenceau défie Drumont en combat singulier. Trois balles sont échangées sans résultat. Picquart envoie ses témoins à Henry et le blesse au bras à la deuxième reprise. Mais, ayant été provoqué à son tour en duel, le même jour, par Esterházy, il refuse d'aller sur le terrain pour affronter un misérable qui, dit-il, « appartient à la justice de son pays ».

Tandis qu'en France les caricaturistes, rivalisant d'ingéniosité dans la malveillance, représentent Zola en égoutier, en videur de poubelles, en paon vaniteux, dans toute l'Europe, et jusqu'en Amérique, il est fêté comme un héros de la conscience universelle. Les journaux étrangers sont unanimes à flétrir le gouvernement français qui le pourchasse de sa vindicte. En Belgique, le poète Verhaeren écrit : « Dans cette désormais historique affaire Dreyfus, l'Europe entière a défendu la France contre la France elle-même. » L'Américain Mark Twain note de son côté : « Des cours ecclésiastiques et militaires composées de lâches, d'hypocrites et de flatteurs, on peut en produire un million chaque année, et il y aura du reste. Il faut cinq siècles pour produire une Jeanne d'Arc ou un Zola. » Tolstoï renchérit : « Il y a dans son acte une idée noble et belle, celle de combattre le chauvinisme et l'antisémitisme [1]. » Le doux Tchekhov lui-même s'enthousiasme : « Zola est une âme noble... Et moi je suis exalté par son élan. » Et aussi : « L'immense majorité des gens cultivés est du côté de Zola et croit en l'innocence de Dreyfus. Zola a grandi de trois archines [2] depuis sa lettre de protestation. Il semble qu'un vent frais se soit mis à souffler ici et tout Français a senti que la justice, grâce à Dieu, existe encore en ce monde et que, si l'on accuse un innocent, il se trouve quelqu'un pour le défendre. » Enfin : « Je n'échangerais pas un seul des ongles de Zola contre tous ces gens qui le jugent à présent aux assises, tous ces généraux et témoins de haute naissance [3]. »

Insensible à l'admiration qui se manifeste hors des frontières pour la fière attitude de l'écrivain, la presse antidreyfusarde invite les bons Français à crever à coups de talon « l'outre » Zola, ce misérable qui poignarde de sa plume « le cœur de la mère patrie » et « de ses mains immondes soufflette l'armée ». Barrès se fait le porte-parole de ces fanatiques. « Dreyfus n'est qu'un déraciné qui se sent mal à l'aise... dans notre vieux jardin français », écrit-il. « Nous avons voulu maintenir la maison de nos pères que les invités ébranlaient... »

1. Cf. Armand Lanoux, *op. cit.*
2. Mesure de longueur russe.
3. Lettres du 4 janvier, du 23 janvier et du 2 février 1898.

« Dreyfus est le représentant d'une race différente... »
Son cas est du ressort d'une « chaire d'ethnologie
comparée ». Il faut « reconquérir la France », « dégra-
der les traîtres », éliminer « ces points de pourriture
sur notre admirable race [1] ».

L'approche des élections législatives alourdit encore
l'atmosphère. En mai 1898, la Chambre glisse à
gauche et, le 15 juin, le président du Conseil Jules
Méline, antidreyfusard, doit démissionner. Il est remplacé par Henri Brisson, qui serait assez tenté par une
révision du procès de Dreyfus. Mais le ministre de la
Guerre qu'il a choisi, Godefroy Cavaignac, y est hostile. Le 7 juillet 1898, interpellé à la Chambre, Cavaignac affirme sa certitude absolue de la culpabilité du
condamné et énumère les « preuves » qui se trouvent
en sa possession. Extraites du « dossier secret » de
Henry, elles sont, dit-il, accablantes. Parmi elles, les
prétendus « aveux » de Dreyfus, recueillis par le capitaine Le Brun-Renault qui les aurait notés, à l'époque, sur son agenda. Ayant achevé sa démonstration,
Cavaignac conclut sous les applaudissements : « Que
demain tous les Français puissent s'unir pour procla-
mer que cette armée qui fait leur orgueil... n'est pas
forte seulement de la confiance du pays, mais qu'elle
est forte aussi de la justice des actes qu'elle a accom-
plis. »

Les partisans de Dreyfus sont consternés. Jaurès
leur remonte le moral en leur expliquant que les
pièces sur lesquelles s'appuie Cavaignac sont des faux
grossiers et qu'en les citant le ministre a rendu un
service inespéré à ses adversaires. Dans un élan
d'enthousiasme, la Chambre décide l'affichage public
du discours de Cavaignac. Ainsi, du jour au lendemain, le « dossier secret » s'étale sur les murs de
toutes les mairies de France. Jaurès se frotte les mains

1. Maurice Barrès : *Scènes et doctrines du nationalisme* ; cité par
Jean-Denis Bredin : *L'Affaire.*

et publie dans *L'Aurore* une lettre à l'imprudent Cavaignac : « Les acclamations passeront : la vérité restera. »

Entre-temps, quelques personnalités généreuses, à l'instigation du sénateur Trarieux, ont fondé la Ligue des Droits de l'Homme, destinée à défendre à travers Dreyfus les libertés menacées par des décisions arbitraires. De son côté, le juge d'instruction Bertulus, qui s'occupe des accusations dirigées contre Picquart, reçoit la visite de Christian Esterházy, neveu du commandant Charles Esterházy, le principal témoin au procès. Christian a participé à toute la machination que son oncle a ourdie et, celui-ci l'ayant escroqué, passe aux aveux, par remords et par vengeance. D'après lui, certains faux présentés par Henry ont été rédigés par la maîtresse de Charles Esterházy, une demi-mondaine nommée Marguerite Pays. Le juge Bertulus avertit le procureur de la République Feuilloley qu'il va lancer un mandat d'arrêt contre le commandant Esterházy et la fille Pays. Feuilloley, antidreyfusard farouche, veut s'y opposer, mais le ministre de la Justice, Ferdinand Sarrien, autorise la perquisition demandée. Bertulus se saisit de nombreux documents au domicile de la courtisane. Sur ces entrefaites, son amant vient la chercher pour l'emmener au restaurant. On l'arrête. Il s'effondre, sanglote, puis, redressant la tête, menace d'une voix brisée : « Je parlerai et je dirai ce que j'ai caché jusqu'à ce jour ! » À minuit, Marguerite Pays est conduite à la prison Saint-Lazare et Charles Esterházy à la Santé. Mais Cavaignac ne désarme pas. Furieux d'avoir été floué, il fait arrêter Picquart, qui va rejoindre Esterházy derrière les barreaux.

Zola suit ces péripéties, jour après jour, heure après heure, avec le sentiment étrange de n'être plus maître de son destin. Son second procès doit s'ouvrir, à Versailles, le 18 juillet. Il s'y rend en automobile, avec, à ses côtés, le fidèle Labori. À partir de Viroflay, des agents de police à bicyclette escortent la voiture.

L'audience commence à midi. La salle est remplie,

mais calme. En vain Labori essaie-t-il d'associer quelques faits connexes aux « trois lignes » incriminées. La Cour rejette ses conclusions. L'avocat, qui s'y attendait, forme instantanément un pourvoi en cassation. Mais la Cour décide que le pourvoi n'est pas suspensif. Alors Zola se lève du banc des accusés et, lentement, fendant la foule, marche vers la porte, tandis qu'autour de lui on hurle : « Hors de France ! À Venise, l'Italien ! Lâche ! Traître ! Retourne chez les Juifs ! » Dressé sur ses ergots, Déroulède vocifère plus fort que les autres. Le président agite sa sonnette. Labori est sorti précipitamment derrière Zola. Des agents de police les aident à remonter en voiture parmi les poings brandis et les cris de mort. En l'absence de l'accusé et de son défenseur, la Cour condamne Zola par défaut au maximum de la peine : un an de prison et trois mille francs d'amende, avec, comme effet probable, sa radiation de l'ordre de la Légion d'honneur.

Épuisé par les émotions, le cœur malade, la faim au ventre, Zola se rappelle qu'il a un petit pain dans sa poche. Il le partage avec son avocat, tandis que la voiture roule en cahotant et en pétaradant. Entre deux bouchées, Labori lui dévoile sa tactique. À ce point de l'affaire, il faut que l'écrivain quitte la France. Réfugié à l'étranger, en Angleterre par exemple, il pourra choisir son heure pour revenir à Paris et prendre sa revanche. Zola refuse : « La prison plutôt que la fuite ! » déclare-t-il. Et il explique qu'au moment de s'engager dans le combat il en a accepté toutes les conséquences. Son sens de l'honneur lui interdit une aussi lâche dérobade. Pour la grandeur de la cause, il doit souffrir l'injustice comme Dreyfus lui-même. Qu'est-ce qu'une prison parisienne auprès du bagne de l'île du Diable ?

Le soir, chez les Charpentier, avenue du Bois-de-Boulogne, Zola et son avocat retrouvent Georges et Albert Clemenceau pour un ultime conseil. Les deux frères joignent leurs exhortations à celles de Labori. Selon eux, si Zola se laisse emprisonner, il ne pourra ni publier un nouveau *J'accuse,* ni jouer de la procédure pour mettre ses ennemis dans l'embarras. Ce n'est qu'en changeant de pays qu'il demeurera maître de la situation. À lui de choisir entre la dignité et l'efficacité. Mais il doit faire vite. En effet, si l'arrêt de la Cour lui est signifié le lendemain, la sentence deviendra immédiatement exécutoire et rien ne pourra plus s'opposer à son arrestation. D'abord tenté par l'holocauste sur place, Zola, peu à peu, se résigne au départ.

En prenant cette décision, il pense à sa femme, à Jeanne, aux enfants, à son bureau, aux travaux en cours, à son petit chien Pimpin qui ne peut se passer de lui, et il a, dans le cœur, la sensation d'un déchirement mortel. À sa demande, son ami le graveur Desmoulin se charge d'aller chercher Alexandrine. Elle arrive dans la soirée avec une trousse de toilette et une chemise de nuit roulées dans un journal. Par crainte des mouchards, elle n'a pas osé prendre une valise. D'ailleurs, elle ne peut admettre que son mari s'exile pour éviter la prison. Ne va-t-on pas l'injurier davantage encore quand on apprendra qu'il s'est installé à Londres pour échapper à la justice française ? Patiemment, les conspirateurs lui exposent les raisons de ce voyage clandestin. Elle se presse contre la poitrine d'Émile et pleure. S'arrachant à ses embrassements, il écrit un billet à l'intention de Jeanne : « Paris, lundi soir. Chère femme, l'affaire a tourné de telle façon que je suis obligé de partir ce soir pour l'Angleterre. Ne t'inquiète pas, attends tranquillement de mes nouvelles. Dès que j'aurai pu décider quelque chose, je te préviendrai. Je vais tâcher de trouver un endroit où tu viendras me rejoindre avec les enfants. Mais il y a quelques difficultés et plusieurs jours seront nécessaires. D'ailleurs, je te tiendrai au courant, je t'écrirai dès que je serai à l'étranger. Ne dis à personne au monde où je vais. Je vous embrasse bien tendrement tous les trois. » Desmoulin portera la lettre à Verneuil-sur-Seine, où la petite famille passe l'été.

À neuf heures du soir, sans valise, n'emportant que

quelques objets de toilette et un peu d'argent avancé par Georges Charpentier, Zola quitte l'avenue du Bois pour la gare du Nord. Dans la voiture, il serre convulsivement la main d'Alexandrine. Elle semble courageuse. Jeanne le sera-t-elle autant ?

La gare du Nord est lugubre dans le faux éclairage du gaz. Penché à la fenêtre de son wagon, Zola dit adieu à sa femme, à ses amis réunis sur le quai, et essaie de sourire. Quand le train s'ébranle, il a l'impression de commettre une folie et doit se retenir pour ne pas descendre en marche. Il est seul dans le compartiment. La chaleur est étouffante. Il baisse la vitre pour que l'air du dehors rafraîchisse son visage en feu. À Amiens, il achète du pain et une cuisse de poulet. Sur le bateau qui le mène de Calais à Douvres, il s'accoude au bastingage et, les yeux embués de larmes, regarde s'éloigner la côte de France dont les mille lumières pâlissent.

La traversée de la Manche lui paraît interminable, dans le balancement vert des vagues, l'odeur salée du vent et le va-et-vient des voyageurs sur le pont. Arrivé au petit matin à Victoria Station, il se fait conduire au Grosvenor Hotel, que lui ont recommandé les frères Clemenceau. Il ne sait pas un mot d'anglais. Dieu merci, le personnel de l'établissement parle un français à peu près correct. Toutefois, on le considère avec méfiance, car il n'a pas de bagages. Pour égarer les soupçons, il s'inscrit sur le registre sous le pseudonyme, qu'il croit impénétrable, de « Monsieur Pascal ».

Le lendemain de son départ, les journalistes parisiens battent la grosse caisse. Les titres des gazettes sont aussi gras que pour une déclaration de guerre : « Zola en fuite ! » Sans le consulter, Georges Clemenceau rédige lui-même un article de justification qu'il signe superbement « Émile Zola » et qui affirme : « En octobre, je serai devant mes juges. » Le 20 juillet, jour de la publication du texte dans *L'Aurore,* Bernard Lazare se rend à Londres pour montrer à son auteur présumé ce morceau de prose dont pas une ligne n'est de lui. Zola éclate de fureur, puis finit par admettre que Clemenceau a agi ainsi dans l'intérêt de la cause commune. Mais il n'en peut plus. On l'expédie à l'étranger, on fait paraître sous son nom une déclaration qu'il n'a pas écrite, on le défend contre son gré en prétextant que c'est pour son bien... Il a le sentiment d'avoir perdu, en quelques jours, quarante-cinq ans de travail et de prestige, et de n'être plus rien qu'un modeste exilé, sans toit, sans famille, exposé à tous les coups et qui ne subsiste que grâce à l'obligeance d'une poignée d'amis restés en France. Oui, la prison aurait mieux valu que cette retraite britannique, froide, solitaire et confortable !

XXVI

L'EXIL

Perdu dans une ville étrangère dont il ignore la langue, Zola appelle d'abord au secours son éditeur et traducteur anglais, Ernest Vizetelly[1] : « Ne dites à personne au monde et surtout à aucun journal que je suis à Londres. Et ayez l'obligeance de venir me voir demain mercredi, à onze heures, au Grosvenor Hotel. Vous demanderez Monsieur Pascal. Et surtout, silence absolu, car il y va des plus graves intérêts. » Ernest Vizetelly accourt, aide Zola à acheter quelques vêtements dans les magasins de Londres et le met en rapport avec un *solicitor*[2], J. W. Wareham. Celui-ci rassure l'écrivain en lui certifiant que la signification de l'arrêt de la Cour ne peut le toucher par la voie diplomatique et qu'aucun agent judiciaire anglais ne se chargera de lui transmettre la sentence d'un tribunal français. Mais, par prudence, l'homme de loi lui conseille de se tenir sur ses gardes et de conserver l'anonymat. Zola déménage aussitôt et prend une chambre à l'Oatlands Park Hotel, à Weybridge. Le nom de « Monsieur Pascal » lui semblant trop compromettant, puisqu'il rappelle le titre d'un de ses romans, il choisit de s'inscrire sous le nom de

1. Fils de Henry Vizetelly, qui avait organisé jadis le voyage triomphal de Zola en Grande-Bretagne et qui était mort en 1894.
2. Avoué, notaire.

« Monsieur Beauchamp ». Il en prévient Jeanne et lui demande de lui écrire désormais à l'adresse de J. W. Wareham, sous double enveloppe, la seconde portant la suscription « Monsieur Beauchamp », comme le *solicitor* l'a recommandé. Lui-même s'efforce de changer son écriture sur les lettres qu'il envoie à sa maîtresse, à sa femme, à ses amis. Il les signe toutes Beauchamp, mais il n'a décidément pas l'étoffe d'un conspirateur : parfois, sa main le trahit et, ayant tracé un « Z » par habitude, il le transforme ensuite, maladroitement, en un « B ». De même, avec une naïveté puérile, quand il correspond avec Desmoulin pour le charger d'une commission auprès d'Alexandrine ou de Jeanne, les désigne-t-il sous les prénoms masculins d'Alexandre et de Jean pour brouiller les pistes. Certainement, pense-t-il, tous les messages qu'elles reçoivent sont recopiés et scrutés à la Préfecture.

Pourtant, malgré le zèle déployé par la police, nul ne sait à Paris ce qu'est devenu Zola. Les uns prétendent qu'il se cache à Verneuil, sous un déguisement, les autres affirment l'avoir reconnu dans la rue à Genève, à Spa, à Anvers… Mais voici que les journaux révèlent sa présence à Londres. Le danger se précise. Zola déménage encore. Le 1ᵉʳ août 1898, il s'installe dans le charmant village de Penn, à Oatlands Chase (Surrey), où Louis-Philippe s'était réfugié après la révolution de 48. La fille aînée de Vizetelly, Violette, seize ans, vient habiter avec lui dans la maison qu'il a louée et y fait fonction d'interprète et de gouvernante.

De cet asile champêtre, il suit, à travers les gazettes, les derniers rebondissements de l'affaire Dreyfus et de l'affaire Zola. Les êtres qui lui sont restés fidèles dans la tourmente lui deviennent doublement chers. « C'est toi qui me représentes et me défends, écrit-il le 6 août 1898 à Alexandrine. Sois certaine que je n'oublierai jamais ton admirable cœur en ces tristes circonstances. Si je ne t'aimais pas toujours comme je t'aime, ton attitude actuelle me donnerait bien des remords. » La colère le secoue quand il apprend, par une lettre de Labori, que l'ignoble Judet renouvelle ses accusations de forfaiture contre son père. Il est écœuré, fatigué, il renoncerait presque à se battre. En octobre 1898, Alexandrine reçoit de lui ce cri de détresse : « Rien n'est plus douloureux que cette affaire..., être si lâchement frappé dans un père... Je ne tiens même plus à la victoire, je l'aurai payée trop chèrement. » Cependant, il charge Desmoulin, de passage à Londres, de transmettre à Labori un projet de plainte en diffamation. Pour recouvrer la forme, il loue une bicyclette et pédale dans la campagne anglaise en essayant de ne penser à rien. Mais il ne peut échapper à son idée fixe. S'il veut retrouver son équilibre, il faut qu'Alexandrine et Jeanne, avec les enfants, le rejoignent. L'une après l'autre, si possible, afin de varier les plaisirs. Hélas ! Alexandrine est constamment épiée par des mouchards, des journalistes ou de simples curieux. Elle n'ose plus faire un pas hors de chez elle. Zola écrit à son médecin, le docteur Larat : « Donnez à Alexandre de mes nouvelles... J'attendrai sa décision tant qu'il faudra... Si je ne lui écris pas directement, c'est que j'ai peur que toutes ces lourdes enveloppes que reçoit le bon docteur finissent par éveiller l'attention. »

Enfin Desmoulin revient en Angleterre, apportant une malle d'effets et de linge. « J'éprouve un gros plaisir en face de ces choses intimes qui me rendent un peu de mon chez-moi, relate Zola dans ses *Notes d'exil*. Décidément, ce qui m'a navré le plus dans ce si brusque départ, après la sensation brutale d'être ainsi séparé des miens, c'est de m'être trouvé loin de chez moi avec les seuls vêtements que j'avais sur le corps, sans bagage et presque sans argent. » Reprenant espoir, il organise sa table de travail face à une fenêtre qui ouvre sur le jardin et déballe ses manuscrits. Mais aura-t-il la force de ressaisir la plume ? « Un tel torrent vient de passer dans ma vie, si calme et si réglée, que je reste bouleversé, avec toutes mes idées en déroute », note-t-il encore. Sa femme lui a écrit qu'elle ne pourrait probablement pas faire le voyage avant quelques semaines. Accablé, il sort dans le jardin éclairé par la lune, qui « parmi toutes ces verdures noires jette de toutes parts sa muette pluie d'argent ». Il respire à pleins poumons l'air nocturne, mais la paix de la nature ne pénètre pas son cœur : « C'est singulier, l'angoisse revient en moi par grandes ondes, sans motif apparent. » Desmoulin repartant pour Paris, il le charge de missions délicates auprès de Jeanne et d'Alexandrine. Toutes deux doivent savoir qu'il souhaite ardemment leur présence. Mais il ne veut froisser ni l'une ni l'autre. Surtout que Desmoulin fasse preuve de diplomatie !

Celui-ci s'acquitte de ses démarches avec tact et célérité. Ayant décrit à Alexandrine la solitude, le désarroi, la tristesse de son mari, il l'émeut au point qu'elle se sacrifie : Émile a besoin de ses enfants. Elle n'a pas su lui en donner. C'est donc à elle, l'épouse légitime, de s'effacer. Par pitié pour lui, par tendresse pour cette fille et ce fils qu'il a eus d'une autre. Elle attendra son tour, voilà tout ! Le 6 août, Zola répond à Desmoulin qui vient de lui annoncer la nouvelle : « Votre lettre, que je reçois à l'instant, me fait plaisir et me navre. Je vais avoir mes enfants, mais vous ne sauriez croire avec quelle angoisse je songe à ma pauvre femme. Lui avez-vous bien tout dit, que je veux surtout ne pas lui faire de peine, que je ne serai pas heureux si je ne la sais pas heureuse elle-même ? Enfin, tout cela est bien navrant, et j'ai beau me retourner, quel que soit le côté où je me couche, je sens les épines... Quand les enfants seront ici, peut-être me calmerai-je un peu. Mais ils ne sont pas tout mon cœur et combien ma pauvre femme me manquera ! »

Inquiet des conditions de voyage de sa maîtresse, il rédige une « Note pour Jean » qu'il joint à sa réponse à Desmoulin : « S'il est possible, ne rien aller prendre à Paris, se contenter de faire les malles avec ce qu'il y a à Verneuil. Pourtant emporter des vêtements chauds.

M'apporter mon costume complet de bicyclette. Ne pas apporter de culotte de femme, car il faudra une jupe. N'amener ni la cuisinière ni la femme de chambre, leur donner vacance en disant qu'on les reprendra à la fin septembre, pour ne pas s'en faire des ennemies. Surtout que ces femmes ne sachent pas le pays où l'on va. Les tromper même, leur laisser entendre qu'on va en Belgique ou en Suisse... Bien donner les indications à Jean pour le voyage. Jean et les deux petits quitteront Verneuil le matin par le train de sept heures moins vingt, je crois. En arrivant à Paris, ils prendront une voiture qui les conduira à la gare du Nord, où ils pourront déjeuner dans un café. Rendez-vous pris avec Desmoulin dans la gare, près du guichet pour Londres. Emporter de la nourriture pour le voyage... Ne donner d'adresse à personne. Disparaître... Ne pas apporter l'appareil photographique. J'ai le mien... Sur le bateau, si la mer n'est pas grosse, il vaut mieux rester sur le pont et s'y asseoir. Si la mer est forte, on descendra dans l'entrepont ; et si les enfants étaient malades, on se réfugierait dans une cabine. Je crois que les malles ne sont visitées par la douane qu'à Londres... À Douvres, le train est près du bateau. Pour ne pas se tromper, montrer les billets à un employé, lui répéter le mot : Victoria, et se laisser placer par lui. Ensuite, ne descendre que lorsque le train s'arrêtera au bout de la ligne, à Londres[1]. »

En attendant l'arrivée de Jeanne et des enfants, Zola s'est remis au travail. Il a conçu l'idée de donner une suite aux *Trois Villes* en écrivant une série de quatre romans, intitulée *Les Quatre Évangiles* : *Fécondité, Travail, Vérité* et *Justice*. Les héros des *Trois Villes*, Pierre Froment et Marie, ont eu quatre fils qui se révéleront, en cours de route, comme les quatre apôtres d'une nouvelle religion d'équité et de paix. Mathieu, dans *Fécondité*, aura douze enfants et une nombreuse

---

1. Lettre du 6 août 1898.

descendance qui porteront la bonne parole jusqu'en Afrique. Luc, dans *Travail*, bâtira une cité modèle où il sera doux de vivre et une usine où il sera agréable de travailler. Marc, dans *Vérité*, s'attaquera au dogme de l'Église infaillible, qui obscurcit le cerveau des fidèles, et prêchera la libération du peuple par l'instruction et la science. Et Jean, dans *Justice*, fera régner l'harmonie sur le monde. Engagé dans cette entreprise systématique et un peu niaise, Zola croit sincèrement qu'elle couronnera l'ensemble des romans qu'il a écrits jusqu'à ce jour. « C'est la conclusion naturelle de toute mon œuvre, déclarera-t-il. Après la longue constatation de la réalité, une prolongation dans demain, et, d'une façon logique, mon amour de la force et de la santé, de la fécondité et du travail, mon besoin latent de justice éclatant enfin. Puis, je finis le siècle, j'ouvre le siècle prochain. *Tout cela basé sur la science,* le rêve que la science autorise. »

Il est vrai que, dès le début de *Fécondité*, sa plume glisse sur le papier avec la même aisance qu'autrefois. Mais tout ce qu'il écrit est pâle, filandreux, sans saveur. On dirait que la source romanesque s'est tarie en lui après le dernier volume des *Rougon-Macquart*. N'aurait-il plus rien à dire ? Il refuse de se croire vidé de toute sève et se compare à Hugo dans son exil. D'ailleurs, à chaque moment, des préoccupations juridiques entravent son inspiration. Soudain, il apprend que les experts en écriture Belhomme, Varinard et Couard, qu'il a déclarés « atteints d'une maladie de la vue et du jugement » dans *J'accuse,* viennent de le faire condamner à trente-deux mille francs de dommages et intérêts. Aussitôt, il s'affole. Ne va-t-il pas falloir déposer immédiatement cette somme « aux Finances » ? Ayant chargé Labori de battre le rappel des amis pour l'aider à payer les pots cassés, il note avec désespoir : « Ah ! qu'on me prenne tout, qu'on vende chez moi, qu'il n'y ait plus en France rien qui m'appartienne. On me croit riche, moi qui n'ai point cent mille francs devant moi. Quand ils m'auront ruiné, et qu'ils me verront en exil, dans quelque trou perdu, vivre de mon travail, peut-être auront-ils la pudeur de se taire. Tant que je serai debout et que je pourrai tenir une plume, j'aurai du pain. J'ai commencé misérable, la misère peut revenir, elle ne me fait pas peur[1]. » Et aussi : « Je ne regrette rien, je recommencerais ma lutte pour la vérité et la justice. Mais, tout de même, quelle extraordinaire aventure, à mon âge, au bout d'une existence de pur écrivain, méthodique et casanier ! Je ne valais que par ma plume, et c'est ma plume seule qui a combattu. C'est ma vieille passion de la vérité qui m'a conduit à la passion de la justice. Ah ! les imbéciles et les bandits ; ils n'ont rien su de moi, ils n'ont rien senti ni rien compris ! »

Les jours lui paraissent bien longs tandis qu'il guette la dépêche qui lui annoncera l'arrivée de Jeanne et des enfants. Tout en se félicitant de la discrétion des Anglais à son égard, il ne peut s'habituer à leur mode de vie. Ce qu'il aime dans ce pays où il a trouvé le réconfort de l'hospitalité, c'est le goût de ses habitants pour la bicyclette, les fleurs, le grand air ; c'est l'allure libre des femmes, leur sveltesse par rapport aux Françaises plus potelées ; c'est l'engouement des jeunes pour les sports — tennis, aviron ou même l'incompréhensible cricket ! Mais il déteste les fenêtres anglaises à guillotine, qu'on ne peut jamais ouvrir complètement ; les dimanches anglais, avec leur sagesse, leur silence, leurs magasins et leurs pubs fermés ; la pluie anglaise, moins légère et moins gaie, lui semble-t-il, que la pluie française ; la cuisine anglaise enfin qui lui ôte l'appétit. Il compare le pain anglais à une éponge, abhorre les légumes bouillis sans sel, les biftecks « cuits à petit feu et lavés d'eau », le lourd pudding, qui, dit-il, ne vaut pas « nos petits croissants d'un sou ». Écrasé sous un ciel bas et gris, il rêve du soleil français.

1. Le mobilier de Zola sera saisi les 23 et 29 septembre 1898 et, lors de la mise en vente, racheté par l'éditeur Fasquelle pour trente-deux mille francs, c'est-à-dire pour le montant des dommages et intérêts dus aux trois experts.

Enfin, le soir du 11 août 1898, Jeanne et les enfants, accompagnés d'Ernest Vizetelly qui les attendait à la gare de Londres, débarquent à Penn avec leurs bagages. Les retrouvailles sont un délire de bonheur. Denise et Jacques, qui ont eu le mal de mer sur le bateau, oublient leur fatigue dans les bras de leur père. Et la vie de famille reprend, sur le sol britannique, comme à Verneuil. Les enfants jouent dans le jardin, surveillés par leur mère qui brode ou lit un livre, à l'ombre d'un parasol, et Zola contemple, par la fenêtre de son bureau, cette scène idyllique. Mais pourquoi faut-il que tout le pays, autour de lui, parle anglais ? C'est intolérable ! Et voici que Desmoulin s'inquiète de savoir que Jeanne se trouve aux côtés de Zola. Il craint qu'on ne découvre leur retraite. « Tout ce que vous vous êtes dit, je me le suis dit à moi-même, voici longtemps déjà, lui répond Zola. Et vous ne savez pas pourquoi j'ai passé outre ? C'est parce que je m'en fous ! J'en ai assez, j'en ai assez, j'en ai assez ! Mon devoir est rempli et je demande qu'on me fiche la paix… Lorsque j'aurai fait le nécessaire pour que les miens et moi soyons aussi heureux que nous pouvons l'être, le monde pourra bien crouler, sans que je tourne la tête. Dites-vous que je ne rentrerai que lorsqu'il y aura une justice en France, et les derniers événements prouvent que ce ne sera pas demain. Je considère mon rôle public comme fini[1]. »

Quelques jours après avoir écrit cette lettre, il quitte avec les siens la maison de Penn, que le propriétaire désire récupérer, et s'installe dans une maison plus vaste et mieux située, à Summerfield. Grand jardin, parterre de fleurs, pelouse pour le tennis. À demi couché dans une chaise longue en osier, Zola s'efforce de déchiffrer des journaux anglais à l'aide d'un dictionnaire. Les nouvelles de France tiennent peu de place dans ces gazettes grisâtres. Cependant Vizetelly vient de recevoir un télégramme, sans indication d'origine, avec ces

1. Lettre du 13 août 1898.

simples mots : « Attendez-vous à un grand succès. » Averti, Zola cherche en vain à quel événement le correspondant anonyme fait allusion dans sa dépêche. Sur ces entrefaites, Vizetelly arrive à Summerfield, le visage rayonnant, et annonce : « Le colonel Henry s'est suicidé ! »

Abasourdi par la joie, Zola vacille sur ses jambes. Est-ce la fin du cauchemar ? Vizetelly lui traduit les informations des journaux anglais. Le colonel Henry, traqué, comme Esterházy, par le juge d'instruction Bertulus, est passé aux aveux. Convaincu d'avoir fabriqué un faux, il a été transféré au Mont-Valérien, et là il s'est tranché la gorge avec un rasoir. Labori écrit à Zola pour lui confirmer les faits. « Je crois qu'enfin nous voilà en marche pour la victoire, lui répond Zola. Mais je ne suis tout de même pas sans quelques inquiétudes encore et je vous supplie, je supplie nos amis de redoubler de méfiance et de prudence en approchant du but. Nous n'aurons bataille gagnée que lorsque l'innocence de D. sera reconnue et que lorsqu'il sera libre. Le jour où on le jugera de nouveau, mon cœur cessera de battre, car ce sera le jour du véritable danger... Je suis naturellement de votre avis pour la date de ma rentrée. Il est impossible, maintenant, de la fixer. Je ne la vois logique qu'après le résultat de la révision, de façon que notre procès de Versailles soit comme la conclusion victorieuse de toute l'affaire. Je vais donc attendre, je ne dis pas en paix, car mon être est trop bouleversé d'anxiété pour cela, mais du moins avec espoir, le jour où je pourrai reprendre ma tranquille vie de travailleur, ma besogne étant remplie. D'ailleurs, je me porte bien, je travaille, je ne souffre que d'être ici, dépaysé, loin de ma femme, dans un pays dont je ne sais pas la langue [1]. »

Contrairement aux espoirs de Zola, le suicide du colonel Henry ne suffit pas à persuader l'opinion publique et le gouvernement de l'innocence de Dreyfus.

1. Lettre du 8 septembre 1898.

Rochefort lance l'idée que Henry se serait donné la mort par patriotisme, pour éviter de fournir les documents authentiques qui auraient compromis la sûreté de l'État. Cette version aberrante est reprise par *La Patrie* qui publie : « Nous devons à une indiscrétion de connaître la déclaration suivante qu'aurait faite le colonel Henry : " J'étais obsédé par l'impossibilité de rendre publiques les pièces établissant de façon irréfutable la culpabilité de Dreyfus. Cette publication mêlerait l'étranger à l'affaire et serait grosse de conséquences pour la France. Il fallait cependant faire la contrepartie de la campagne poursuivie en vue de prouver l'innocence du traître. Devant cette impérieuse nécessité, j'ai fabriqué une pièce, j'ai fait un faux. Je l'ai fait en mon âme et conscience, dans l'intérêt de la justice, acculé par l'impossibilité où nous nous trouvons de livrer à la publicité des documents secrets. " » La thèse du « faux patriotique » est amplifiée par Maurras qui, dans le journal royaliste *La Gazette de France,* célèbre le courage et la dignité du colonel Henry, martyr d'une juste cause. Son propos est repris par la presse de droite, avec en tête *La Libre Parole* qui affirme : « La révision, c'est la guerre. Pour cette guerre, nous ne sommes pas prêts. Oui, ce sera la guerre. Et la débâcle. Et tel est bien le plan et l'espérance des Juifs. »

En lisant ces lignes, Zola retrouve sa combativité d'autrefois. Il enrage d'être cloué dans un coin de la campagne anglaise, alors qu'il devrait être au premier rang de ceux qui luttent pour la vérité. Enfin Mme Lucie Dreyfus saisit la justice d'une demande en révision fondée sur des faits nouveaux. La demande est transmise à Cavaignac qui démissionne. Le président du Conseil, Henri Brisson, le remplace par le général Zurlinden, qui serait plutôt favorable à l'idée de révision. Aussitôt, la presse nationaliste accuse Zurlinden d'être vendu aux Juifs. Devant cette vague d'impopularité, il recule, inquiet pour le prestige de l'armée. Le 17 septembre 1898, le Conseil des ministres ayant opté, contre son avis, pour la révision, le général Zurlinden démissionne lui aussi. Le général Chanoine le remplace, affirmant que la révision ne l'effraie pas. Mais à peine at-il pris possession de son portefeuille qu'il fait comparaître Picquart devant le tribunal correctionnel. Fausse manœuvre, car le procureur de la République exige et obtient le renvoi de l'affaire. Picquart est reconduit en prison. Le général Chanoine démissionne à son tour. Finalement, le Conseil des ministres charge le garde des Sceaux de saisir la Cour de cassation de la demande en révision de Mme Lucie Dreyfus. Déroulède et la Ligue des patriotes annoncent que, « si Dreyfus rentre en France, il sera écharpé ». « C'est peut-être bien la victoire qui se prépare, écrit Zola à Desmoulin. Mais elle me paraît si loin encore et le chemin est semé de telles embûches que, jusqu'ici, je ne triomphe qu'avec modération... Je ne serais pas surpris de me voir forcé à séjourner ici jusqu'en décembre et peut-être jusqu'en janvier. J'attends d'être mieux renseigné pour prendre une disposition d'hivernage [1]. »

À l'approche de la mauvaise saison, Zola perd courage. La mort de son petit chien rageur, Pimpin, qu'il a laissé en France, le plonge dans un tel désarroi qu'il n'a plus la force d'écrire, ni même, dit-il, d'ouvrir une porte. « Je veux vous dire qu'une des heures les plus cruelles, au milieu des horreurs abominables que je viens de passer, a été celle où j'ai appris la mort brusque, loin de moi, du petit compagnon fidèle qui, pendant neuf ans, ne m'avait pas quitté, avouera-t-il à une rédactrice de *L'Ami des bêtes*. Il est mort en coup de foudre. Il m'a semblé que mon départ l'avait tué. J'en ai pleuré comme un enfant, j'en suis resté frissonnant d'angoisse, à ce point qu'il m'est impossible encore de songer à lui sans être ému aux larmes [2]. » À cette tristesse s'ajoute soudain un sentiment d'insécurité.

1. Lettre du 21 septembre 1898.
2. Lettre de juillet 1899.

Depuis l'affaire de Fachoda, qui a vu l'échec de la mission Marchand dans la région du Nil, face au corps expéditionnaire de Kitchener, les relations entre la France et l'Angleterre se sont altérées. Le séjour en terre britannique ne va-t-il pas devenir plus pénible encore pour un ressortissant français ? Naguère on l'ignorait ; ne s'avisera-t-on pas, maintenant, de lui battre froid ?

Nouveau déménagement : Zola s'installe dans le village d'Addleston (Surrey). Au début d'octobre, ce sont les larmes de la séparation : Jeanne et les enfants repartent pour la France. À la fin du mois, Alexandrine prend la relève auprès de l'illustre exilé. Elle le réconforte, le cajole, mais la fraîcheur de Jeanne, les rires des deux petits sont, pour lui, irremplaçables. D'ailleurs, au bout de quelques semaines, Alexandrine prétend qu'elle supporte mal le climat anglais, si humide et si froid, et retourne à Paris. L'hiver s'annonce solitaire et lugubre. Zola écrit à sa fille Denise : « Est-ce que les singes du Jardin d'acclimatation vous ont dit, à Jacques et à toi, que lorsqu'on est paresseux et menteur, on devient aussi laid qu'eux ? Car tu sais que les singes sont des petits garçons et des petites filles qui n'ont rien fait et qui ont menti dans leur pays. Alors on les a mis dans des cages pour nous les envoyer. Bientôt je reviendrai et je vous embrasserai de tout mon cœur, surtout si maman est contente de vous [1]. » Et à Jeanne : « Tu sais que je me résigne aisément à mener une vie de moine. Pourvu que je puisse travailler tranquillement et vivre en repos dans un coin, je ne demande ni plaisirs ni distractions. Je ne souffre, en somme, que de votre absence ; si vous étiez là, j'attendrais patiemment pendant des années [2]. »

Il habite maintenant au Queen's Hotel, à Upper Norwood : deux pièces avec vue sur le jardin. Le garçon qui lui sert de valet de chambre ne parle pas le français.

1. Lettre du 10 novembre 1898.
2. Lettre du 1er décembre 1898.

Zola, qui a appris quelques mots d'anglais, a du mal à se faire comprendre de lui. Il se plonge dans Stendhal, écrit *Fécondité*, lit les nouvelles de France dans les journaux britanniques, fait de la photographie et s'ennuie à périr. De loin en loin, des amis lui rendent visite dans son refuge : Fasquelle, Octave Mirbeau, Labori... Alexandrine reviendra à la fin de l'année, Jeanne au printemps suivant... Mais, quand elles s'en vont, il reste sur sa faim. Sa patience est à bout. L'enquête en vue de la révision traîne de péripétie en péripétie. Les magistrats se noient dans la paperasse. Esterházy reconnaît être l'auteur du bordereau, puis se rétracte. Zola veut rentrer en France sans attendre que la Cour ait cassé le jugement de 1894 condamnant Dreyfus. Labori et Clemenceau l'en dissuadent. Il s'incline, de mauvaise grâce, devant leurs arguments.

« Mon état d'âme est que je suis las de paix et de sécurité, écrit-il à Labori. Vous n'imaginez pas mon angoisse, tous les matins, en lisant les journaux. Il me semble que je ne suis plus bon à rien, que je suis un mort pendant que les autres se battent. Et cela va durer pendant des mois encore, loin de tous ceux que j'aime, loin de mes habitudes d'esprit et de cœur... La victoire me paraît désormais certaine, mais je suis convaincu que, jusqu'au dernier moment, le parti des bandits fera tout pour entraver la justice... La veille même de l'acquittement de Dreyfus, vous verrez encore quelque tentative imbécile et monstrueuse. Ah ! notre pauvre pays ! c'est à lui que je songe avec une inquiétude de toutes les heures. Au lendemain de notre victoire, que de décombres, et pourrons-nous jamais rebâtir la maison, avec tous ces matériaux pourris ?... Je me considère comme un mort, puisque me voilà pour tant de jours rayé de mon pays, au loin et muet. Enfin je peux travailler, c'est ma seule consolation [1]. » Et à Mme Octave Mirbeau : « L'homme nerveux et passionné que je

1. Lettre du 15 décembre 1898.

suis n'est pas fait pour l'exil, pour la résignation et le silence. Vous avez parfaitement deviné que ma torture est d'être ici à l'abri, dans trop de paix et de sécurité, pendant que les autres se battent. Il y a des jours où j'en arrive à me mépriser un peu, où il me semble que je ne fais pas mon devoir... Tout le monde m'écrit que je dois rester où je suis, sous peine de déchaîner les pires catastrophes[1]. »

Il tourne en rond dans sa chambre, comme attaché à un piquet. Une prison sans barreaux. Personne à qui parler. Quand il lui manque un bouton, il le recoud lui-même, « sans dé et très bien », pour se distraire. Une souris trottine autour de sa corbeille à papiers pendant qu'il travaille. Il l'observe avec attendrissement.

Le 16 février 1899, le président de la République Félix Faure meurt dans les bras de sa maîtresse. Après les funérailles en grande pompe de ce trop galant chef d'État, Déroulède tente d'entraîner vers l'Élysée les troupes qui ont rendu les derniers honneurs au défunt. Le trublion est arrêté par le général Roget[2]. Quarante-huit heures plus tard, Émile Loubet, un homme de gauche, est élu à la présidence de la République. On le dit partisan de la révision. Mais il faut craindre encore quelque manœuvre désespérée des patriotards. Cet enragé de Déroulède n'est pas le seul à vouloir renverser le régime. Malgré tout, Zola a l'impression que le dénouement est proche. Il serait grand temps, car lui-même est sur le point d'achever le roman auquel il s'est attelé depuis son installation en Angleterre. S'il n'a plus ce travail pour meubler ses journées, il deviendra fou d'oisiveté. « Je suis seul à ne pas même desserrer les dents du matin au soir, et cela finit par me détraquer, mande-t-il à Alexandrine le 16 mars 1899. Je finis par préférer tout, même le bannissement définitif, à l'incertitude où je vis ; tant de monstruosité me révolte. »

1. Lettre datée du même jour.
2. Déroulède sera acquitté en cour d'assises.

Le 27 mai 1899, il trace les dernières lignes de *Fécondité*, cet hymne touchant et un brin ridicule à l'ensemencement de la femme par l'homme. Le 28 mai, il écrit à Jeanne : « Je compte bien que toutes les honnêtes femmes, toutes les épouses et toutes les mères seront avec moi. » Le lendemain, 29 mai, devant les trois chambres de la Cour de cassation réunies en audience solennelle, le président Ballot-Beaupré lit un rapport résumant l'état de l'enquête et termine en posant la question capitale sur l'origine du bordereau : « Est-il, oui ou non, de la main de Dreyfus ? » Dans un silence de mort, il répond à sa propre interrogation : « Messieurs, après un examen approfondi, j'ai acquis, pour ma part, la conviction que le bordereau a été écrit non par Dreyfus, mais par Esterházy. » La voie de la révision est ouverte. Le 3 juin 1899, la Cour de cassation annule à l'unanimité le jugement condamnant Dreyfus et renvoie l'accusé devant le conseil de guerre de Rennes. Zola explose de joie et décide de retourner aussitôt en France. « Rien au monde ne me retiendra ici une heure de plus, écrit-il à Labori. On me menacerait de m'arrêter à la frontière que je rentrerais quand même [1]. »

Fasquelle et sa femme se rendent, le 5 juin, en Angleterre pour ramener le proscrit victorieux. Son exil aura duré près d'un an. Il monte en wagon avec le sentiment de commencer une nouvelle vie. Dreyfus a déjà dû être averti, à l'île du Diable. Il s'embarquera incessamment pour la France. Quelle émotion quand ils se rencontreront, libres l'un et l'autre ! Tandis que le train roule, Zola griffonne un article pour les « journaux amis » : « Je rentre puisque la vérité éclate, puisque la justice est rendue. Je désire rentrer en silence, dans la sérénité de la victoire, sans que mon retour puisse donner lieu à la moindre agitation dans la rue... Je suis chez moi. Monsieur le Procureur général peut donc,

1. Lettre du 3 juin 1899.

quand il lui plaira, me faire signifier l'arrêt de la Cour de Versailles. » Entre deux phrases, il lève le nez de son papier et regarde défiler devant lui la sage campagne anglaise. Ne va-t-il pas la regretter quand il se retrouvera dans le maelström des intrigues, des hypocrisies, des provocations et des fureurs parisiennes ?

XXVII

L'AMNISTIE

Jeanne, Alexandrine, Dreyfus : la vie de Zola, revenu en France, tourne autour de ces trois noms. Après un bref passage à Paris, il se précipite à Médan, tandis que Jeanne s'installe pour l'été à Verneuil. Entre sa femme et sa maîtresse, il retrouve ses bonnes habitudes d'équilibre sentimental. Il n'est pas un mari pour l'une et un amant pour l'autre, mais deux maris en un seul : un mari sans enfants et un mari père de famille. Il a le cœur assez large pour contenir cette double tendresse. De nouveau, il déjeune chez l'épouse légitime, prend le thé chez la maîtresse attitrée, participe aux jeux des petits, fait de la bicyclette avec eux et leur mère, photographie paysages et visages avec la même passion. Ainsi ne se lasse-t-il pas de saisir sa bien-aimée dans ses occupations quotidiennes, brodant, arrangeant un bouquet, lisant un livre, jouant de la mandoline, les cheveux dénoués ou coiffée d'un chapeau à voilette, un boa enroulé autour du cou. Sa fille et son fils posent également pour lui en toute circonstance. Il assemble un album intitulé : *Denise et Jacques, Histoire vraie, par Émile Zola*, et le fait superbement relier. Pour révéler ses clichés, il installe un atelier à son domicile et, par commodité, un autre au domicile de Jeanne. Alexandrine ayant déposé les armes, la concorde règne entre les deux femmes. On ne se rend pas visite l'une à l'autre, mais on se tolère et on s'estime. Toutes deux sont trop heureuses d'avoir récupéré leur grand homme après une longue séparation.

Cet exil en Angleterre, ces alternances d'espoir et de déception, ce flot d'injures déversé sur sa tête ont brisé Zola. Malgré l'imminence de la victoire, il se sent vieux et désabusé. Il n'a pas rencontré Dreyfus qui, à peine rapatrié de l'île du Diable, a été conduit à la prison militaire de Rennes. Zola lui adresse, le 6 juillet 1899, un message de bienvenue : « Capitaine, si je n'ai pas été un des premiers, dès votre retour en France, à vous écrire toute ma sympathie, toute mon affection, c'est que j'ai craint que ma lettre ne reste pour vous incompréhensible. Et j'ai voulu attendre que votre admirable frère vous ait vu, vous ait dit notre long combat. Il vient de m'apporter la bonne nouvelle de votre santé, de votre courage, de votre foi, et je puis donc vous envoyer tout mon cœur, en sachant que maintenant vous me comprendrez... L'œuvre n'est point finie, il faut que votre innocence, hautement reconnue, sauve la France du désastre moral où elle a failli disparaître. Tant que l'innocent sera sous les verrous, nous n'existerons plus parmi les peuples nobles et justes... C'est aussi l'honneur de l'armée que vous sauverez, de cette armée que vous avez tant aimée, en qui vous avez mis tout votre idéal... Mon cœur déborde, et je ne puis que vous envoyer toute ma fraternité pour ce que vous avez souffert, pour ce qu'a souffert votre vaillante femme... Je vous embrasse affectueusement. »

Le procès de révision s'ouvre le 7 août 1899 dans la salle des fêtes du lycée de Rennes, transformée en tribunal. Le défenseur de Dreyfus, Me Demange, a exigé que ni Zola, ni Clemenceau, ni Reinach ne paraissent à l'audience, pour ne pas indisposer les juges. Me Labori, qui l'assiste, déplore cette exclusion mais s'incline. Le nouveau président du Conseil, Waldeck-Rousseau, ne cache pas ses sympathies pour Dreyfus. Mais l'innocenter reviendrait à reconnaître que le général Mercier, chef de file des antidreyfusards, est coupable. Les magistrats militaires sont ses subordonnés. Ils seront tentés de lui obéir, quitte à déplaire au gouvernement. Déjà Barrès prévient que, si Dreyfus est acquitté, il y aura des représailles. « C'est à choisir, écrit-il, Dreyfus ou les grands chefs. » Selon la presse nationaliste, les amis de Dreyfus sont les ennemis de la patrie.

Les débats se traînent, dans un climat de haine et de pagaille. L'incorrigible Déroulède organise avec Jules Guérin, dès le 12 août, un mouvement armé de protestation qui aboutira au siège de « Fort-Chabrol [1] » par la police et au bannissement des insurgés. Le lundi 14 août, un inconnu suit Labori dans la rue et soudain, brandissant un pistolet, tire sur lui, le blesse d'une balle dans le dos et disparaît. Par miracle, le projectile n'a pas touché la colonne vertébrale. Labori se rétablit rapidement et revient au combat. « Ah, mon cher, mon grand et vaillant ami, quelle bonne joie, ce matin, quand nous avons appris que vous étiez hors de danger ! lui écrit Zola. Je vous vois reprendre votre place au banc de la défense devant le conseil de guerre, en héros, en martyr, en sublime défenseur du droit, aux applaudissements du monde entier [2]. » On attend une confrontation entre Dreyfus et Esterházy. Or ce dernier, qui se trouve en Angleterre, se garde bien de venir. Il se borne à déclarer, de loin, qu'il a effectivement écrit le bordereau, mais que le texte lui en a été dicté par Dreyfus. Le conseil de guerre est très embarrassé. Il a conscience qu'en acquittant Dreyfus il dressera contre lui toute l'armée et ne satisfera que quelques dreyfusards et quelques journalistes au-delà des frontières. Cela, il faut l'éviter à tout prix. Alors on choisit une solution bâtarde. Le 9 septembre 1899, par cinq voix contre deux, Dreyfus est reconnu coupable, mais *avec circons-*

1. Surnom donné au local de la Ligue antisémite, rue Chabrol à Paris. Les rebelles y résistèrent trente-huit jours aux assauts des forces de l'ordre.
2. Lettre du 16 août 1899.

tances atténuantes. Comme s'il n'avait écrit que la moitié du bordereau ! En conséquence, il subira dix ans de détention ! Ce verdict absurde accable les partisans de Dreyfus. Zola défaille d'indignation. Les journaux étrangers traînent la France dans la boue. Certains demandent qu'elle soit mise en quarantaine, que les touristes évitent de se rendre à l'Exposition universelle qui doit s'ouvrir l'année prochaine, à Paris. Des manifestations antifrançaises éclatent à Anvers, à Milan, à Londres, à New York... La police intervient pour protéger les ambassades de France à travers le monde. Zola publie le 12 septembre 1899, dans *L'Aurore*, un article virulent, « Le cinquième acte » : « On aura vu là le plus extraordinaire ensemble d'attentats contre la vérité et la justice. Une bande de témoins dirigeant les débats, se concertant chaque soir pour le louche guet-apens du lendemain, requérant à coups de mensonges aux lieu et place du ministère public, terrorisant et insultant leurs contradicteurs, s'imposant par l'insolence de leurs galons et de leurs panaches... Un ministère public grotesque, reculant les limites de l'imbécillité... Je suis dans l'épouvante. C'est l'épouvante, la terreur sacrée de l'homme qui voit l'impossible se réaliser, les fleuves remonter vers leurs sources, la terre culbuter sous le soleil. » Et il écrit, le même jour, à Labori : « Tout cela va finir misérablement par quelque grâce et par une louche amnistie [1]. »

Il ne se trompe pas. Pour sortir de l'imbroglio, le gouvernement décide de gracier et d'amnistier. Or, dans le cas de Dreyfus, acquiescer à cette mesure, c'est, indirectement, se reconnaître coupable. Clemenceau, Jaurès, Picquart, Labori, Zola sont contre une telle issue à la fois commode et honteuse. Mais, en raison de la fatigue de Dreyfus, son frère Mathieu, Bernard Lazare, Joseph Reinach conseillent l'acceptation. Ne chuchote-t-on pas déjà, dans les milieux militaires, que,

1. Lettre du 12 septembre 1899.

si Dreyfus n'a pas eu de rapports secrets avec l'Allemagne, il en aurait eu avec la Russie? Mieux vaut boucler l'affaire aux moindres frais. Renonçant à se pourvoir en cassation contre l'étrange jugement du conseil de guerre, Dreyfus fait savoir qu'il acceptera la grâce sans abandonner son droit à une révision légale dans l'avenir. Le 19 septembre 1899, le président de la République, Émile Loubet, signe le décret qui gracie Dreyfus et celui-ci sort de prison en homme libre, mais non réhabilité.

Immédiatement, Zola confie un nouvel article à *L'Aurore*, sous la forme d'une « Lettre à Mme Alfred Dreyfus » : « Sans doute, Madame, cette grâce est amère... Quelle révolte à se dire qu'on obtient de la pitié ce qu'on ne devrait tenir que de la justice ! Cela dépasse tout... Souffleter l'innocence pour que le meurtre se promène au soleil, galonné et empanaché !... Notre déchéance est telle que nous en sommes réduits à féliciter le gouvernement de s'être montré pitoyable... L'innocent condamné deux fois a plus fait pour la fraternité des peuples, pour l'idée de solidarité et de justice que cent ans de discussions philosophiques, de théories humanitaires... Il peut dormir confiant, Madame, dans le doux refuge familial, réchauffé par vos mains pieuses. Et comptez sur nous pour sa glorification... C'est nous, les poètes, qui clouons les coupables à l'éternel pilori. Ceux que nous condamnons, les générations les méprisent et les huent. Il est des noms criminels qui, frappés par nous d'infamie, ne sont que des épaves immondes dans la suite des âges. »

Enfin il est donné à Zola de rencontrer celui pour lequel il s'est battu bec et ongles depuis deux ans. Le capitaine Dreyfus et sa femme Lucie viennent dîner chez lui. Le compositeur Alfred Bruneau est présent. Quand il aperçoit Dreyfus sortant de la pénombre du vestibule, il croit à une apparition fantomatique. « Son teint rouge brique, sa voix sourde, ses gestes courts me frappèrent, écrit-il. À côté de lui, Mme Alfred Dreyfus, grande, droite, calme, auguste dans sa simplicité souveraine, sa piété, sa foi, son courage invincible, s'avançait. Durant cette inoubliable et pathétique soirée, Dreyfus nous parla de son séjour à l'île du Diable avec une sorte d'austère détachement. Il évoqua de façon tranquille les combats qu'il livra là-bas aux monstrueuses araignées-crabes et autres bêtes immondes. Nulle colère n'accompagna la narration effrayante de ses tortures physiques et morales [1]. » Devant ce personnage en costume civil, qui se tient raide, parle d'une voix monocorde et semble toujours regarder au loin à travers son lorgnon, Zola ne peut maîtriser la déception qui le gagne. Avec son air plat et froid, Dreyfus ne fait vraiment pas penser à un martyr. Sa façon de s'exprimer est celle d'un bureaucrate zélé. Il est respectueux de l'armée, respectueux du gouvernement, respectueux de la magistrature. Le plus mauvais avocat de sa cause, c'est lui-même. Quand le couple est parti, Zola doit accomplir un effort pour se persuader qu'il a eu raison de défendre ce militaire qui a trop bien supporté l'injustice.

Déjà il voudrait oublier. D'ailleurs, une loi d'amnistie, votée par le Parlement le 14 décembre 1900, prescrit l'abandon officiel de toutes les poursuites relatives à l'Affaire. Un fameux coup d'éponge sur le passé. Coupables et innocents sont logés à la même enseigne. Dreyfus a payé pour tous. Après un bref répit, Zola, une fois de plus, se cabre d'indignation. Haï par les uns, adoré par les autres, il retourne à son rôle de perpétuel révolté. Le voici de nouveau en première ligne, sorte d'anarchiste bourgeois, héroïque et candide, ivre de grands principes, enragé de vérité, avec une torche au poing, ses bons sentiments en écharpe et tout le confort possible à la maison. Le 22 décembre, il publie dans *L'Aurore* une « Lettre à M. Émile Loubet, président de la République » : « Voici que l'affaire abominable, après avoir sali tous les gouvernements complices ou

1. Alfred Bruneau, *op. cit.*

lâches qui se sont succédé, s'achève pour une heure dans un suprême déni de justice, cette amnistie que viennent de voter les Chambres, sous le couteau, et qui portera dans l'Histoire le nom d'amnistie scélérate... Moi, je ne suis qu'un poète, qu'un conteur solitaire qui fait dans un coin sa besogne, en s'y mettant tout entier. J'ai reconnu qu'un bon citoyen doit se contenter de donner à son pays le travail dont il s'acquitte le moins maladroitement ; et c'est pourquoi je m'enferme dans mes livres. Je retourne donc simplement à eux, puisque la mission que je m'étais donnée est finie. » Beau cri de révolte et de douleur. Mais qui l'écoute encore ? Les foules n'ont plus en tête que les illuminations et les flonflons de l'Exposition universelle qui s'est achevée à l'automne. Tout en pestant, Zola est soulagé d'être redevenu un écrivain uniquement préoccupé des échos de son nouveau roman, *Fécondité,* qui vient de sortir en librairie. Il est bien accueilli et la vente, sans atteindre les sommets de *L'Assommoir* et de *Nana,* est satisfaisante. Ce qui plaît au public, c'est que l'auteur, tournant le dos au naturalisme, exalte à présent les grands thèmes de la procréation, du labeur joyeusement accepté et de la fraternité sociale.

Avant d'entreprendre la rédaction du deuxième volume des *Quatre Évangiles,* intitulé *Travail,* Zola s'impose de visiter une aciérie, à Unieux, dans le département de la Loire. Il lit aussi, pour se documenter, des ouvrages traitant de la technique industrielle et des problèmes sociaux dans les usines. Tout au long de ses notes pour ce prochain livre, il se réfère à Charles Fourier, prône la sainte vertu de l'effort collectif, l'alliance de tous les hommes par-dessus les frontières, le grand baiser de la paix. « Je crée ainsi l'humanité », écrit-il avec un orgueil ingénu. À travers son binocle, il découvre un mirage rose bonbon et s'en délecte. Au diable le naturalisme scientifique ! Il faut aujourd'hui se rassurer avec un socialisme ronronnant. Les lecteurs des classes pauvres, qui ont boudé Zola lorsqu'il peignait avec cruauté les malheurs et les tares du peuple, le célèbrent à l'envi lorsqu'il chante les lendemains glorieux des travailleurs. Pour eux, avec son plus mauvais roman, il devient le plus grand penseur de la gauche démocratique. Les associations ouvrières, les syndicats aux aspirations romantiques voient en lui une sorte de messie laïque qui marche sur les flots vers le soleil levant. Les fouriéristes organisent un banquet en l'honneur de *Travail*. Zola ne s'y rend pas. Mais il écrit aux militants : « Si je ne suis pas à votre côté, c'est qu'il m'a semblé plus modeste et plus logique que l'homme ne fût pas là. Ce n'est pas moi qui importe, ce n'est pas même mon œuvre : ce que vous fêtez, c'est l'effort vers plus de justice, c'est le bon combat pour le bonheur humain ; et je suis avec vous tous. Ne suffit-il pas que ma pensée soit la vôtre... ? La société future est dans la réorganisation du travail et de cette réorganisation du travail seule viendra enfin une juste répartition de la richesse [1]. »

Quand il se retourne sur son passé, il se dit qu'il aurait pu se contenter d'être un romancier à l'œuvre abondante et universellement admirée ; les circonstances ont fait de lui un partisan engagé dans la lutte des classes et la défense de l'innocence persécutée. Ainsi assume-t-il, sans l'avoir voulu, le double destin d'un homme de bureau et d'un homme public, d'un conteur d'histoires et d'un tribun, d'un rêveur qui se réclame du réalisme et d'un réaliste perdu dans un rêve de justice. C'est tantôt le Zola de *J'accuse* et tantôt le Zola de *L'Assommoir* qui refait surface. À croire qu'il a deux vocations, deux vies, deux têtes sous un même chapeau. Comment la postérité se retrouvera-t-elle dans ces images contradictoires d'un auteur bifront ? Peu importe. On a le temps d'y penser. Zola n'a que soixante et un ans.

Le 6 août 1901, Paul Alexis disparaît. La perte de cet ami ancien et fidèle ébranle Zola au point de lui ôter le goût d'écrire. Il songe à sa propre mort avec une

1. Lettre du 5 juin 1901.

angoisse rapprochée. Il a composé autrefois un drame lyrique en un acte évoquant la résurrection de Lazare. Sortant du repos de la tombe par la volonté du Christ, Lazare s'écriait : « Ô Maître, pourquoi donc m'as-tu réveillé ? Pourquoi cette cruauté d'arracher le pauvre mort à sa joie de goûter l'éternité du sommeil ?... Revivre, oh ! non, oh ! non ! N'ai-je pas payé à la souffrance ma dette affreuse de vivant ? Je suis né sans savoir pourquoi, j'ai vécu sans savoir comment ; et vous me feriez payer double, vous me condamneriez à recommencer mon temps de peine sur cette terre douloureuse ! » La plainte de Lazare résonne dans l'esprit de Zola durant ses insomnies. Pour rien au monde il ne voudrait revenir aux différentes étapes de son destin. Il aspire à la nuit, et cependant, tel un cheval de labour recru de fatigue mais qui continue à tirer la charrue et à tracer le sillon, il travaille encore. C'est en se forçant qu'il rédige le troisième tome des *Quatre Évangiles,* intitulé *Vérité.* Il y conte l'histoire d'un instituteur juif, Simon, accusé d'avoir violenté et tué un de ses élèves, alors que le coupable est un moine capucin : en somme, une transposition romanesque de l'affaire Dreyfus. Bonne occasion d'exalter les vertus de l'école laïque, face aux conceptions bornées de l'Église. « Je pars de cette idée que, si les progrès humains sont si lents, c'est que la grande masse des hommes ne sait pas, note-t-il dans le dossier *Ébauche.* L'instruction est donc à la base ; savoir, et surtout savoir la vérité permettrait la réalisation rapide de tous les progrès, assurerait le bonheur universel. L'exemple récent que nous a donné l'affaire Dreyfus. »

Le roman, publié en feuilleton dans *L'Aurore,* soulève l'enthousiasme des instituteurs, dont Zola fait l'éloge. Il bombe le torse sous les compliments. Requinqué par le succès, il a de nouveau cent projets en tête. Composer une pièce de théâtre, peut-être pour Sarah Bernhardt, écrire un ou deux « poèmes », dont Alfred Bruneau ferait la musique, rédiger le quatrième Évangile, *Justice*. À propos de ce dernier livre, il note : « Je me lancerai en pleine utopie. Oui, ce sera sans doute un songe de beauté et de bonté, l'apothéose lyrique de l'humanité en marche... Un grand poème en prose, plein de lumière et de douceur. » Et aussi : « Pour que la France soit l'avenir, il faut qu'elle soit la démocratie, la vérité, la justice contre le vieux monde du catholicisme et de la monarchie. » Son passe-temps favori, au milieu de cet ambitieux programme, c'est, comme toujours, la photographie et le développement des clichés. « Cette après-midi, j'ai essayé l'objectif de Moche, avec les enfants, rapporte-t-il à Alexandrine le 13 octobre 1901 ; et, ce soir, je suis rentré à huit heures et demie pour développer mes six clichés. Il est dix heures et demie et je remonte du laboratoire. Je t'écris cette lettre pendant que mes clichés se lavent et je descendrai les prendre à minuit. Ils sont très beaux. Je crois que l'objectif est plus fin et plus lumineux que le mien. Il donne des détails d'une plus grande douceur. »

Installé pendant l'été de 1902 à Médan, Zola nourrit de remarques et de gloses le dossier de *Justice*, lit les journaux, s'adonne avec de plus en plus d'ardeur à la photographie et rend visite, chaque jour, à la petite tribu de Verneuil. Jeanne et les enfants l'accueillent avec des élans de joie. On prend le thé, on roule à bicyclette dans le bois, on herborise. Jacques supplie son père de lui raconter des histoires ; Zola l'assied sur ses genoux et parle à voix basse, tandis qu'autour de lui la famille se tait, envoûtée. Denise a déjà douze ans. Bien que libre penseur, Zola lui a laissé faire sa première communion pour le plaisir de la voir habillée en blanc. Par moments, il se sent plus grand-père que père. Jeanne pourrait être sa fille. Il l'entoure d'une sorte d'amour émerveillé, craintif et reconnaissant. Au vrai, il souffre à l'idée que l'usure des années l'éloignera de cette femme qui paraît toujours si jeune et si vaillante. Auprès d'Alexandrine, il retrouve un climat de fatigue, de petits malaises et de vieillesse prématurée qui est le lot de leur âge à tous deux. Il dort à peine, il souffre des dents. À la fin du mois de septembre 1902, il juge que la mauvaise saison arrive trop vite et qu'il est temps de rentrer à Paris. Jeanne et les enfants ont quitté Verneuil le 27 septembre. Il se décide à partir le lendemain, un dimanche. Alexandrine projette de faire seule, aussitôt après, un voyage en Italie où elle compte quelques amies.

En pénétrant dans l'hôtel particulier de la rue de Bruxelles, Zola constate que la maison est froide, humide et demande à Jules, le domestique, d'allumer un feu de boulets dans la cheminée de la chambre. Jules s'exécute et, ayant vérifié que le charbon rougeoie, relève le tablier de tôle qui masque le foyer. Après un repas copieux, Alexandrine et son mari font leurs ablutions et s'allongent côte à côte dans le grand lit Renaissance à quatre colonnes, qui trône sur une estrade. À trois heures du matin, Alexandrine se réveille, incommodée, se rend dans le cabinet de toilette et, le cœur soulevé, vomit dans la cuvette. Quand elle revient se coucher, à demi soulagée, elle suggère à Zola, réveillé à son tour, d'appeler Jules. Mais il refuse qu'on dérange le domestique en pleine nuit pour un petit malaise. Il rassure sa femme : sans doute ont-ils mangé quelque « saleté » qui leur est restée sur l'estomac. L'air pur leur fera du bien. À peine lucide, il se lève et se dirige vers la fenêtre pour l'ouvrir. Ayant fait trois pas, il chancelle et s'effondre sur le parquet sans avoir pu atteindre l'espagnolette. Affolée, Alexandrine veut se porter à son secours, mais la tête lui tourne, elle ne parvient pas à saisir la sonnette et perd, elle aussi, connaissance.

Le lendemain matin, à neuf heures passées, Jules et les autres domestiques s'inquiètent de n'être pas appelés par les maîtres qui, d'habitude, se lèvent tôt. Ils frappent à la porte, qui est fermée à clef. Puis, comme personne ne répond, ils vont chercher un serrurier. Celui-ci procède à l'ouverture. Étendue sur le lit, Alexandrine, livide, râle faiblement. Zola gît à même le sol, la tête contre la marche de l'estrade. Son corps est encore tiède. On lui asperge le visage avec de l'eau froide, on présente à sa bouche un miroir qu'aucune buée ne ternit plus, on pratique la respiration artificielle. En vain. Le docteur Berman, prévenu en hâte, envoie chercher de l'oxygène. Les tractions rythmiques de la langue ne donnent aucun résultat. Le médecin du commissariat de police arrive sur les lieux. Lui aussi s'acharne à vouloir ranimer Zola. Au bout d'un long moment, force est de constater qu'il n'y a plus d'espoir. Un policier inspecte la cheminée. Le conduit est bouché par des gravats. Pas de doute possible : le défaut de tirage a fait refluer l'oxyde de carbone dans la chambre. Zola est mort asphyxié, le 29 septembre 1902, à soixante-deux ans. Mais Alexandrine respire encore. On la transporte à Neuilly, dans une clinique. Elle reprend conscience au milieu de l'après-midi. Pour lui éviter un choc, on lui cache la fin tragique de son mari.

Cependant la nouvelle s'est déjà répandue dans la ville. Certains parlent d'un accident, d'autres d'un suicide, d'autres enfin d'un assassinat politique. Une seule certitude : le conduit de fumée était bien encombré de gravats. Mais qui les y avait entassés ? Des ouvriers négligents ou des ennemis de la victime ? Une enquête est ouverte. L'expertise ne relève aucune faute à la charge du propriétaire, l'entretien des cheminées incombant uniquement aux locataires, ni à celle de l'entrepreneur de fumisterie qui a effectué le dernier ramonage. Or celui-ci est relativement récent, puisqu'il ne remonte qu'à octobre 1901. Ne sont-ce pas plutôt les travaux de couverture exécutés au cours de l'été qui ont causé cette obstruction fatale ? Mais peut-être aussi Zola s'est-il supprimé ? Absurde ! Pourquoi l'aurait-il fait ? Et surtout, pourquoi aurait-il entraîné sa femme dans la mort ? Reste l'hypothèse d'une action criminelle. Les adversaires de Zola n'étaient pas rentrés sous terre comme par enchantement. Ils continuaient à le harceler de lettres anonymes : « Qui débarrassera la

France de ta putride présence ? Ta tête est mise à prix. » « Sale cochon et vendu aux Juifs. Je sors d'une réunion où on a décidé ta crevaison... » « Monsieur Zola, retenez bien ces quelques lignes. Vos infamies ont fait que, depuis ce soir, vous êtes condamné... Le sort m'a désigné et vous sauterez, Monsieur ; la dynamite aura raison de votre vilaine personne dont la bave salit notre chère France. » « Pourquoi parmi les témoins n'as-tu pas cité le Kaiser allemand qui te paie de concert avec la juiverie cosmopolite [1] ? » Le concierge et même Alexandrine recevaient des billets d'injures. Ces menaces étaient sérieuses. L'avocat Labori n'avait-il pas été blessé d'un coup de feu par un antidreyfusard inconnu ? Bien qu'amnistié et retiré du combat, Zola nageait encore dans un bouillon de haine.

Des gens du quartier prétendent maintenant, à voix basse, que des individus sont montés dernièrement sur le toit de la maison voisine. De là, ils ont pu facilement passer sur le toit du 21 *bis,* rue de Bruxelles. Cependant, s'ils ont eu l'intention d'obturer l'un des conduits de fumée, encore ont-ils dû se renseigner sur celui qui, parmi la douzaine desservant l'appartement des Zola, débouche précisément dans leur chambre. Qui leur aurait fourni cette indication ? Un domestique indélicat à qui ils auraient graissé la patte ? Pourquoi pas ? Une dernière possibilité mérite d'être envisagée avec soin. Celle d'une « leçon » que les pourfendeurs de Zola auraient voulu lui donner, en « empestant » dans sa chambre l'écrivain qui a « empesté » tant de lecteurs par ses livres. La vulgaire farce se serait transformée en assassinat. Cette interprétation, que j'avance prudemment, me semble la plus plausible de toutes. Mais aucune n'a encore, à ce jour, acquis force de certitude. Enquêtes, interrogatoires de témoins, essais d'asphyxie de quelques cobayes et de quelques oiseaux sur place, rien n'a permis d'éclaircir définitivement le mystère.

1. Cf. Armand Lanoux, *op. cit.*

Écartant l'hypothèse de l'acte criminel, le gouvernement de l'époque s'en tient à la version officielle de l'accident. Son souci est d'éviter le réveil des passions autour d'une affaire qu'il considère comme classée.

Dans la chambre mortuaire, c'est le défilé des amis accablés. Le cadavre repose, lisse, serein et froid, sur le lit de parade, tandis que tout autour piétinent les visiteurs chuchotants. On a pratiqué une autopsie, à la suite de l'enquête judiciaire. Mais on n'a pas touché à la tête. « La mort n'avait nullement altéré ses traits, écrit Alfred Bruneau[1]. Sa personne semblait partager avec son œuvre le privilège de l'éternité. J'en goûtai une minute la trop brève illusion. » Et Denise Le Blond-Zola : « Il était beau, les traits reposés, avec une expression de grandeur, comme tranquille de l'immense labeur terminé[2]. » Prévenue par des amis, Jeanne, accompagnée de ses enfants, se faufile dans la chambre. Elle sanglote. Denise et Jacques ne peuvent croire que ce mannequin de cire soit leur père, qui les embrassait hier encore avec tant de chaleur et leur racontait des histoires à dormir debout en souriant dans sa barbe. Dreyfus aussi vient saluer le corps de celui qui se dépensa sans compter pour le défendre. Dans la rue, des policiers en civil surveillent les allées et venues des familiers de la maison. Les ministères sont en émoi. Quelles marques de respect faut-il réserver à ce mort encombrant ? Une fois amnistié, Zola a reçu sa rosette d'officier de la Légion d'honneur. Cependant, il a refusé de la porter, par orgueil et rancune. Faut-il néanmoins oublier ses attaques contre l'armée et lui rendre les honneurs militaires ? L'usage le voudrait. Mais le cœur se révolte. Finalement, le gouverneur de Paris se résout au pardon des offenses et désigne un détachement du 28e de ligne pour accompagner le corbillard.

Les journaux de droite se réjouissent ouvertement de

1. *Op. cit.*
2. *Émile Zola raconté par sa fille.*

cette fin minable. *Le Peuple français* estime que c'est l'archange saint Michel qui a terrassé Zola comme il terrassa jadis le dragon. *La Libre Parole* ironise : « Un fait divers naturaliste : Zola asphyxié. »

Après avoir passé quatre jours en clinique, Alexandrine, qui connaît maintenant tous les détails du drame, rentre à la maison. Selon ses amis, elle est blême, échevelée, son regard est flottant. Au milieu de son désespoir, elle doit encore subir les interrogatoires des policiers. Comme Dreyfus lui annonce qu'il souhaiterait assister aux obsèques de Zola, elle le supplie de n'en rien faire. Elle craint que la présence du capitaine ne serve de prétexte à de nouvelles manifestations hostiles. Joseph Reinach abonde dans son sens. « Vous exigez de moi une lâcheté ! » s'exclame Dreyfus. « Je vous demande un sacrifice », répond Joseph Reinach. Consterné, Dreyfus sollicite au moins la faveur de veiller le corps avec les proches du défunt. Cela, Alexandrine ne peut le lui refuser. Mais elle désire tellement éviter tout incident au cours des funérailles qu'elle demande à Anatole France, chargé de prononcer un discours au cimetière, de n'évoquer que le Zola romancier, laissant de côté les prises de position de l'écrivain pendant l'Affaire. Stupéfait, Anatole France réplique qu'il ne saurait taire son admiration pour l'auteur de *J'accuse*. Alors Alexandrine lui envoie une dépêche : « Comptant sur votre tact, je vous laisse la liberté et compte sur vous. » Le seul mot de « tact » le hérisse : il l'interprète comme une invitation à trahir ses vrais sentiments. « Dans ces conditions, il m'est impossible de parler sur la tombe de Zola », répond-il. Ne sachant plus que décider, Alexandrine consulte Dreyfus. Il l'encourage à laisser Anatole France s'exprimer selon son cœur. Bien que terrorisée par un tel risque, elle fait dire à l'auteur de *L'Île des Pingouins* qu'il pourra saluer comme il l'entend la mémoire de son mari. Dans le même mouvement, elle autorise Dreyfus à figurer parmi ceux qui accompagneront Zola à sa dernière demeure.

316

On a embaumé le cadavre pour le conserver en bon état jusqu'à l'inhumation, qui a été retardée de quelques jours. Zola gît maintenant dans son cabinet de travail, dont la porte reste toujours ouverte. La maison n'est pas chauffée, à cause de l'enquête policière qui se poursuit méthodiquement. Il fait très froid. Groupés dans le salon voisin, les amis grelottent, enveloppés dans des couvertures et les pieds sur des cruchons d'eau bouillante. De temps à autre, l'un d'eux va se recueillir au chevet du mort. Alfred Bruneau observe que les petits chiens Pimpin II et Fanfan, qui se détestaient du vivant de Zola, sont à présent couchés l'un contre l'autre, à deux pas de la dépouille de leur maître, dans une réconciliation attristée. Quant au chat, après avoir longtemps erré autour du cercueil ouvert, il y est monté d'un seul bond. Alfred Bruneau le décrit, « doucement assis sur la poitrine de Zola, méditatif et sacerdotal, sans un mouvement, retenant son souffle, le regardant de ses yeux verts et phosphorescents [1] ».

À l'aube du dimanche 5 octobre 1902, le cortège s'organise. Perdus dans la foule qui se presse rue de Bruxelles, Jeanne et les enfants voient les croque-morts emporter le cercueil. Par décence, ils ne se joignent pas à la procession funèbre. Afin de respecter les idées de son mari, Alexandrine a opté pour un enterrement civil. Mais, à bout de forces, elle s'est reconnue incapable d'assister à l'inhumation. Entourée de quelques amis, elle reste à la maison, le front contre la vitre.

« Présentez, armes ! » Une compagnie du 28e de ligne, commandée par le capitaine Ollivier, rend les honneurs. Les cordons du poêle sont tenus par Ludovic Halévy, Abel Hermant, Georges Charpentier, Eugène Fasquelle, Octave Mirbeau, Théodore Duret, Alfred Bruneau et Bréat, secrétaire de la Bourse du travail. Un public nombreux est massé sur l'itinéraire qui va de la rue de Bruxelles au cimetière Montmartre. Toutes les

1. *Op. cit.*

fenêtres sont garnies de curieux. Il y en a même qui se sont juchés sur les toits. Çà et là, des gens ricanent. Quelqu'un chante :

> *Zola l'pornographique,*
> *Le fameux romancier,*
> *Par l'acide carbonique*
> *Vient d'mourir asphyxié.*

On le fait taire. Au cimetière, le cercueil est descendu dans un caveau provisoire. Une fragile tribune, drapée de noir et d'argent, a été dressée pour les orateurs. Tête nue, Chaumié, ministre de l'Instruction publique, lit un hommage courtois et conventionnel au grand écrivain disparu. Abel Hermant, président de la Société des gens de lettres, lui succède : « Il n'a jamais flatté la foule ; à l'occasion, il l'a bravée. Il s'est mesuré avec elle sans peur et ce n'est pas dans ses livres seulement qu'on a entendu retentir autour de lui des clameurs de colère et de menace. » Les amis de Zola craignent que cette allusion à son rôle politique ne soulève des quolibets dans l'auditoire. Cependant, malgré quelques sifflets et quelques grognements, personne ne proteste. C'est au tour d'Anatole France de prendre la parole. Il n'a pas toujours apprécié le talent de Zola dans *Les Rougon-Macquart*. Mais, depuis l'affaire Dreyfus, il a révisé son jugement. « L'œuvre littéraire de Zola est immense, dit-il. Aujourd'hui qu'on en découvre dans son entier la forme colossale, on reconnaît aussi l'esprit dont elle est pleine. C'est un esprit de bonté. Zola était bon. Il avait la candeur et la simplicité des grandes âmes. Il était profondément moral. Il a peint le vice d'une main rude et vertueuse… Démocrate, il ne flatta jamais le peuple et il s'efforça de lui montrer les servitudes de l'ignorance, les dangers de l'alcool… Devant rappeler la lutte entreprise par Zola pour la justice et la vérité, m'est-il possible de garder le silence sur ces hommes acharnés à la ruine d'un innocent… ? »

318

À cette évocation de l'affaire Dreyfus, un frémissement parcourt l'assistance. Sans se soucier des réticences qui se manifestent par moments, Anatole France continue : « Vous avez entendu les hurlements de rage et les cris de mort dont il fut poursuivi jusque dans le Palais de Justice durant ce long procès jugé dans l'ignorance volontaire de la cause, sur de faux témoignages, dans le cliquetis des épées... Ne le plaignons pas d'avoir enduré et souffert. Envions-le. Dressé sur le plus prodigieux amas d'outrages que la sottise, l'ignorance et la méchanceté aient jamais élevé, sa gloire atteint une hauteur inaccessible. Envions-le : il a honoré la patrie et le monde par une œuvre immense et par un grand acte. Envions-le, sa destinée et son cœur lui firent le sort le plus grand : il fut un moment de la conscience humaine. » Cette dernière phrase retentit comme un ordre donné à la postérité d'honorer le disparu à travers les siècles.

Le défilé commence, qui durera jusqu'au coucher du soleil. Un fleuve d'inconnus s'écoule lentement devant le tombeau ouvert. Certains jettent des églantines rouges sur le cercueil. Des mères soulèvent leurs enfants à bout de bras, au-dessus des têtes, pour qu'ils puissent se souvenir de l'instant où ils ont dit adieu à Zola. Des délégués des mineurs du Nord hurlent : « Germinal ! Germinal ! » comme s'ils appelaient à la révolte le peuple des faubourgs. Pourtant il n'y a pas d'échauffourée. Dreyfus peut regagner son domicile sans être molesté. Les policiers respirent.

Le soir même, le capitaine Ollivier, qui a commandé le détachement chargé de rendre les honneurs militaires à Zola, rentre à la caserne. Il a agi sur ordre, en soldat discipliné. Mais un de ses camarades lui crie son mépris et le gifle. Un duel s'ensuivra, au cours duquel le capitaine Ollivier sera blessé au bras. Allons ! contrairement aux apparences, l'affaire Dreyfus n'est pas close.

XXVIII

LE PANTHÉON

Sur le bureau de Zola reposent quelques pages de son dernier roman, *Justice,* resté inachevé. Le maître parti, la maison paraît plus vaste, plus froide et plus sonore. Alexandrine fait l'apprentissage de la solitude : ce n'est plus pour aller chez Jeanne que son mari l'a quittée. La nouvelle demeure d'Émile est celle dont on ne revient pas. Dehors cependant sa disparition soulève des commentaires fiévreux. Sauf dans les milieux cléricaux et nationalistes, tous les journaux parlent d'une perte irréparable pour les Lettres françaises. Dès le 2 octobre, Paul Brulat, dans *L'Aurore,* a réclamé le Panthéon pour Zola. Le grand chimiste Marcelin Berthelot révèle, dans *Le Siècle,* qu'il a proposé en vain, à deux reprises, l'auteur de *L'Assommoir* à la commission suédoise pour le prix Nobel. La plupart des académiciens français, qui ont repoussé Zola à vingt-quatre reprises, se demandent si leur jugement n'a pas été brouillé au moment des votes. À l'étranger, cette mort prend l'importance d'un événement mondial. Il n'y a pas un pays qui ne considère Zola comme un génie à ranger au premier rang des éveilleurs de la conscience humaine. À présent, Jaurès relaie Zola pour exiger la révision du procès de Dreyfus. Il se bat dans les gazettes, il se bat devant les députés. Le 25 novembre 1903, Dreyfus rédige une requête en révision de l'arrêt du conseil de guerre de

Rennes, requête fondée sur la « révélation » faite à la Chambre par Jaurès. Après quelques heures d'hésitation, le Conseil des ministres décide de déférer le jugement de Rennes à la Cour de cassation. L'audience publique de la Cour s'ouvre le 3 mars 1904. Le 12 juillet 1906, le jugement du conseil de guerre de Rennes, « prononcé par erreur » (*sic*), est annulé. Lavé de toute accusation, Dreyfus est réintégré dans l'armée avec le grade de commandant et, quelques jours plus tard, au milieu de la grande cour de l'École militaire où a eu lieu sa dégradation, décoré de la Légion d'honneur devant le front des troupes. De son côté, le valeureux Picquart est nommé général de brigade. C'est le triomphe des idées de Zola. Mais il ne l'aura pas vu. Mort quatre ans trop tôt, il laisse cette joie et cette fierté à ses amis, à sa femme, à Jeanne.

Dans un élan de générosité, Alexandrine fait don de la maison de Médan à l'Assistance publique, afin d'y installer une pouponnière[1]. Son deuil l'a, semble-t-il, rendue plus ouverte à la détresse des autres. Elle s'est rapprochée de Jeanne et des petits pour retrouver en eux comme un reflet de son mari. Parlant des deux orphelins, il lui arrive de dire « mes enfants ». Bientôt, obéissant au désir du défunt, elle obtient que Denise et Jacques soient autorisés à porter le nom de Zola. De même, d'accord avec leur mère, elle constitue officiellement un « conseil d'amis », qui s'assemble à la mairie sous la présidence du juge de paix. En sortant de la réunion, Alfred Bruneau voit s'éloigner dans la rue, marchant affectueusement côte à côte, les deux femmes de la vie de Zola.

---

1. L'Assistance publique prit possession en 1905 de la maison de Zola, vidée de son mobilier, et y établit un centre hospitalier pour enfants. En 1967, celui-ci fut désaffecté et la commune de Poissy installa à la place une école de cadres pour infirmières. Cette école dut, à son tour, fermer ses portes. Depuis 1985, l'Association des amis de Zola a pu, grâce à des efforts incessants, transformer les lieux en un musée dédié à la mémoire de l'auteur des *Rougon-Macquart*.

Or voici que Georges Clemenceau devient président du Conseil. Immédiatement, il choisit Picquart, l'ex-réprouvé, comme ministre de la Guerre, puis, sur proposition de Jaurès, de Breton et de Pressensé, soumet aux Chambres un projet de loi ordonnant le transfert des cendres de Zola au Panthéon. Malgré les protestations de Barrès, député d'extrême droite au cœur enflammé et à la voix nasillarde, le vote est largement favorable.

En apprenant la nouvelle, Alexandrine est à la fois flattée et désolée. Elle a fait construire, au cimetière Montmartre, un tombeau à deux places : une pour son mari, où il repose déjà ; l'autre pour elle, lorsque le moment sera venu d'aller le rejoindre. À l'idée d'être séparée des restes de son cher Émile, elle a l'impression d'être dépossédée de son bien le plus précieux. À l'avocat Leblois qui se demande si, pour ménager le cœur de Mme Zola, il ne vaudrait pas mieux essayer de faire ajourner l'application de la loi, Alfred Bruneau répond avec fougue : « Ce serait une reculade indigne. Il faut supprimer, dans le cas présent, toute sensibilité personnelle et n'envisager que le caractère même de cette loi qui est un hommage national rendu à l'héroïsme civique et au génie littéraire d'Émile Zola ! »

Alexandrine se résigne de mauvaise grâce. Prenant la direction des opérations, Alfred Bruneau et Desmoulin se rendent au Panthéon et choisissent l'emplacement de la future sépulture de Zola, tout à côté de Victor Hugo. L'architecte Nénot se charge de la décoration. La veille de la cérémonie officielle, à cinq heures du soir, Alfred Bruneau et Desmoulin se retrouvent au cimetière Montmartre, devant le tombeau dont les fossoyeurs ont déjà descellé la dalle. Lors de l'exhumation, on s'aperçoit que la bière de chêne contenant le cercueil de plomb s'émiette. Il faut la remplacer par une autre. Alfred Bruneau s'impatiente, car sa femme, sa fille et quelques intimes l'attendent au Panthéon, et il a reçu des lettres anonymes lui annonçant que les « patriotes » jetteront à la Seine la voiture des pompes funèbres quand elle s'engagera sur le pont. Contrairement à ses craintes, le transport se passe sans encombre, sous la surveillance de la police. Mais, quand le corbillard arrive devant le Panthéon, une foule hurlante se presse sur la place. Aux cris d'enthousiasme répondent des insultes et des menaces.

De rares invités entourent Alexandrine, Jeanne, les deux enfants, le ménage Dreyfus. À pas lents, ils montent les marches du monument aux trente-deux colonnes. À l'intérieur, un énorme catafalque reçoit la dépouille. Après quelques minutes de recueillement, la famille se retire, laissant les amis qui avaient déjà veillé Zola sur son lit de mort le veiller une dernière fois dans ce décor de gloire.

Le lendemain, 5 juin 1908, le temps est superbe. En se rendant au Panthéon, Alfred Bruneau voit les troupes qui se massent déjà pour l'ultime hommage. À neuf heures et demie, les tambours battent aux champs, les clairons sonnent. Les plus hauts personnages de l'État arrivent un à un. Fallières, président de la République, Clemenceau, président du Conseil, tous les ministres, tous les corps constitués. Gaston Doumergue prononce une allocution exaltant la loyauté de Zola : « C'est à sa patrie d'abord qu'il pensait, à son prestige, à son honneur ; il voulait lui garder, au milieu des nations, une place élue ! » Puis, c'est Clemenceau qui proclame : « On a trouvé des hommes pour résister aux rois les plus puissants, on a trouvé très peu d'hommes pour résister aux foules..., pour oser, quand on exige un " oui ", lever la tête et dire " non ". »

Après les discours et les fanfares (*Marseillaise, Chant du départ*, marche funèbre de *La Symphonie héroïque*, prélude de *Messidor*), les invités sortent sur le parvis du Panthéon pour assister à la parade militaire. Là, excités par Barrès et Léon Daudet, les « patriotes » de la Ligue vocifèrent et brandissent des cannes. Soudain, deux détonations éclatent. Dreyfus chancelle, tandis que, dans la bousculade, on arrête l'agresseur : un pâle journaliste d'extrême droite nommé Grégori. Heureusement, Dreyfus n'est que très légèrement blessé au bras. La troupe défile en bon ordre. Les généraux saluent de l'épée. Les drapeaux s'inclinent. On dirait que la France officielle a, de tout temps, aimé et honoré Zola.

Il ne reste plus qu'à descendre la dépouille dans la crypte. Seuls marchent derrière le cercueil Alexandrine, Jeanne, les deux enfants de Zola et une dizaine d'amis très proches. On place la bière dans le troisième caveau de gauche, partie sud, où dort déjà Victor Hugo. Quand la pierre tombale a été scellée et recouverte de fleurs, le petit groupe des fidèles remonte l'escalier tortueux, à la lueur sinistre d'un falot. Alexandrine halète sous ses voiles noirs. Loin d'être fière de cette canonisation laïque, elle a le sentiment qu'elle vient de perdre son mari pour la seconde fois. Naguère, même mort il était à elle. Désormais, il appartient à tout le monde. Plus le renom de Zola s'affirme, plus sa femme se demande ce qu'il y a de commun entre ce personnage figé dans la solennité républicaine et l'homme simple, bon, naïf, aussi tendre qu'obstiné, auprès duquel elle a passé trente-huit ans de son existence. Elle se fait le serment de consacrer le restant de ses jours à défendre la mémoire du disparu : création d'une Association des amis de Zola, pèlerinages à Médan, colloques, inaugurations de statues, tout passera par elle. Le rôle de veuve la grandit et justifie à ses yeux son avenir solitaire.

En sortant à l'air libre, elle est éblouie par le soleil qui écrase Paris. À côté d'elle, Jeanne, Denise, Jacques : sa nouvelle famille [1]. Tournée vers la masse sombre du

1. Denise épousera en 1908 un jeune ami de Zola, l'écrivain Maurice Le Blond, et consacrera un livre à son père. Jacques deviendra un médecin réputé. Jeanne Rozerot mourra en 1914 des suites d'une opération chirurgicale, à l'âge de quarante-sept ans ; Alexandrine en 1925, à l'âge de quatre-vingt-six ans.

Panthéon, Alexandrine regrette de plus en plus que Zola, homme de foule, de lumière et de mouvement, Zola « l'Italien », soit enfermé dans cet édifice glacial, réservé aux meilleurs fils de France. Pourtant elle a bon espoir. Déjà, elle pressent que les admirateurs de l'écrivain n'iront pas le chercher dans le temple de l'immortalité où reposent ses cendres, mais dans ses livres où il est à jamais vivant.

BIBLIOGRAPHIE

Liste des principaux ouvrages consultés

ALEXIS (Paul) : *Émile Zola, notes d'un ami,* G. Charpentier, 1882.

BARBUSSE (Henri) : *Zola,* Gallimard, 1891.

BARTILLAT (Marcel) : *Émile Zola,* Reider, 1953.

BECKER (Colette) : *Zola en toutes lettres,* Bordas, 1990.

BERNARD (Marc) : *Présence de Zola,* Fasquelle, 1953.
— *Zola,* coll. « Écrivains de toujours », Éditions du Seuil, 1952.

BREDIN (Jean-Denis) : *L'Affaire,* Julliard, 1983.

BRUNEAU (Alfred) : *À l'ombre d'un grand cœur,* G. Charpentier, 1932.

BRUNETIÈRE (Ferdinand) : *Le Roman naturaliste,* Calmann-Lévy, 1883.

COLIN (René-Pierre) : *Zola, renégats et alliés,* Presses universitaires de Lyon, 1988.

FAGUET (Émile) : *Zola,* Imprimerie Eynéoud, 1903.

GONCOURT (Edmond et Jules de) : *Journal* (4 volumes), Fasquelle-Flammarion, 1956.

GUILLEMIN (Henri) : *Zola, légende et vérité,* Éditions d'Utovie, 1979.

HERRIOT (Édouard) : *Émile Zola et son œuvre,* Fasquelle, 1935.

JOUVENEL (Bertrand de) : *Vie de Zola,* Librairie Valois, 1963.

LABORDE (André) : *Trente-huit années près de Zola,* Les Éditeurs français réunis, 1963.

Labori (Fernand) : *Plaidoirie pour Zola*, Fasquelle, 1898.

Lanoux (Armand) : *Bonjour, Monsieur Zola*, Grasset et Fasquelle, 1978.

Le Blond-Zola (Denise) : *Émile Zola raconté par sa fille*, Fasquelle, 1931.

Lemaitre (Jules) : *Les Contemporains*, tome I, H. Lecène et H. Oudin, 1886.

Lepelletier (Edmond) : *Émile Zola, sa vie, son œuvre*, Mercure de France, 1908.

Malinas (Yves) : *Zola et les hérédités imaginaires*, Expansion scientifique française, 1985.

Mallarmé (Stéphane) : *Dix-neuf lettres à Émile Zola*, Jacques Bernard / La Centaine, 1929.

Mann (Heinrich) : « Zola », *Nouvelle Revue critique*, 1937.

Maupassant (Guy de) : *Émile Zola*, Quentin, 1883.

Mitterand (Henri) : « Naissance du Naturalisme », *Les Cahiers naturalistes*, 1963.
— *Zola et le Naturalisme*, Presses universitaires de France, 1986.

Péguy (Charles) : « Émile Zola », *Les Cahiers de la Quinzaine*, 5e cahier, 4e série, 1902.

Rewald (John) : *Cézanne, sa vie, son œuvre, son amitié pour Zola*, Albin Michel, 1939.

Romains (Jules) : *Zola et son exemple*, Flammarion, 1935.

Schom (Alan) : *Émile Zola*, New York, Henry Holt and C°, 1987 (en américain).

Serres (Michel) : *Feux et signaux de brume, Zola*, Grasset, 1975.

Ternois (René) : *Zola et son temps*, Les Belles Lettres, 1961.

Thomas (Marcel) : *Esterházy ou l'envers de l'affaire Dreyfus*, Vernal / Philippe Lebaud, 1989.

Troyat (Henri) : *Flaubert*, Flammarion, 1988.
— *Maupassant*, Flammarion, 1989.

Vizetelly (E. A.) : *With Zola in England*, London, Chatto, 1899 (en anglais).
— *Émile Zola*, London, Chatto (en anglais).

Zévaès (Alexandre) : *Zola*, Éditions de la Nouvelle Revue critique, 1945.

Zola (Émile) : *Œuvres complètes*, Charpentier-Fasquelle.
— *Les Rougon-Macquart*, édition intégrale (5 volumes), sous la direction d'Armand Lanoux et avec des études par Henri Mitterand, Bibliothèque de la Pléiade, 1960-1967.

— *Contes et Nouvelles*, présenté et annoté par Roger Ripoll, Bibliothèque de la Pléiade, 1976.
— *Album Zola*, Bibliothèque de la Pléiade.
— *Œuvres complètes*, préface d'Henri Guillemin, Lausanne, Cercle du Bibliophile, 1960.
— *Œuvres complètes* (15 volumes), sous la direction d'Henri Mitterand, préface d'Armand Lanoux, Cercle du Livre précieux / Hachette, 1962.
— *Correspondance*, en cours de publication (8 volumes parus), Les Presses de l'université de Montréal et le C.N.R.S., 1978-1991.
— Catalogue de la vente aux enchères de manuscrits et lettres d'Émile Zola, le 17 juin 1992, à l'hôtel Drouot.
— *Le Bon Combat, de Courbet aux impressionnistes*, présenté par Gaëtan Picon, coll. « Savoir », Hermann, 1974.
— *Carnets d'enquêtes*, présentés par Henri Mitterand, Plon, 1986.
— *Zola photographe*, présenté par François-Émile Zola et Massin, Hoëbeke, 1990.

INDEX

A

ABOUT (Edmond), 40, 44, 140.

ACHARD (Amédée), 45.

AJALBERT (Jean), 270.

ALEXANDRE (Arsène), 197.

ALEXIS (Paul), 18 (n. 1), 20 (n. 1), 54 (n. 1), 74, 86-87, 88, 102, 106, 118, 121, 128, 136, 138, 148, 151, 161, 162-163, 168, 173, 175, 179, 191, 215, 217, 218, 223, 229, 231, 257, 309.

ARNAUD (Léopold), 81.

AUBERT (Émilie), voir ZOLA (Émilie).

AUBERT (grand-mère), 7, 8, 11, 13-14, 19, 32.

AUBERT (grand-père), 7, 8, 13-14, 20, 21, 32, 34, 39-40.

AUGIER (Émile), 190, 223.

B

BAILLE (Jean-Baptistin), 15-18, 20, 22, 23, 24, 26, 28, 29, 30, 31, 32, 35, 36, 37, 38, 39, 40, 45, 50, 52, 60, 79, 102, 187, 191.

BALLOT-BEAUPRÉ (président), 300.

BALZAC (Honoré de), 51, 71-72, 73, 110, 136, 195, 209, 225, 231.

BARBEY D'AUREVILLY (Jules), 44, 50, 100, 113, 264.

BARDOUX (Agénor), 139-140, 141.

BARRÈS (Maurice), 265, 270, 279, 304, 322, 323.

BARTHOU (Louis), 276.

BAUËR (Henry), 67-68, 201.

BAZILLE (Frédéric), 56, 94.

BELHOMME (M.), 267, 291, 292 (n. 1).

BÉLIARD (Édouard), 111.

BELOT (Adolphe), 63.

BERGERAT (Émile), 145.

BERMAN (docteur), 313.

BERNARD (Claude), 72.

BERNARDIN DE SAINT-PIERRE (Jacques Henri), 29.

BERNHARDT (Sarah), 310.

I

H

J

339

Z

ZOLA (Alexandrine, née Meley), 47, 52, 59-60, 70, 74, 75, 79, 80-86, 90, 92, 94, 104, 113, 115, 116, 117, 119, 124, 129, 130, 131, 134, 137, 138, 142, 144, 149, 155-157, 158, 159, 179, 180, 186, 190, 193, 195, 201, 202, 211-215, 222, 230-235, 240-243, 246, 248-254, 257, 258, 261, 262, 263, 267, 277, 283, 284, 287, 288, 289, 294, 297, 298, 299, 302, 311-314, 316, 317, 320, 321, 322, 323, 324-325.

ZOLA (Denise), voir ROZEROT (Denise).

ZOLA (Émilie, née Aubert), 5, 6-12, 13-14, 18, 19-20, 21, 23, 26, 29, 31, 32, 33, 34, 40, 49, 59, 60, 74, 79, 80-86, 90, 92, 94, 116, 118, 134, 155-157, 172.

ZOLA (François), 5-12, 13, 31, 32, 58, 93, 156, 174, 208, 246, 252, 277, 288.

ZOLA (Jacques), voir ROZEROT (Jacques).

ZURLINDEN (général), 295-296.

Table

Nouvelles

Biographies

GORKI (Flammarion)
FLAUBERT (Flammarion)
MAUPASSANT (Flammarion)
ALEXANDRE II (Flammarion)
NICOLAS II (Flammarion)

Essais, voyages, divers

LA CASE DE L'ONCLE SAM (La Table Ronde)
DE GRATTE-CIEL EN COCOTIER (Plon)
SAINTE RUSSIE, *réflexions et souvenirs* (Grasset)
LES PONTS DE PARIS, *illustré d'aquarelles* (Flammarion)
NAISSANCE D'UNE DAUPHINE (Gallimard)
LA VIE QUOTIDIENNE EN RUSSIE AU TEMPS DU DERNIER
   TSAR (Hachette)
LES VIVANTS, *théâtre* (André Bonne)
UN SI LONG CHEMIN (Stock)

Dans Le Livre de Poche

(Extrait du catalogue)

Biographies, études...

Contrucci Jean
Emma Calvé, la diva du siècle.

Cordier Daniel
Jean Moulin.

Dalaï-Lama
Au loin la liberté.

Delbée Anne
Une femme (*vie de Camille Claudel*).

Desanti Dominique
Sacha Guitry, cinquante ans de spectacle.

Dormann Geneviève
Amoureuse Colette.

Eribon Didier
Michel Foucault.

Frank Anne
Journal.

Girard René
Shakespeare – Les feux de l'envie.

Giroud Françoise
Une femme honorable (*vie de Marie Curie*).

Goubert Pierre
Mazarin.

Kafka Franz
Journal.

Kremer-Marietti Angèle
Michel Foucault - Archéologie et généalogie.

Lacouture Jean
Champollion. Une vie de lumières.

Lange Monique
Cocteau, prince sans royaume.

Levenson Claude B.
Ainsi parle le Dalaï-Lama.

Loriot Nicole
Irène Joliot-Curie.

Michelet Jules
Portraits de la Révolution française.

Monnet Jean
Mémoires.

Orieux Jean
Voltaire ou la royauté de l'esprit.
Pernoud Régine
Aliénor d'Aquitaine.
Perruchot Henri
La Vie de Toulouse-Lautrec.
Prévost Jean
La Vie de Montaigne.
Renan Ernest
Marc Aurèle ou la fin du monde antique.
Souvenirs d'enfance et de jeunesse.
Rey Frédéric
L'Homme Michel-Ange.
Roger Philippe
Roland Barthes, roman.
Séguin Philippe
Louis-Napoléon le Grand.
Sipriot Pierre
Montherlant sans masque.
Stassinopoulos Huffington Arianna
Picasso, créateur et destructeur.
Sweetman David
Une vie de Vincent Van Gogh.
Thurman Judith
Karen Blixen.
Troyat Henri
Ivan le Terrible.
Maupassant.
Flaubert.
Zola.
Zweig Stefan
Trois Poètes de leur vie (*Stendhal, Casanova, Tolstoï*).

Dans la collection « Lettres gothiques » :

Journal d'un bourgeois de Paris (*écrit entre 1405 et 1449 par un Parisien anonyme*).

La Pochothèque

Une série au format 12,5 × 19

Classiques modernes

Chrétien de Troyes. *Romans* : *Erec et Enide, Le Chevalier de la Charrette* ou *Le Roman de Lancelot, Le Chevalier au Lion* ou *Le Roman d'Yvain, Le Conte du Graal* ou *Le Roman de Perceval* suivis des *Chansons*. En appendice, *Philomena*.

Lawrence Durrell. *Le Quatuor d'Alexandrie* : *Justine, Balthazar, Mountolive, Clea*.

Jean Giono. *Romans et essais* (1928-1941) : *Colline, Un de Baumugnes, Regain, Présentation de Pan, Le Serpent d'étoiles, Jean le bleu, Que ma joie demeure, Les Vraies Richesses, Triomphe de la vie*.

Jean Giraudoux. *Théâtre complet* : *Siegfried, Amphitryon 38, Judith, Intermezzo, Tessa, La guerre de Troie n'aura pas lieu, Supplément au voyage de Cook, Electre, L'Impromptu de Paris, Cantique des cantiques, Ondine, Sodome et Gomorrhe, L'Apollon de Bellac, La Folle de Chaillot, Pour Lucrèce*.

P.D. James. *Les Enquêtes d'Adam Dalgliesh* :
   Tome 1. *A visage couvert, Une folie meurtrière, Sans les mains, Meurtres en blouse blanche, Meurtre dans un fauteuil*.
   Tome 2. *Mort d'un expert, Un certain goût pour la mort, Par action et par omission*.

P.D. James. *Romans* : *La Proie pour l'ombre, La Meurtrière, L'Ile des morts*.

Carson McCullers. *Romans et nouvelles* : *Frankie Addams, L'Horloge sans aiguille, Le Cœur est un chasseur solitaire, Reflets dans un œil d'or* et diverses nouvelles, dont *La Ballade du café triste*.

Naguib Mahfouz. *Trilogie* : *Impasse des Deux-Palais, Le Palais du désir, Le Jardin du passé*.

Thomas Mann. *Romans et nouvelles I* : *Déception, Paillasse, Tobias Mindernickel, Louisette, L'Armoire à vêtements, Les Affamés, Gladius Dei, Tristan, Tonio Kröger, Les Buddenbrook*.

François Mauriac. *Œuvres romanesques* : *Tante Zulnie, Le Baiser au lépreux, Genitrix, Le Désert de l'amour, Thérèse Desqueyroux, Thérèse à l'hôtel, Destins, Le Nœud de vipères, Le Mystère Frontenac, Les Anges noirs, Le Rang, Conte de Noël, La Pharisienne, Le Sagouin*.

Anton Tchekhov. *Nouvelles :* *La Dame au petit chien,* et plus de 80 autres nouvelles, dont *L'Imbécile, Mort d'un fonctionnaire, Maria Ivanovna, Au cimetière, Le Chagrin, Aïe mes dents! La Steppe, Récit d'un inconnu, Le Violon de Rotschild, Un homme dans un étui, Petite Chérie...*

Boris Vian. *Romans, nouvelles, œuvres diverses :* Les quatre romans essentiels signés Vian, *L'Écume des jours, L'Automne à Pékin, L'Herbe rouge, L'Arrache-cœur,* deux « Vernon Sullivan » : *J'irai cracher sur vos tombes, Et on tuera tous les affreux,* un ensemble de nouvelles, un choix de poèmes et de chansons, des écrits sur le jazz.

Virginia Woolf. *Romans et nouvelles :* *La chambre de Jacob, Mrs. Dalloway, Voyage au Phare, Orlando, Les Vagues, Entre les actes...* En tout, vingt-cinq romans et nouvelles.

Stefan Zweig. *Romans et nouvelles :* *La Peur, Amok, Vingt-Quatre Heures de la vie d'une femme, La Pitié dangereuse, La Confusion des sentiments...* Au total, une vingtaine de romans et de nouvelles.

Thomas Mann. *Œuvres* (à paraître)

Yasunari Kawabata. *Romans et nouvelles* (à paraître)

Ouvrages de référence

Le Petit Littré

Atlas de l'écologie

Atlas de la philosophie

Atlas de l'astronomie (à paraître)

Atlas de la biologie (à paraître)

Encyclopédie de l'art

Encyclopédie de la musique

Encyclopédie géographique

Encyclopédie des sciences
(à paraître)

Encyclopédie de la littérature
(à paraître)

Dictionnaire des lettres françaises : Le Moyen Âge

Le Théâtre en France
(sous la direction de Jacqueline de Jomaron)

La Bibliothèque idéale

HISTOIRE UNIVERSELLE DE L'ART

L'Art de la Préhistoire
(L.R. Nougier)

L'Art égyptien
(S. Donadoni)

L'Art grec (à paraître)
(R. Martin)

L'Art du XVe siècle, des Parler à Dürer
(J. Białostocki)

Composition réalisée par BUSSIÈRE 18200 Saint-Amand-Montrond

IMPRIMÉ EN FRANCE PAR BRODARD ET TAUPIN
Usine de La Flèche (Sarthe).
Librairie Générale Française - 6, rue Pierre-Sarrazin - 75006 Paris.

ISBN : 2 - 253 - 13537 - 2   ◈ 31/3537/3